Gutachten E, F und G
zum 68. Deutschen Juristentag
Berlin 2010

Verhandlungen des 68. Deutschen Juristentages

Berlin 2010

Herausgegeben von der

Ständigen Deputation

des Deutschen Juristentages

Band I

Gutachten

Teil E, F und G

Finanzmarktregulierung – Welche Regelungen empfehlen sich für den deutschen und europäischen Finanzsektor?

Gutachten E

Erstattet von

Prof. Dr. h.c. mult. Martin Hellwig, Ph.D.

Max-Planck-Institut zur Erforschung von Gemeinschaftsgütern
Bonn

Gutachten F

Erstattet von

Prof. Dr. Wolfram Höfling, M.A.

Direktor des Instituts für Staatsrecht der Universität zu
Köln

Gutachten G

Erstattet von

Prof. Dr. Daniel Zimmer, LL.M.

Direktor des Center for Advanced Studies in Law and Economics
(CASTLE) an der Rheinischen Friedrich-Wilhelms-Universität
Bonn

Mitglied der Monopolkommission

Verlag C. H. Beck München 2010

Verlag C. H. Beck im Internet:
beck.de

ISBN 978 3 406 60195 8

Wilhelmstraße 9, 80801 München
Druck: Druckerei C. H. Beck Nördlingen
(Adresse wie Verlag)

Gedruckt auf säurefreiem, alterungsbeständigem Papier
(hergestellt aus chlorfrei gebleichtem Zellstoff)

Finanzmarktregulierung – Welche Regelungen empfehlen sich für den deutschen und europäischen Finanzsektor?

– Finanzkrise und Reformbedarf –

Gutachten E

zum 68. Deutschen Juristentag

Erstattet von

Prof. Dr. h.c. mult. Martin Hellwig, Ph.D.

Max-Planck-Institut zur Erforschung von Gemeinschaftsgütern
Bonn

Verlag C. H. Beck München 2010

Inhaltsverzeichnis

I. Einführung[1]

Als im Oktober 2008 Finanzmärkte und Finanzinstitutionen weltweit zusammenzubrechen drohten, war unmittelbar ersichtlich, dass staatliche Hilfen erforderlich wären, um das Schlimmste zu verhindern und die Funktionsfähigkeit des Finanzsektors als Teil der Infrastruktur der Wirtschaft zu schützen. Gleichzeitig war ersichtlich, dass die Steuerungsmechanismen des Finanzsektors neu durchdacht und reformiert werden müssten. Staatshilfen sind eine Anomalie in der marktwirtschaftlichen Ordnung; sie schalten die für diese Ordnung konstitutiven Haftungsmechanismen aus. Führen die Steuerungsmechanismen eines Sektors zu einer Krise, in der Staatshilfen als unabdingbar betrachtet werden, so müssen diese Steuerungsmechanismen selbst auf den Prüfstand gestellt werden.

Die nationale und internationale Diskussion zu diesem Thema konzentriert sich inhaltlich zumeist auf Einzelaspekte wie die Rolle von Hedge Fonds, Bonussysteme, die Handhabung der Eigenkapitalregulierung, oder die Liquidität von Finanzinstitutionen. Darüber hinaus wird vor allem eine Reform der national und international für die internationale Koordination der Aufsicht zuständigen Institutionen ins Auge gefasst. Jedoch fehlt eine gründliche Ex-Post-Analyse der Rolle der Finanzaufsicht im Vorfeld der Krise. Inwiefern hat die Regulierung selbst zur Krise beigetragen? Was wäre anders gelaufen, wenn die jetzt ins Auge gefassten Änderungen schon früher implementiert worden wären? Ohne eine solche Analyse ist zu befürchten, dass die Ursachen der Fehlsteuerung im Finanzsektor nicht wirklich behoben werden.

Nach einer sehr einfachen Vorstellung wurde Deutschland von der Krise betroffen, weil die Bankmanager nach Boni gierten und sich bei Schrottpapieren in den USA verzockten. Aufgrund der von neoliberalen Ideologen und Lobbyisten durchgesetzten Deregulierung war die staatliche Aufsicht nicht in der Lage, sie daran zu hindern. Die Krise ist ein Beleg für den Bankrott des Neoliberalismus und für die Notwendigkeit, die Boni abzuschaffen und die staatliche Aufsicht wieder auszubauen.

Nach einer anderen, ebenfalls sehr einfachen Vorstellung ist die Krise entstanden, weil das US-amerikanische politische System die im

[1] Die Ausführungen dieses Textes stützen sich weitgehend auf M. F. Hellwig, Systemic Risk in the Financial Sector: An Analysis of the Subprime-Mortgage Financial Crisis, **De Economist** 157 (2009), 129–207.

Bereich der Hypothekarkredite tätigen Finanzinstitute unter Druck setzte, um eine Ausdehnung privaten Wohneigentums auf wenig bemittelte Schichten zu ermöglichen. *„Subprime Mortgage Lending"*, die Vergabe von Hypotheken an Schuldner minderer Kreditwürdigkeit, und die Verbriefung dieser Hypotheken erfolgten auf Druck des Kongresses, der hierin ein Instrument der Sozialpolitik sah.[2] Die Hypothekenbanken Federal National Home Mortgage Association *(„Fannie Mae")* und Federal Home Loan Mortgage Corporation *(„Freddie Mac")* als *„government sponsored enterprises"*[3] machten den Anfang. Im Übrigen sorgte die Zentralbank der USA mit einer unverantwortlich expansiven Geldpolitik in den Jahren 2002 bis 2004 für den Treibstoff, der eine Immobilienblase sondergleichen entstehen ließ.

Die zweite Sichtweise führt die Krise nicht auf das Zocken der Bankmanager, d.h. auf Marktversagen, sondern auf den Missbrauch des Finanzsystems für Anliegen staatlicher Sozialpolitik und auf eine unverantwortliche Geldpolitik, d.h. auf Staatsversagen, zurück. Diese Sichtweise ist in Deutschland weniger verbreitet als in den USA, spielt aber eine Rolle in der internationalen Diskussion um die Reform der Bankenregulierung.

Die einfache Gegenüberstellung von Marktversagen und Staatsversagen greift allerdings zu kurz. Gewiss trifft es zu, dass die US-amerikanische Politik das Wachstum der Kreditvergabe im Subprime-Bereich und die Entwicklung des Verbriefungsgeschäfts gerade auch in diesem Bereich begrüßt und gefördert hat. Das explosive Wachstum der Hypothekarkredite für Wohnimmobilien und die Verbriefung dieser Kredite in den Jahren 2003–2006 war aber gerade nicht von den *Government Sponsored Enterprises* zu verantworten, sondern von privaten Investment-Banken, die nach dem Zerplatzen der Technologie-Blase an den Börsen nach neuen Geschäftsfeldern such-

---

[2] Als Beleg für diese These wird vor allem auf den Community Reinvestment Act von 1977 und die Änderungen dieses Gesetzes in den neunziger Jahren hingewiesen. Empirische Untersuchungen beim Board of Governors of the Federal Reserve System und bei der Bank für Internationalen Zahlungsausgleich sprechen allerdings gegen eine solche Wirkung dieses Gesetzes; siehe G. Canner und N. Bhutta. Subject: Staff Analysis of the Relationship between the CRA and the Subprime Crisis, Board of Governors of the Federal Reserve System, Washington, 2008 www.federalreserve.gov/newsevents/speech/20081203_analysis.pdf, L. Ellis, The housing meltdown: Why did it happen in the United States?, Bank für Internationalen Zahlungsausgleich, Basel 2008, www.bis.org/publ/work259.pdf.

[3] Fannie Mae wurde in den dreißiger Jahren als Staatsbank gegründet und in den sechziger Jahren privatisiert. Zur Zeit der Privatisierung von Fannie Mae wurde Freddie Mac als Wettbewerber für Fannie Mae gegründet. Seither waren beide private Aktiengesellschaften, genossen aber das Privileg, dass sie für den Umgang mit Liquiditätsproblemen auf die US Treasury zurückgreifen konnten.

ten. Schon das Wort „*subprime*" macht dies deutlich, denn *subprime* waren die Hypotheken, die nicht den Qualitätskriterien für „*prime*" genügten, die Fannie Mae und Freddie Mac gesetzt hatten, als sie in den achtziger und neunziger Jahren die Verbriefung von Hypotheken für Wohnimmobilien entwickelten. Fannie und Freddie selbst waren aufgrund schärferer regulatorischer Vorgaben in den Jahren nach 2003 gezwungen, ihre Finanzierungs- und Verbriefungstätigkeit zu reduzieren und den privaten Investment-Banken Platz zu machen.

Aus deutscher Sicht ist anzumerken, dass es vor allem die Landesbanken waren, d.h. staatliche Banken, die sich in *Subprime Mortgage-Backed Securities* verzockt haben. Die bei den privaten Banken, vor allem Dresdner Bank und Hypo Real Estate, zu Tage getretenen Probleme hatten relativ wenig mit amerikanischen Schrottpapieren und sehr viel mit Sünden der Vergangenheit, auch mit einer unzureichenden Anpassung an den Strukturwandel im Finanzsektor zu tun.

Zu kritisieren ist auch, dass beide einfachen Sichtweisen sich auf die amerikanischen Immobilienmärkte sowie auf *Subprime Mortgages*, Hypotheken minderer Qualität, und deren Verbriefung konzentrieren. Zwar haben diese eine wichtige Rolle gespielt, doch können sie allein das Ausmaß der Krise nicht erklären. Im Oktober 2008, auf dem Höhepunkt der Krise, hat der Internationale Währungsfonds die Kursverluste auf Verbriefungen von solchen Hypotheken auf 500 Mrd. US Dollar geschätzt.[4] Diese Zahl ist zwar sehr groß, aber nicht größer als das, was man um 1990 als Verluste aus der US-amerikanischen Sparkassenkrise erwartete, oder als die tatsächlichen Verluste japanischer Banken in der Krise der neunziger Jahre, ganz zu schweigen von den Wertminderungen an den Börsen nach dem Zerplatzen der Technologieblase 2000/2001.[5] Dementsprechend hatten der Internationale Währungsfonds und die Bank für Internationalen Zahlungsausgleich noch im Frühjahr 2007, als sie die Krise der Immobilien-, Hypotheken- und Verbriefungsmärkte schon sehr genau analysiert hatten, die Meinung geäußert, eine Ausweitung dieser Krise eines sehr kleinen Teils des globalen Finanzsystems sei unwahrscheinlich.[6]

---

[4] International Monetary Fund, Financial Stress and Deleveraging: Macro-Financial Implications and Policy, *Global Financial Stability Report,* October 2008, http://www.imf.org/External/Pubs/FT/GFSR/2008/02/index.htm.

[5] Für Einzelheiten siehe Hellwig (Fn. 1), 168f., und die dort angegebenen Quellen. Nach T. Curry und L. Shibut, The Costs of the Savings and Loan Crisis: Truth and Consequences, *FDIC Banking Review* 13 (2000), 26–35, beliefen sich die am Ende der Abwicklung ermittelten tatsächlichen Kosten der Sparkassenkrise „nur" auf 160 Mrd. US Dollar; um 1990 freilich war von 600–800 Mrd. US Dollar die Rede; jedoch ging diese Erwartung damals nicht in die Marktbewertung von Wertpapieren ein.

[6] International Monetary Fund, Market Developments and Issues, *Global Financial Stability Report*, Washington, D.C., April 2007, http://www.imf.org/External/Pubs/

Tatsächlich erklären die amerikanischen Immobilienmärkte und die Hypothekenverbriefungen nur einen Teil der Krise. Mindestens zwei weitere Problemkomplexe haben dazu beigetragen, dass die Krise dieser an sich peripheren Märkte ein Weltfinanzsystem mit Bankaktiva im Werte von insgesamt 80–90 Billionen US Dollar (vor der Krise) aus den Fugen bringen konnte. Einer betrifft die Fristentransformation durch Banken und andere Finanzintermediäre. Viele Finanzintermediäre haben langfristig investiert und sich kurzfristig verschuldet – in einem seit Jahrzehnten nicht gesehenen Ausmaß.

Ein zweiter Problemkomplex betrifft die Architektur des internationalen Finanzsystems. Aufgrund von Fehlern in der Systemarchitektur lösten die Anfangsschocks des August 2007 eine implosive Eigendynamik des Finanzsystems aus, die erst durch den Einsatz von Staatsgarantien im Oktober 2008 gestoppt wurde. Maßgeblich für diese Eigendynamik war das Zusammenspiel von Kursverlusten in teilweise funktionsunfähigen Märkten, Zeitwertprinzip der Bilanzierung *(Fair Value Accounting)*, Eigenkapitalmangel der Banken und *„Deleveraging"*, dem Versuch der Bilanzverkürzung durch Wertpapierverkäufe, die ihrerseits weiter auf die Märkte drückten. Für die Fehler in der Systemarchitektur ist die Bankenregulierung in hohem Maße mitverantwortlich.

Im Folgenden gehe ich zunächst auf Ursachen und Verlauf der Krise ein. Daraus ergeben sich Einsichten über Defizite der Rahmenbedingungen, die die Krise mit verursacht oder verschärft haben. Ohne eine solche Vorarbeit ist nicht zu erwarten, dass Vorschläge für eine Reform der Regulierung und Governance des Finanzsektors auch wirklich zielführend sind. Zu vermeiden ist ein Vorgehen nach dem Muster amerikanischer Politiker, die nach dem 11. September 2001 trompeteten, sie hätten immer schon gewusst, dass der Irak ein Zentrum des Terrorismus ist, und die darüber den Kampf gegen die eigentlichen Verantwortlichen des 11. September aus dem Auge verloren.

II. Analyse der Krise: Immobilien, Hypotheken und Hypothekenverbriefungen in den USA

1. Immobilienblase und Verbriefungsgeschäft

Die Immobilienpreise in den USA waren in den neunziger Jahren weitgehend stabil gewesen.[7] Ein leichter Rückgang in der Rezession

FT/GFSR/2007/01/text.pdf, Bank for International Settlements, *77th Annual Report: April 1, 2006 – March 31, 2007*, Basel 2007.

[7] Berechnungen auf der Grundlage des Case-Shiller U.S. National Home Price Index, siehe Indices bei http://www.standardandpoors.com.

zu Beginn des Jahrzehnts wurde durch einen leichten Anstieg in der zweiten Hälfte des Jahrzehnts wieder ausgeglichen. Ab 1999 beschleunigte sich das Wachstum der Immobilienpreise: Von 1999 bis 2003 betrug der Preisanstieg ca. 9% pro Jahr, von 2003 bis 2005 14–15% pro Jahr. 2005 verlangsamte sich der Preisanstieg auf 7,5%. In der Jahresmitte 2006 kehrte die Preisentwicklung sich um. Der nachfolgende Preisverfall ging zunächst langsam (3% von 2006 auf 2007), dann rasant (14% von 2007 auf 2008, 19% von 2008 auf 2009). Erst im zweiten Quartal 2009 kam die Abwärtsbewegung zum Stillstand. Seither bewegen die Immobilienpreise sich langsam wieder aufwärts. Im Durchschnitt entsprachen die Immobilienpreise 2009 in etwa denen von 2003.[8]

Eine solche Entwicklung der Immobilienpreise ist nicht außergewöhnlich. „*Boom and Bust*", das Wechselspiel von Phasen dramatischer Preissteigerungen und Phasen des Preisverfalls, hat es in Immobilienmärkten immer wieder gegeben, so auch in vielen Ländern weltweit in den späten achtziger und frühen neunziger Jahren. Die Bankenkrisen der frühen neunziger Jahre, etwa in Japan und in Schweden, gingen nicht zuletzt auch auf die Verluste zurück, die die Banken beim Zusammenbruch der Immobilienpreise ab 1992 machten. Auch die deutschen Banken machten in dieser Zeit einschlägige Erfahrungen.

Solche Entwicklungen werden regelmäßig dadurch verursacht, dass erhebliche zusätzliche Mittel in die Immobilienmärkte hineinströmen, dass das spekulative Element der Immobilienpreisbildung unterschätzt und die Werthaltigkeit der Immobilien als Sicherheiten für Kredite überschätzt wird. Im Japan der achtziger Jahre bewirkte der Immobilienpreisanstieg, dass die Banken den Wert der von den Spekulanten hinterlegten Sicherheiten höher ansetzten und ihre Kreditlinien entsprechend ausweiteten, was wiederum die Nachfrage nach Immobilien steigerte; ab 1992 lief die Entwicklung dann umgekehrt. In der Immobilienhausse der Jahre bis 2006 in den USA bewirkte der Immobilienpreisanstieg, dass kaum noch auf die Kreditwürdigkeit der Immobilienkäufer geachtet wurde, ging man doch davon aus, dass aufgrund der Wertsteigerung der als Sicherheit dienenden Immobilien die Hypothekengläubiger auch dann auf ihre Rechnung kommen würden, wenn die Hypothekenschuldner nicht zahlen könnten.

Im Unterschied zu den Entwicklungen in Japan oder Schweden Ende der achtziger Jahre kam der Mittelzustrom in den Immobilien-

---

[8] Die hier angegebenen Zahlen betreffen Durchschnitte für die Vereinigten Staaten insgesamt. In einzelnen Regionen, insbesondere in Florida, Arizona und Kalifornien, waren die Ausschläge nach oben wie nach unten noch deutlich stärker.

sektor in den USA in den Jahren vor 2006 nicht von den im Immobilienkreditgeschäft tätigen Banken selbst. Die zusätzlichen Mittel wurden vielmehr durch die Verbriefung von Hypotheken und den Verkauf der Verbriefungen bei Dritten mobilisiert. Es dürfte kein Zufall sein, dass der Sprung von 2003 in den Preissteigerungsraten bei Immobilien zusammenfällt mit dem Vordringen der privaten Investment Banken in das Verbriefungsgeschäft.

Es dürfte auch kein Zufall sein, dass diese Expansion einherging mit einer Phase expansiver Geldpolitik der US-amerikanischen Zentralbank. In den Jahren 2002–2004 lagen die Geldmarktzinssätze in den USA zwischen 1,1% und 1,7%, mehr als vier Prozentpunkte unter dem Wert des Jahres 2000. Die Federal Reserve Bank versuchte, mit einer Politik des billigen Geldes der Rezession entgegenzuwirken, vielleicht auch die Probleme des Finanzsektors nach dem Zerplatzen der Technologie-Blase an den Aktienbörsen zu mildern.

Die Politik des billigen Geldes besserte die Finanzierungsbedingungen in allen Märkten, in keinem freilich so ausgeprägt wie bei Hypotheken für Schuldner minderer Qualität *(„subprime“).* Waren bei langfristigen Staatsanleihen und bei Festzinshypotheken höherer Qualität *(„prime“)* die Zinssätze von 2000 auf 2003 um zwei Prozentpunkte gesunken,[9] so kam bei Festzinshypotheken minderer Qualität noch ein Absinken der Risikoprämie in derselben Größenordnung hinzu.[10] Dieses Absinken der Risikoprämien auf Hypotheken minderer Bonität ist umso bemerkenswerter, als es bei Industrieobligationen minderer Bonität kein vergleichbares Absinken der Risikoprämien in dieser Zeit gegeben hat.

Das Absinken der Risikoprämien für Hypotheken minderer Qualität in diesen Jahren ist auch deshalb bemerkenswert, weil die Qualität der Hypothekenschuldner selbst stetig zurückging.

Ökonometrische Untersuchungen von *Delinquencies,* länger als 90 Tage dauernden Zahlungsrückständen, zwölf Monate nach der Kreditvergabe zeigen, dass in diesen Jahren die Qualität der Hypothekarkredite kontinuierlich abnahm. Die Qualitätsminderung betraf nicht nur messbare Kategorien wie den Eigenbeitrag des Schuldners beim Kauf der Immobilie oder das Verhältnis des Schuldendienstes zum verfügbaren Einkommen. Selbst *ceteris paribus,* bei Konstanz aller beobachtbaren Größen, ergibt sich eine stetige Verschlechterung der Qualität der Hypothekarkredite.[11] Offensichtlich haben es

---

[9] Bei zehnjährigen Staatsanleihen von 6% auf 4%, bei Festzinshypotheken von ca. 8% auf ca. 6%.

[10] Von 300 Basispunkten 2001 auf 100 Basispunkte 2004; siehe Y. Demyanyk und O. Van Hemert, Understanding the Subprime Mortgage Crisis, Stern School of Business, New York University 2008, http://ssrn.com/abstract=1020396.

[11] Y. Demyanyk und O. Van Hemert (Fn. 10).

die Kreditantragsteller immer besser verstanden, die den Kreditwürdigkeitsprüfungen der Hypothekenbanken zugrunde liegenden *Ratings* für Verbraucherkredite *(FICO-Scores)* zu manipulieren,[12] – und die Hypothekenbanken haben dem nicht entgegengewirkt.[13] Dazu passt auch der Befund, dass die Zahl der Betrugsfälle bei neuen Hypotheken sich von 1996 bis 2005 verfünfzehnfachte; allein in den Boomjahren 2003 und 2004 betrug der Zuwachs 77% und 93%![14]

Die Beobachtung, dass die Kreditwürdigkeit der Hypothekarschuldner und die Risikoprämien in den Hypothekenmärkten gleichzeitig zurückgingen, lässt den Schluss zu, dass die gesamte Entwicklung vom Mittelangebot her getrieben wurde. Auf der Suche nach hohen Renditen waren Anleger bereit, immer mehr Mittel in hypothekengesicherte Wertpapiere anzulegen.

Die Masse der Mittel floss in Hypotheken minderer Qualität *(subprime).* 2006 gehörten bereits über 40% der neu vergebenen Hypotheken (2000: 9%), 14% des Gesamtbestandes (2000: 7%) zu dieser Kategorie. Die privaten Investment Banken hatten sich bei ihrem Vordringen in das Hypothekenverbriefungsgeschäft auf diese Papiere spezialisiert; hier standen sie nicht im Wettbewerb mit Fannie Mae und Freddie Mac, den *government sponsored enterprises,* die den Markt für Verbriefungen von Hypotheken höherer Qualität *(prime)* trotz der 2003 erfolgten Rücknahme ihrer Geschäftstätigkeit weiterhin beherrschten.

Allerdings wurden die zunehmenden Qualitätsprobleme der Hypothekarkredite in den Jahren vor 2006 noch durch den Anstieg der Immobilienpreise verdeckt. In dem Maße, in dem die Immobilien im Wert stiegen, stiegen auch die Eigenanteile der Schuldner. Anreize zur Zahlungseinstellung nahmen dementsprechend ab; teilweise schufen die Wertzuwächse auch Spielräume für zusätzliche Kreditaufnahmen zur Bedienung der bereits ausstehenden Kredite.

Als die Immobilienpreisentwicklung sich dann im Sommer 2006 umkehrte, traten alsbald die Qualitätsprobleme der Hypotheken zutage. Die *Delinquency Rate,* der Anteil von Hypotheken mit Zahlungen, die neunzig Tage oder mehr ausstehen, ging sehr schnell

---

[12] A. Rona-Tas und S. Hiß, Das Kreditrating von Verbrauchern und Unternehmen und die Subprime-Krise in den USA mit Lehren für Deutschland, erscheint in *Informatik-Spektrum* 33 (2010), DOI 10.1007/s00287-009–0360–7.

[13] I. Ben-David, Manipulation of Collateral Values by Borrowers and Intermediaries, Discussion Paper, Graduate School of Business, University of Chicago 2008, http://search.ssrn.com/sol3/papers.cfm?abstract_id=991387.

[14] United States Department of the Treasury, Financial Crimes Enforcement Network: Regulatory Policy and Programs Division, Office of Regulatory Analysis, Mortgage Fraud: An Industry Assessment Based on Suspicious Activity Report Analysis, Washington 2006, http://www.fincen.gov/news_room/rp/reports/pdf/MortgageLoanFraud.pdf.

hoch auf über 25% bei *subprime,* auf über 6% im Durchschnitt aller Hypotheken. Dabei lagen die *Delinquency Rates* für die im Jahre 2006 vergebenen Hypotheken deutlich über den *Delinquency Rates* früherer Jahre.[15] In den Jahren 2007 und 2008 nahmen die Zahlungsprobleme in dem Maße noch zu, wie die Wertverluste auf die Immobilien die Eigenanteile der Schuldner schrumpfen oder gar negativ werden ließen.

Der Anstieg der Zahlungsprobleme bei Hypotheken schwappte alsbald über auf die Märkte für hypothekengesicherte Papiere. Bereits um die Jahreswende 2006/2007 kommt es zu einem Kurseinbruch bei hypothekengesicherten Papieren mit BBB-Ratings, zunächst auf durchschnittlich 80% der Nennwerte; im Verlauf gehen diese BBB-Kurse auf durchschnittlich 20% der Nennwerte gegen Ende 2007 und weniger als 5% der Nennwerte gegen Ende 2008 zurück. Im Juli und August 2007 erfahren auch hypothekengesicherte Papiere mit AAA-Ratings einen Kurseinbruch. Dieser beträgt zunächst durchschnittlich 20%. Bis Ende 2007 steigen die durchschnittlichen Verluste bei AAA-Papiere auf 40% der Nennwerte, bis Ende 2008 auf 60% der Nennwerte.[16] Die Einbrüche bei hypothekengesicherten Papieren mit AAA-Ratings im Sommer 2007 markieren den Übergang von der Immobilien- und Hypothekenkrise zur allgemeinen Finanzkrise.

2. *Hypothekenverbriefungen und Haftung*

Ehe ich die Rolle der Hypothekenverbriefungen im einzelnen analysiere, diskutiere ich kurz die ökonomische Funktion der Verbriefung. Ich beginne mit der Aussage, dass die Verbriefung von Immobilienfinanzierungen grundsätzlich eine gute Sache ist. Es wäre problematisch, wenn man das Kind mit dem Bade ausschüttete und diese Finanzinnovation verböte.

Immobilienfinanzierung hat schon immer Finanzkrisen verursacht. Immobilien sind heikel, weil sie eine sehr große Lebensdauer haben und weil die Werte im Aggregat der Volkswirtschaft sehr groß sind. In den meisten OECD-Ländern liegt der Wert des Wohneigentums deutlich über dem Wert des Finanzvermögens.[17] Die Lebensdauer liegt weit jenseits dessen, was der durchschnittliche Sparer sich

---

[15] Internationaler Währungsfonds (Fn. 4), 12.

[16] Internationaler Währungsfonds (Fn. 4), 13.

[17] J. Slacalek, What Drives Personal Consumption? The Role of Housing and Financial Wealth, Discussion Paper 647, Deutsches Institut für Wirtschaftsforschung, Berlin 2006, http://www.diw.de/documents/publikationen/73/44944/dp647.pdf.

als Anlagehorizont vorstellt. Die Diskrepanz zwischen den Anlagehorizonten der Sparer und der Lebensdauer der Immobilien ist eine Quelle von Risiken – Risiken bezüglich der Refinanzierung, wenn die Immobilie durch kurzfristige Titel finanziert wird, Risiken bezüglich der Veräußerungsmöglichkeiten, wenn die Immobilie durch langfristige Titel finanziert wird und der Sparer diese Titel bei Bedarf zwischenzeitlich liquidieren will. Wir könnten diese Risiken vermeiden, wenn wir bereit wären, in Zelten zu hausen. Wenn wir das nicht wollen, müssen wir es akzeptieren, dass es diese Risiken gibt und nur noch zu fragen ist, wer sie tragen sollte.

Traditionell wurden diese Risiken von Finanzintermediären getragen. So finanzierten die US-amerikanischen Sparkassen sich aus Spareinlagen mit Anlagefristen bis zu sieben Jahren und vergaben Festzinshypotheken mit Laufzeiten bis zu 40 Jahren. Als 1980/81 die Refinanzierungszinssätze auf deutlich über 10% stiegen, waren ca. 2/3 dieser Sparkassen insolvent, denn die Zinssätze, zu denen sie in den sechziger Jahren die Hypotheken vergeben hatten, lagen weit unter den Refinanzierungskosten. In den achtziger Jahren ging man daher dazu über, Hypotheken mit variablen Zinssätzen zu vergeben, d.h., das mit der Immobilienfinanzierung verbundene Zinsänderungsrisiko an die Schuldner weiterzugeben. In der nächsten Hochzinsphase, ca. 1990, machte man dann die Erfahrung, dass die Schuldner die Zinsanpassungen nicht verkraften konnten und dass bei hohen Zinsen die Marktwerte der Immobilien niedriger waren als zuvor.

Diese Erfahrungen haben gezeigt, dass weder die Finanzintermediäre noch die Schuldner in der Lage sind, gewisse Risiken der Immobilienfinanzierung zu tragen. Daher ist man zur Verbriefung der Immobilienfinanzierung übergegangen. Sie dient dazu, diese Risiken an Dritte weiterzugeben.

Die Weitergabe an Dritte ist volkswirtschaftlich sinnvoll, wenn diese besser in der Lage sind, die betreffenden Risiken zu tragen. Das gilt etwa für Lebensversicherungen oder Pensionsfonds, da die Verbindlichkeiten dieser Institutionen zumeist sehr lange Laufzeiten haben. Es gilt auch für Finanzinstitutionen weltweit, wenn eine Streuung der Anlagerisiken über viele Länder die Diversifizierung verbessert.[18] Wenn es zu den Verlusten deutscher Banken in den USA gelegentlich heißt: „Bleibe im Lande und nähre dich redlich!“, so ist dazu anzumerken, dass die Bankkrisen der späten achtziger

---

[18] M. Hellwig, Liquidity Provision, Banking, and the Allocation of Interest Rate Risk, *European Economic Review* 38 (1994), 1363–1389, zeigt, dass auch ohne die im Text genannten Aspekte eine Weitergabe der Zinsänderungsrisiken an die Letztanleger volkswirtschaftlich wünschenswert ist.

und frühen neunziger Jahre überwiegend auf nicht diversifizierte heimische Immobilienfinanzierungen zurückgingen, am krassesten bei den texanischen Sparkassen, die aufgrund staatlicher Vorschriften nur texanische Immobilien finanziert hatten und bereits 1986 in die Krise kamen, als der Verfall des Ölpreises die texanische Wirtschaft und die texanischen Immobilienmärkte nach unten riss.

Der Pfandbrief nach deutschem Recht ist letztlich auch nichts anderes als ein Instrument zur Weitergabe der mit der Immobilienfinanzierung verbundenen Zinsänderungsrisiken an Dritte. Jedoch gibt es einen wesentlichen Unterschied zu den Hypothekenverbriefungen in den USA: Die Hypothekenbank emittiert den Pfandbrief selbst und haftet voll für die eingegangene Verbindlichkeit. Bei den Hypothekenverbriefungen in den USA wurden die Hypotheken von den Hypothekenbanken an spezielle Verbriefungsinstitutionen gegeben. Für eine Haftung der Hypothekenbanken wurde keine Vorkehrung getroffen. Eine Haftung der Verbriefungsinstitutionen gab es bei *Fannie* und *Freddie,* nicht aber bei den privaten Investment Banken.[19]

Im Zuge der Verbriefung werden große Pakete von Hypotheken, Tausende an der Zahl, gebildet. Auf ein solches Paket werden Wertpapiere mit unterschiedlichen Ansprüchen an die Erträge der Titel emittiert, etwa *„Senior Debt"*, *„Mezzanine Debt"* und *„Equity"*, vorrangige Schuldtitel, nachrangige Schuldtitel und „Eigenkapital", d.h. eine Forderung auf das, was nach Bedienung von *Senior Debt* und *Mezzanine Debt* übrig bleibt. Die *Paketbildung,* d.h., die Kombination vieler Einzelhypotheken zu einem Portefeuille, hat den Vorteil, dass sie eine gewisse Standardisierung der Titel ermöglicht. Dies erleichtert die Organisation eines funktionsfähigen Marktes.[20] Die Paketbildung hat aber auch den Nachteil, dass der Erwerber des Titels kaum noch in der Lage ist, die Bonität der zugrundeliegenden Papiere mit vertretbarem Aufwand selbst zu beurteilen.

Die *Tranchenbildung* trennt Titel mit geringem Ausfallrisiko und geringer Haftungsrelevanz von Titeln mit hohem Ausfallrisiko und hoher Haftungsrelevanz. Insofern es sich bei den Kreditrisiken der zugrunde liegenden Hypotheken um individuelle Risiken handelt, die nicht miteinander korreliert sind, kann man unterstellen, dass diese Risiken vor allem die Erwerber von *Equity* und *Mezzanine* Tranchen betreffen, kaum aber die Erwerber der bevorrechtigten

---

[19] Zur Bedeutung der Haftung der Finanzintermediäre siehe D. Diamond, Financial Intermediation and Delegated Monitoring, *Review of Economic Studies* 51 (1984), 393–414, M. Hellwig, Liquidity Provision, Banking, and the Allocation of Interest Rate Risk (Fn. 18) sowie M. Hellwig, Banks, Markets, and the Allocation of Risks in an Economy, *Journal of Institutional and Theoretical Economics* 154, 328–345.

[20] D.M. Gale, Standard Securities, *Review of Economic Studies* 59 (1992), 731–755.

Tranchen. Geht *Equity* zurück an die Hypothekenbank, so hat diese einen Anreiz, bei der Kreditwürdigkeitsprüfung die nötige Sorgfalt walten zu lassen.[21] Bleibt *Equity* bei der Verbriefungsinstitution, so hat diese einen Anreiz, bestimmte Mindestanforderungen an die Kreditwürdigkeit der Hypotheken durchzusetzen. Wird *Equity* von einem Dritten erworben, so hat dieser einen Anreiz, bestimmte Mindestanforderungen an das Geschäftsgebaren der Verbriefungsinstitution zu stellen.

Bei der Verbriefung von Hypotheken in den USA wurde versäumt, die initiierenden Hypothekenbanken in irgendeiner Form für die Kreditrisiken der Hypotheken haftbar zu machen. Die Auswirkungen dieses Versäumnisses auf das Verhalten der Hypothekenbanken bei der Kreditwürdigkeitsprüfung hielten sich zunächst in Grenzen, da Fannie Mae und Freddie Mac, die den Markt für Hypothekenverbriefungen kreierten und lange Zeit fast allein als Verbriefungsinstitutionen tätig waren, gewisse Mindestanforderungen an die Kreditwürdigkeit der Hypothekenschuldner stellten, etwa bezüglich des Eigenanteils des Hypothekenschuldners oder bezüglich des Verhältnisses von Schuldendienst zu verfügbarem Einkommen. Der Ausdruck *Prime Mortgages* bezeichnet Hypotheken, bei denen diese Mindestanforderungen erfüllt sind. Fannie und Freddie selbst gaben gegenüber den Erwerbern der von ihnen emittierten hypothekengesicherten Papiere eine Garantie für den Schuldendienst ab. Insofern hatten sie auch ein Interesse, ihre Qualitätsanforderungen gegenüber den Hypothekenbanken durchzusetzen. Ausfallquoten bei *Prime Mortgages* und Verluste auf die durch *Prime Mortgages* gesicherten Papiere waren denn auch relativ gering.[22]

Die genannten Vorkehrungen entfielen, als in den Jahren nach 2000 die privaten Investment Banken in das Verbriefungsgeschäft eindrangen. Diese zogen es vor, keine Haftung für den Schuldendienst der Papiere zu übernehmen, die die von ihnen für das Verbriefungsgeschäft eingerichteten Zweckgesellschaften ausgaben. Im Übrigen konzentrierten sie sich, wie erwähnt, auf *Subprime Mortgages*, Hypotheken für Schuldner, die die Qualitätsanforderungen von Fannie Mae und Freddie Mac nicht erfüllten.

Beide Neuerungen bewirkten, dass die Anreize für eine sorgfältige Kreditwürdigkeitsprüfung bei den Hypothekenschuldnern drastisch

---

[21] G. Franke und J. P. Krahnen, Default Risk Sharing Between Banks and Markets: The Contribution of Collateralized Debt Obligations, in: M. Carey and R. Stulz (eds.), *The Risks of Financial Institutions*, University of Chicago Press, Chicago 2006, 603–631.

[22] Laut Internationalem Währungsfonds (Fn. 4) machten die Kursverluste auf Papiere, die durch *Prime Mortgages* gesichert waren, bis Sommer 2008 nur durchschnittlich 2% der Nennwerte aus.

zurückgingen: Die Hypothekenbanken waren nicht mehr darauf angewiesen, bestimmte Mindestanforderungen zu erfüllen. Die Investment Banken hatten es übernommen, die Kreditwürdigkeit der Hypothekenschuldner anhand der ihnen übermittelten Werte verschiedener Indizes einzuordnen. Das Ergebnis dieser Tätigkeit konnte ihnen aber insofern egal sein, als sie gegenüber den Käufern der Verbriefungen nicht hafteten, anders als Fannie und Freddie bei *Prime*.

Im vorhergehenden Abschnitt habe ich ausgeführt, dass in den Jahren zwischen 2000 und 2006 ein stetiger Rückgang in der Qualität der Hypothekenschuldner zu beobachten war. Dieser Rückgang spiegelte teilweise das Vordringen von *Subprime* gegenüber *Prime*, teilweise aber auch eine Verschlechterung innerhalb der einzelnen Kategorien, vor allem innerhalb der einzelnen Kategorien von *Subprime*. Die Beobachtung, dass die Inzidenz von *Delinquencies* bei Hypotheken, die von Hypothekenbanken zur Verbriefung weitergegeben worden waren, deutlich höher war als bei Hypotheken, die sie selbst im Portefeuille behalten hatten,[23] lässt vermuten, dass das Fehlen angemessener Anreize bei den Hypothekenbanken und bei den Verbriefungsinstitutionen maßgeblich zu dieser Qualitätsverschlechterung beitrug.

Dass die Angemessenheit der Anreize für die Kreditwürdigkeitsprüfung der Hypothekenbank nicht als Problem gesehen wurde, lag möglicherweise am Unterschied der Kulturen von Investment Banking und Kreditgeschäft. Investment Banker haben wenig mit Kreditrisiken zu tun; sie vermitteln *Deals*, gestalten Finanztitel und sorgen für deren Vermarktung.[24] Ihre Boni orientieren sich an den Provisionen, die sie dabei verdienen; was die Papiere für die Käufer dann bringen, spielt dabei keine Rolle.

3. Fehlen von „Marktdisziplin“

Von Anhängern einer Rückführung staatlicher Regulierung im Finanzsektor wird regelmäßig vorgebracht, etwaige Fehlentwicklun-

[23] Dies zeigt die ökonometrische Untersuchung von I. Ben-David (Fn. 13).

[24] Auf die Frage nach den Implikationen der Verbriefung für die Anreize der Hypothekenbanken bei der Kreditwürdigkeitsprüfung (Fnn. 18, 19) erhielt ich in den neunziger Jahren in den USA regelmäßig die Antwort, ganz offensichtlich hätte ich die Bedeutung des Packaging und Tranching nicht verstanden; aufgrund des Packaging komme es auf die einzelne Immobilie und die einzelne Hypothek gar nicht mehr an! Dass ein Paket von schlechten Risiken als Ganzes genommen selbst ein schlechtes Risiko ist, nahm man nicht wahr oder wollte man nicht wahrnehmen.

gen würden wirksamer durch Selbstregulierung und Marktdisziplin bekämpft als durch staatliche Aufsicht. Die Marktteilnehmer selbst kennen die Probleme besser als die Behörden. Als Kollektiv können sie durch Selbstregulierung dafür sorgen, dass Exzesse vermieden werden, die ihre Existenz infrage stellen. Im Übrigen werden die Anleger darauf achten, dass ihre Mittel gut eingesetzt werden; schon die Möglichkeit, dass sie diese Mittel zurückziehen könnten, hat disziplinierende Wirkungen.[25]

Nach dieser These wären die Fehlentwicklungen bei der Verbriefung von Hypotheken alsbald von den Anlegern in den Märkten bestraft worden. Die privaten Investment Banken hätten dann vor der Wahl gestanden, die Haftungsregeln zu verbessern oder wieder aus dem Markt zu verschwinden.

Die Wirklichkeit sah anders aus. Eine Disziplinierung der Investment Banken durch die Anleger gab es nicht. Im Gegenteil, die Gier der Anleger nach immer neuen hypothekengesicherten Papieren, ohne Rücksicht auf die zugrundeliegenden Haftungsregeln, trug in erheblichem Maße zum Wachstum der Verbriefungsmärkte bei. Auch von den Rating-Agenturen, Institutionen der Selbstregulierung des Finanzsektors, ging kein erkennbarer Druck zur Disziplinierung aus.

Marktdisziplin hätte vor allem bei *Equity* wirken müssen. Da *Equity* vor allen anderen Tranchen von Ausfällen beim Schuldendienst der Hypotheken betroffen ist, sind die Käufer dieser Tranche vor allen anderen auf Sorgfalt bei der Kreditwürdigkeitsprüfung und der Kreditüberwachung angewiesen. Jedoch hatten die Verbriefungsinstitutionen kaum Schwierigkeiten, die *Equity* Tranchen zu verkaufen. Die Käufer waren zumeist Institutionen, die keiner Regulierung unterlagen, Hedge Funds und andere Investment Banken.[26] Sie ließen sich von den hohen Ertragsraten verführen, die diese Tranchen

---

[25] Zur Rolle von Marktdisziplin bei Banken siehe C.W. Calomiris und C.M. Kahn, The Role of Demandable Debt in Structuring Optimal Banking Arrangements, *American Economic Review* 81 (1991), 497–513. C.W. Calomiris, Market-Based Banking Supervision, *The Financial Regulator* 4 (1999), 33–36, fordert, die Bankenaufsicht aus Marktdisziplin zu stützen. Die Neufassung des Basler Abkommens über Bankenaufsicht („Basel II") behandelt Marktdisziplin als „Dritte Säule" der Bankenaufsicht, siehe Basel Committee on Banking Supervision, *International Convergence of Capital Measurement and Capital Standards: A Revised Framework*, Bank für Internationalen Zahlungsausgleich, Basel 2004. Einen kritischen Überblick zum Thema Marktdisziplin in Theorie und Praxis gibt M. Hellwig, Market Discipline, Information Processing, and Corporate Governance, in: K.J. Hopt, E. Wymeersch, H. Kanda, H. Baum (eds.), *Corporate Governance in Context: Corporations, States, and Markets in Europe, Japan, and the US*, Oxford University Press, Oxford, UK 2005, 379–402.

[26] R. Dodd, Subprime: Tentacles of a Crisis, *Finance and Development* 44 (2007), Nr. 4, 15–19, http://www.imf.org/external/pubs/ft/fandd/2007/12/dodd.htm.

zu bieten schienen.[27] Die Vorstellung, dass *Equity* eine Haftungsfunktion haben sollte, wurde verdrängt.

Auch bei *Mezzanine,* den nachrangigen Verbindlichkeiten, würde man erwarten, dass der Käufer auf die Risiken der Papiere achtet. Viele dieser Papiere wurden aber gar nicht zu Anlagezwecken, sondern zu Zwecken der Zweitverbriefung gekauft. Bei solchen Zweitverbriefungen wurden Pakete von hypothekengesicherten Papieren gebildet, zumeist *Mezzanine* Tranchen; auf diese Pakete wurden wiederum Wertpapiere mit Ansprüchen unterschiedlicher Priorität an die Erträge der Titel emittiert. Die Schaffung solcher MBS CDOs, *collaterized debt obligations* mit Paketen von *mortgage backed securities* als Sicherheiten, bot europäischen Investment Banken die Möglichkeit, auch ins Verbriefungsgeschäft zu kommen, obwohl ihnen der Kontakt zu den initiierenden Hypothekenbanken fehlte. Bei diesem Bemühen um Wachstumsrate und Marktanteile wurde nicht weiter auf die Risiken der Papiere, die man in die Pakete hineinnahm, geachtet. Ein allzu kritischer Umgang mit diesen Papieren hätte aber auch das Geschäft gestört und die Boni der beteiligten Investment Banker gemindert.[28]

Für diese zweite Stufe der Verbriefung – wie auch für alle weiteren Stufen, die Schaffung von MBS CDO^2, MBS CDO^3 usw. – gibt es aus ökonomischer Sicht keinen Grund. Wenn die Paketbildung auf der ersten Stufe kompetent durchgeführt wird und die ausgegebenen Titel marktfähig sind, kann eine Paketbildung etwa aus *Mezzanine* Tranchen der ersten Stufe die Marktfähigkeit nicht weiter verbessern, es sei denn aus aufsichtsrechtlichen Gründen. So kann die Zweitverbriefung dafür sorgen, dass Teile des Pakets auch von einem Versicherer gekauft werden, dem die Aufsicht auferlegt, nur Papiere mit AAA-Ratings zu kaufen. Wenn bei der Zweitverbriefung die Ansprüche an ein Paket von *Mezzanine* Papieren mit BBB-Ratings so tranchiert werden, dass die vorrangigen Schuldtitel wieder AAA-Ratings bekommen, dann kommen diese Papiere, im Unterschied zu den zugrundeliegenden BBB-Papieren, auch als Anlagen für den Versicherer infrage. Dies setzt allerdings voraus, dass die Risiken der verschiedenen *Mezzanine* Papiere so unabhängig voneinander sind, dass es einen starken Diversifizierungseffekt gibt.[29] Die Rating-

---

[27] D. Duffie, Innovations in Credit Risk Transfer: Implications for Financial Stability, Stanford University, Stanford, CA 2007, http://www.stanford.edu/~duffie/BIS.pdf.

[28] UBS, Shareholder Report on UBS's Writedowns, April 2008, http://www.ubs.com/1/ShowMedia/investors/shareholderreport?contentId=140333&name=080418ShareholderReport.pdf.

[29] D. Duffie, Innovations in Credit Risk Transfer: Implications for Financial Stability (Fn. 27).

Agenturen scheinen eine solche Unabhängigkeit unterstellt zu haben; in der Krise hat sich dann gezeigt, dass die Risiken hoch korreliert waren.

Die Masse der durch Verbriefung geschaffenen Papiere ging allerdings nicht an Versicherer, sondern an Banken. Aus der Perspektive der Wirtschaftstheorie sollten Verbriefungen dazu dienen, dass langfristige Titel weitergegeben werden an Personen oder Institutionen, deren Anlagehorizont dem der Titel entspricht, Lebensversicherer oder Pensionsfonds. Tatsächlich wurden die durch Verbriefung geschaffenen Papiere gekauft von Institutionen mit kurzen Anlagehorizonten, Banken und Hedge Fonds. So stellte die UBS Investment Bank bald nach ihrem Einstieg in die Zweitverbriefung fest, dass die Ertragsraten auf die von ihr geschaffenen *Super-Senior Tranches* mit AAA-Ratings zu hoch waren, als dass man diese Papiere hätte verkaufen sollen. Man nahm sie daher in das eigene Portefeuille; die Korrelation zwischen diesen Titeln und den Titeln, die man während der Dauer des Verbriefungsprozesses im *Warehousing* hatte, wurde nicht bedacht.[30]

In diesem Zusammenhang sind auch die deutschen Landesbanken zu erwähnen. Im Vorfeld des mit der Europäischen Kommission für 2005 vereinbarten Auslaufens der staatlichen Gewährträgerhaftung hatten diese noch einmal erhebliche Mittel aufgenommen und suchten dafür nach Anlagemöglichkeiten. Die genaue Höhe ihres Engagements in US-amerikanischen Verbriefungen ist nicht bekannt; die Zahlen, die bekannt geworden sind, lassen vermuten, dass es sich insgesamt um einen mittleren dreistelligen Milliardenbetrag handelt, einen erheblichen Anteil der insgesamt ausgegebenen Papiere.[31]

Dem außenstehenden Betrachter fällt auf, dass alle Beteiligten auf Ertragsraten fixiert waren. Die damit verbundenen Risiken und die zugrundeliegenden Haftungsprobleme wurden vernachlässigt. Man verließ sich weitgehend auf die Bewertungen der Rating-Agenturen, ohne zu hinterfragen, ob AAA bei einem MBS CDO wirklich dasselbe bedeuten konnte wie AAA bei einer Staatsobligation, wenn der Zinssatz bei ersterer um etliche Basispunkte höher war als bei letzterer.

Die Rating-Agenturen ihrerseits haben die Risiken der Hypothekenverbriefungen nicht verstanden, vielleicht auch nicht verstehen wollen. Den Kreditrisiken der zugrundeliegenden Hypotheken haben sie bis 2007 kaum Aufmerksamkeit geschenkt, auch nicht den Anreizwirkungen der Verbriefung auf die Sorgfalt der Hypothekenbanken. Sie scheinen sich gesagt zu haben, dass das Steigen der Im-

---

[30] UBS, Shareholder Report on UBS's Writedowns (Fn. 28).

[31] Das Volumen der verbrieften Hypotheken, die nicht dem Standard für *prime* genügten, wurde vom Internationalen Währungsfonds (Fn. 4) auf 1100 Mrd. US $ geschätzt.

mobilienpreise die Kreditrisiken minderte, wenn nicht gar unerheblich machte, da dem Gläubiger ja immer noch die Immobilie zur Verfügung stände. Dabei haben sie übersehen, dass die gerade beobachteten Preissteigerungen in hohem Maße auf Einmal-Effekten beruhten, die sich nicht wiederholen würden, etwa den Auswirkungen der Geldmarktzinsen von 6% im Jahre 2000 auf unter 2% im Jahre 2003. Bei Zinssätzen unter 2% war ein weiteres Absinken der Zinssätze in vergleichbarer Größenordnung ausgeschlossen. Auch eine Fortsetzung der durch die Zinssenkung induzierten Preissteigerungen hätte daher nicht erwartet werden dürfen. Entsprechendes gilt für die Preissteigerungen aufgrund des Mittelzustroms durch die Entwicklung des Verbriefungsgeschäftes selbst. Auch eine solche Strukturveränderung erzeugt nur einen Einmal-Effekt; eine Extrapolation der dadurch induzierten Preissteigerungen in die Zukunft ist fragwürdig.

Die Rating-Agenturen haben auch die Bedeutung von Korrelationen vernachlässigt und zu viel an Unabhängigkeit bei den zugrundeliegenden Kreditrisiken unterstellt. Dabei haben sie übersehen, dass Zahlungsverhalten und Zahlungsfähigkeit des Hypothekenschuldners nicht nur von individuellen Faktoren abhängen, sondern auch von Faktoren wie der Entwicklung der Zinssätze und der Immobilienpreise, die alle Schuldner gemeinsam und in gleicher Weise betreffen.[32] Hätten die Rating-Agenturen den durch solche gemeinsamen Abhängigkeiten erzeugten Korrelationen angemessen Rechnung getragen, so hätten sie sich nie bereit erklären dürfen, den vorrangigen Titeln auf Pakete von BBB-Papieren AAA-Ratings zu geben! Allerdings hätten sie dann auch weniger Geschäfte gemacht, denn das Geschäftsmodell der Zweitverbriefung (Dritt-, Viert-, Fünftverbriefung) hätte ohne diese AAA-Ratings für neue *Senior* Tranchen nicht lange überlebt.

III. Analyse der Krise: Systemfragilität und Systemimplosion August 2007–Oktober 2008

1. Beginn der Subprime Krise

Von 2005 an wurde die Geldpolitik restriktiver, zunächst langsam, dann sehr deutlich, so dass die Geldmarktzinssätze 2006 und 2007

---

[32] Die Unterschätzung der Korrelationen von Kreditrisiken, die auf gemeinsame Abhängigkeiten von Marktentwicklungen zurückgehen, hat schon in der britischen Immobilienkrise von 1990 die Kreditversicherer in Schwierigkeiten gebracht.

wieder bei 5% lagen. Mitte 2006 begannen die Immobilienpreise zu fallen. Danach stiegen die *Delinquency Rates* bei *Subprime Mortgages* dramatisch an. Die Kurse der durch *Subprime Mortgages* gesicherten Papiere mit BBB-*Ratings*, brachen wie erwähnt im Dezember 2006 ein, die der Papiere mit AAA-Ratings im Juli und August 2007.

Zur Krise der *Subprime Mortgages*, der Hypotheken minderwertiger Qualität, und der durch diese Hypotheken gesicherten Wertpapiere lieferte der Internationale Währungsfonds bereits im *Global Financial Stability Report* vom April 2007 eine umfassende Analyse. Rückwirkungen auf das internationale Finanzsystem wurden zu diesem Zeitpunkt nicht erwartet.

Zur internationalen Finanzkrise wurde die Krise der *Subprime Mortgages* und der *Subprime-Mortgage-Backed Securities* im Juli und August 2007. Es begann damit, dass zwei Hedge Funds große Verluste offenlegten und dass die Rating-Agenturen die *Ratings* vieler Hypothekenverbriefungen und weiterer Derivate (MBS CDOs etc.) drastisch zurückstuften, etliche gleich um drei Bewertungsstufen auf einmal. Rückstufungen dieses Ausmaßes waren bei gewöhnlichen Obligationen einzelner Emittenten bis dahin so gut wie nie vorgekommen. Für die Anleger in den Märkten sah es so aus, als hätten die Rating-Agenturen erkannt, dass ihre bisherigen Analysen der Hypothekenverbriefungen und weiterer Derivate grundlegende Fehler enthielten, was eine gänzliche Neubewertung der Risiken notwendig machte. Damit stand die Frage im Raum, ob die neuen Analysen so viel verlässlicher wären und ob die *Ratings* nicht noch weiter zurückgenommen werden müssten. Sowohl die Verschlechterung der *Ratings* als auch der Anstieg der Unsicherheit über die Papiere senkten die Bereitschaft der Anleger, solche Papiere zu kaufen bzw. zu halten. Dementsprechend groß waren die Kurseinbrüche in den Märkten; viele Märkte hörten überhaupt auf zu funktionieren.

2. Systemfragilität durch übermäßige Fristentransformation

Die Einbrüche in den Märkten für hypothekengesicherte Papiere hatten erhebliche Rückwirkungen auf die in diesen Märkten tätigen Finanzinstitutionen. Dabei wurde offenbar, dass die Position vieler Banken in diesen Märkten sehr fragil war: Sie hatten verschiedene Mechanismen entwickelt, um Regulierungsvorschriften zu umgehen und das Ausmaß der Fristentransformation und der Verschuldung drastisch in die Höhe zu treiben. Daraus ergaben sich erhebliche Refinanzierungs- und Insolvenzrisiken. Bei einigen trat dies unmittelbar zutage, bei anderen im Laufe der nachfolgenden Monate.

In erster Linie zu nennen ist das Instrument der Zweckgesellschaften, *conduits* und *structured investment vehicles* (SIVs), die europäischen und amerikanischen Banken dazu dienten, in Hypothekenverbriefungen zu investieren, ohne diese in der Bilanz auszuweisen und mit Eigenkapital zu unterlegen. Diese Zweckgesellschaften selbst hatten praktisch kein Eigenkapital und finanzierten sich durch Ausgabe von *Asset-Backed Commercial Paper,* Geldmarkttiteln mit Laufzeiten von weniger als einem Jahr, in den meisten Fällen sogar weniger als 30 Tagen. Den Geldmarktfonds, die diese Geldmarkttitel kauften, erschien die Anlage als unproblematisch, waren sie doch abgesichert durch die Papiere, die die Zweckgesellschaften hielten, und durch die Zusagen der jeweiligen Mütter, im Ernstfall für die Verbindlichkeiten der Zweckgesellschaften aufzukommen. Bei den jeweiligen Müttern erforderten diese Garantien eine deutlich geringere Eigenkapitalunterlegung, als die betreffenden Hypothekenverbriefungen selbst erfordert hätten, in vielen Fällen sogar gar keine Eigenkapitalunterlegung.

Ein Extremfall war die Sächsische Landesbank: Bei weniger als 4 Mrd. EUR an Eigenkapital hatte sie über 40 Mrd. EUR an Liquiditätszusagen für ihre Zweckgesellschaften gegeben; die Liquiditätszusagen wurden nicht bilanziert, weil man es für unwahrscheinlich hielt, dass sie fällig würden. Da es sich um unterjährige Verpflichtungen handelte, spielte auch das Verbot des Eingehens von Klumpenrisiken keine Rolle. Die Zweckgesellschaften selbst liefen außerhalb der Bilanz. Hätte die Sächsische Landesbank ihre Zweckgesellschaften in ihre Bilanz integrieren und zu 8% mit Eigenkapital unterlegen müssen, so hätte sie 79% mehr Eigenkapital benötigt als sie tatsächlich hatte.[33] Bei anderen, größeren Banken waren die Relationen nicht so extrem, aber der Geschäftsumfang der Zweckgesellschaften war noch um einiges größer.

Das Geschäftsmodell, Hypothekenverbriefungen und andere Derivate über Zweckgesellschaften zu halten, lohnte sich *nur,* weil man diese Positionen nicht mit Eigenkapital unterlegen musste. Unterstellt man eine Differenz von 5 Prozentpunkten (500 Basispunkten) zwischen der vom Markt geforderten Eigenkapitalrendite und der Rendite auf *Asset-Backed Commercial Paper,* so müsste die Zweckgesellschaft eine Marge von 40 Basispunkten (8% von 500 Basispunkten) erwirtschaften, um die Kapitalkosten für das eingesetzte Eigenkapital zu verdienen; andere Kosten sind dabei noch nicht be-

---

[33] Für diese und die folgenden Angaben und Berechnungen siehe V. Acharya, P. Schnabl, G. Suarez, Securitization without Risk Transfer, Stern School of Management, New York University, 2009, http://pages.stern.nyu.edu/~sternfin/vacharya/public_html/acharya_schnabl_suarez.pdf.

rücksichtigt. Die tatsächlichen Margen der Zweckgesellschaften sind nicht bekannt; Schätzungen auf der Grundlage von Geschäftsberichten der Mutterbanken liegen in der Größenordnung von 10–30 Basispunkten, d.h. *unter* der Marge, die erforderlich wäre, die Kapitalkosten einer Eigenkapitalunterlegung mit 8% zu decken.

Ab August 2007 brach die Refinanzierung der Zweckgesellschaften mit *Asset-Backed Commercial Paper* zusammen. Die Kurseinbrüche auf den Verbriefungsmärkten ließen die Geldmarktfonds und andere Geldgeber an der Qualität der Sicherheiten zweifeln; auch waren in einigen Fällen die Werte der Aktiva unter die der Verbindlichkeiten gefallen. Die Anleger waren daher nicht bereit, das *Asset-Backed Commercial Paper* der Zweckgesellschaften weiterhin zu kaufen, zumindest nicht zu denselben Bedingungen. Die Risikoprämie für *Overnight Asset-Backed Commercial Paper,* stieg von einem Tag auf den anderen von 10 Basispunkten über dem Interbankengeldmarktzinssatz (Federal Funds Rate) auf 150 Basispunkte über dem Interbankengeldmarktzinssatz. Das Volumen an ausstehendem *Asset-Backed Commercial Paper* sank von 1236 Mrd. US $ Anfang August auf 833 Mrd. US $ Ende Dezember 2007.[34]

Mit dem Ausfall der externen Refinanzierung wurden die Beistandszusagen der jeweiligen Mütter fällig. Diese kamen ihren Verpflichtungen zwar weitgehend nach. Jedoch mussten nunmehr die entsprechenden Positionen in die Bilanzen aufgenommen werden. Dadurch wurden die Eigenkapitalpositionen infrage gestellt. Im glimpflichen Fall wurde „nur“ die regulatorische Eigenkapitalanforderung verletzt, und die Bank musste Korrekturmaßnahmen ergreifen, zusätzliches Eigenkapital aufnehmen oder Vermögenswerte veräußern, um die Relation zwischen Eigenkapital und Geschäftsvolumen wieder ins Lot zu bringen. In weniger glimpflichen Fällen, etwa bei der Sächsischen Landesbank oder der Industriekreditbank, war alsbald die Solvenz der Mutter selbst betroffen.

Die Bedeutung des Zusammenbruchs der Refinanzierung der Zweckgesellschaften für die Globalisierung der Krise ist kaum zu überschätzen. Das Geschäftsvolumen der Zweckgesellschaften insgesamt wird auf über 1 Bio. US Dollar geschätzt.[35] Zum Vergleich: Das Volumen der verbrieften *Non-Prime* Hypotheken in den USA wurde vom Internationalen Währungsfonds auf 1,1 Bio. US Dollar ge-

---

[34] Vor dem Beginn der Subprime-Expansion, hatte das Volumen dieses Marktes während mehreren Jahren zwischen 600 und 700 Mrd. $ gelegen. Die Implosion 2007 ließ mehr als zwei Drittel des Zuwachses von 2003 auf 2007 verschwinden.

[35] R. Dodd und P. Mills, Outbreak: U.S. Subprime Contagion, *Finance and Development* 45 (2008), Nr. 2, 14–18, http://www.imf.org/external/pubs/ft/fandd/2008/06/dodd.htm. Acharya, Schnabl, Suarez (Fn. 33) geben das Volumen der Märkte für *Asset Backed Commercial Paper* mit 1,2 Bn. US Dollar an.

schätzt, das Volumen der verbrieften Hypotheken insgesamt auf 5,7 Bio. US Dollar.[36] Die von den Zweckgesellschaften gehaltenen Papiere machten also einen erheblichen Teil des Gesamtmarktes aus. Das Wegbrechen ihrer Refinanzierung setzte die Märkte unter erheblichen zusätzlichen Druck.

Dies erklärt auch, warum die Preissenkungen bei den Hypothekenverbriefungen so drastisch ausfielen, weit drastischer als dass man sie nur durch die Qualitätsprobleme bei *Subprime* erklären könnte. Im August 2007 mussten die Märkte *zwei* Schocks verarbeiten, zum einen die Überraschung, dass die Bewertungen der Rating-Agenturen drastisch zurückgestuft worden waren, zum anderen den Zusammenbruch der Refinanzierung der Zweckgesellschaften. Jeder dieser beiden Schocks für sich genommen hätte größere Kursverluste begründet; da sie zusammenkamen, wurde der Anpassungsbedarf umso größer.

3. Implosive Systemdynamik: August 2007–Oktober 2008

Die Anpassung wurde dadurch erschwert, dass die Schicksale der Zweckgesellschaften bzw. der Banken, die dabei involviert waren, eine Stimmung des allgemeinen Misstrauens schuf. Dadurch wurden die Interbankenmärkte belastet; phasenweise brachen sie ganz zusammen. Institutionen wie etwa Investment Banken, die gewohnt waren, sich über diese Märkte zu refinanzieren, sahen dadurch ihre Existenz gefährdet und tendierten nun selbst dazu, ihre liquiden Mittel zu horten statt sie zu nutzen, um die günstiger werdenden Preise der hypothekengesicherten Papiere für neue Investitionen zu nutzen.

Von August 2007 bis Oktober 2008 befand sich das globale Finanzsystem in einer Abwärtsspirale, mal schneller, mal langsamer. Die Dynamik dieser Spirale wurde durch folgende Elemente bestimmt:

Märkte funktionierten schlecht: Die Preise der Wertpapiere sind drastisch gesunken, vielfach sogar, wie eingangs erläutert, deutlich unter die Gegenwartswerte der nach heutigem Informationsstand zu erwartenden Schuldendienstleistungen. Weil es an Käufern fehlt, existieren viele Märkte gar nicht mehr. Dass es an Käufern fehlt, liegt teilweise daran, dass die Anleger sich nicht stark genug fühlten, neue Engagements einzugehen, teilweise auch daran, dass sie befürchteten, dass die Papiere, die auf dem Markt angeboten werden, überdurchschnittlich schlechte Kreditrisiken aufwiesen. Das sogenannte „Le-

[36] International Monetary Fund, *Global Financial Stability Report,* October 2008 (Fn. 4).

mons"-Problem, für dessen Analyse George Akerlof den Nobelpreis bekommen hat, betrifft nicht nur die Märkte für gebrauchte Autos, sondern auch die Märkte für gebrauchte Wertpapiere. Auch konnte die Dynamik der Märkte für sich genommen schon eine Zurückhaltung der Käufer begründen: Wenn man mit der Möglichkeit rechnet, dass in naher Zukunft weitere Marktteilnehmer gezwungen sein werden, ihre Papiere zu verkaufen, wird man selbst nicht in diese Märkte gehen, bis abzusehen ist, dass die Talsohle erreicht ist.

Fair Value Accounting erfordert, dass die Banken die Bewertungen von Wertpapieren in den Büchern laufend an neue Entwicklungen anpassen. Viele Banken hatten Hypopthekenverbriefungen u.ä. im Handelsbuch geführt. Für Papiere im Handelsbuch erfordert *Fair Value Accounting,* dass Kurssenkungen im Markt – oder auch Modellberechnungen darüber, was die Kurssenkungen wären, wenn die Märkte funktionierten – unmittelbar einen Wertberichtigungsbedarf begründen. Dass die Kurse zum Teil deutlich unter den Ertragswerten der Papiere lagen, spielte in diesem Zusammenhang keine Rolle. Erst im Oktober 2008 wurde die Möglichkeit eingeräumt, Papiere aus dem Handelsbuch in das Kreditbuch zu überführen und dort zum Nennwert abzüglich eines Abschlags für etwaige Kreditrisiken zu bewerten.

Unzureichende Eigenkapitalausstattungen der Banken bewirkten, dass die Kurssenkungen in den Märkten bei *Fair Value Accounting* unmittelbar Anpassungen der Anlageportefeuilles erzwangen. Kursverluste auf Aktiva erodieren das Eigenkapital. Um nicht in Konflikt mit geltenden Eigenkapitalvorschriften – oder den Eigenkapitalanforderungen der Anleger in den Märkten – zu kommen, muss die betreffende Bank entweder neues Eigenkapital auf dem Markt aufnehmen oder Wertpapiere aus dem eigenen Bestand verkaufen bzw. ausstehende Kredite kündigen. Da Rekapitalisierungen in der Krise nur in begrenztem Umfang möglich waren, mussten die Banken vor allem Wertpapiere veräußern. Dieses sogenannte *Deleveraging* wiederum belastete die Märkte, senkte die Preise und beschleunigte die Abwärtsdynamik.

In der Vergangenheit hatte man mit dem Begriff „systemisches Risiko" vor allem zwei Mechanismen verbunden: Dominoeffekte aufgrund vertraglicher Beziehungen von Banken untereinander und Informationseffekte aufgrund ähnlicher Risikoausgesetztheit.[37] Bei ersteren geht es darum, dass eine Zahlungseinstellung bei Bank A eine zweite Bank B in Schwierigkeiten bringt, weil deren Forderungen gegenüber Bank A plötzlich infrage gestellt werden. Bei letzte-

[37] M. Hellwig, Systemische Risiken im Finanzsektor, *Zeitschrift für Wirtschafts- und Sozialwissenschaften*, Beiheft 7 (1998), 123–151.

ren geht es darum, dass Geldgeber aus den Schwierigkeiten von Bank A schließen, dass auch Bank B, die ein ähnliches Geschäftsmodell verfolgt hat wie Bank A, demnächst in Schwierigkeiten sein wird, und deshalb ihre Mittel von Bank B abziehen. Die hier beschriebene Systemdynamik stellt demgegenüber auf einen dritten Mechanismus ab: Danach kommt Bank B unter Druck, weil Bank A aufgrund ihrer Schwierigkeiten gezwungen ist, Vermögenswerte zu veräußern, und die dadurch induzierten Kurssenkungen bei diesen Vermögenswerten einen Wertberichtigungsbedarf bei Bank B begründen.[38] Diese dritte Form von „systemischem Risiko" hat die Entwicklung von August 2007 bis zum Zusammenbruch von Lehman Brothers dominiert. In der Folge dieses Zusammenbruchs kam es dann auch zu erheblichen Dominoeffekten und Informationseffekten, erstere vor allem bei AIG, letztere im Zusammenbruch praktisch aller Interbankenmärkte.

Das Zusammenspiel von Preissenkungen in schlecht funktionierenden Märkten, *Fair Value Accounting,* Eigenkapitalmangel und *Deleveraging,* prägte die Entwicklung des Finanzsystems von August 2007 bis Oktober 2008. Hin und wieder beschleunigten sich die Ereignisse, sei es, dass eine einzelne Bank in Schwierigkeiten kam (Northern Rock, Bear Stearns, Lehman Brothers), sei es, dass das wechselseitige Misstrauen der Marktteilnehmer wieder die Interbankenmärkte austrocknete. Die Liquiditätshilfen der verschiedenen Zentralbanken, für die Märkte insgesamt oder für einzelne Institutionen, haben jeweils den akuten Krisen entgegengewirkt, die Abwärtsspirale als solche aber nicht stoppen können. So oft die Marktteilnehmer und die Medien auch meinten, das Schlimmste sei jetzt vorüber, einige Wochen später stand die nächste Episode an.

Die Systemimplosion wurde erst gestoppt, als im Oktober 2008 die Steuerzahler zu Garanten der Banken erklärt wurden. Am Ende hatte die Halbherzigkeit und Undeutlichkeit der Politik die Krise noch einmal beschleunigt und mit zur Panik bei Lehman Brothers und nach Lehman Brothers beigetragen. Als aber in der ersten Oktoberhälfte 2008 deutlich wurde, dass der Staat sich verlässlich engagieren würde, beruhigte sich die Entwicklung. Jedoch war zu diesem Zeitpunkt der Vertrauensschwund unter den Banken schon so weit gegangen, dass das internationale Zahlungssystem, insbesondere die Funktionsfähigkeit des Akkreditivs als Zahlungsmittel, in Mitleidenschaft gezogen worden war; dies trug maßgeblich bei zum Einbruch des Welthandels im vierten Quartal 2008 und damit zur dramatischen Rezession der Realwirtschaft.

---

[38] I. Schnabel, und H.S. Shin, Liquidity and Contagion: The Crisis of 1763, *Journal of the European Economic Association* 2 (2004), 929–968.

4. *„Prozyklizität" der Eigenkapitalregulierung*

Im vorliegenden Zusammenhang hat das Wort „Eigenkapitalmangel" zwei Bedeutungen. „Eigenkapitalmangel" bedeutet zunächst, dass die Banken praktisch kein „freies" Eigenkapital hatten, d.h. keinen Überschuss über das hinaus, was die Eigenkapitalregulierung oder die Gläubiger erforderten. Auf negative Überraschungen mussten sie daher unmittelbar mit Korrekturmaßnahmen reagieren. Das galt für die negative Überraschung des Zusammenbruchs der Refinanzierung von Zweckgesellschaften – mit der Folge, dass die Positionen dieser Institute in die eigenen Bilanzen genommen werden mussten – ebenso wie für negative Überraschungen bei Kreditrisiken und Marktbewertungen der Wertpapiere.

Korrekturmaßnahmen in Form von *Deleveraging,* einer Verkürzung der Bilanz durch Veräußerung von Wertpapieren und Rückführung von Schulden, sind unproblematisch, wenn sie sich auf eine Bank beschränken und es genügend potentielle Käufer für die Wertpapiere gibt. Sie sind aber problematisch, wenn alle Institute gleichermaßen in Schwierigkeiten sind und alle Institute gleichzeitig versuchen, ihre Bilanzen durch Veräußerung von Wertpapieren und Rückführung von Schulden zu verkürzen. Ein solches simultanes *Deleveraging* kann nicht gelingen, wenn es keine Käufer für die Wertpapiere gibt. Der Versuch eines simultanen *Deleveraging* führt lediglich dazu, dass die Kurse der Wertpapiere sinken, was weiteren Korrekturbedarf erzeugt.

In diesem Zusammenhang wird oft das Wort von der *Prozyklizität der Eigenkapitalregulierung* gebraucht. Die Formulierung ist in mehrfacher Hinsicht ungenau. Zum einen suggeriert das Wort „Prozyklizität" einen Zusammenhang mit dem Konjunkturzyklus. Das war angemessen, solange man makroökonomische Stromgrößen im Auge hatte, etwa den prozyklischen Zusammenhang von Güternachfrage, Cash Flow der Unternehmen, Schuldendienst der Unternehmen, Bankgewinnen, Neukreditvergabe und Unternehmensinvestitionen, die wieder in die Güternachfrage eingehen.[39] Bei *Fair Value Accounting* redet man aber über Regulierung und Korrekturbedarf nicht mehr auf der Ebene der Stromgrößen, sondern auf der Ebene der Bestandsgrößen in der Bankbilanz. Ein Korrekturbedarf in der

[39] J. Blum und M. Hellwig, The Macroeconomic Implications of Capital Adequacy Requirements for Banks, *European Economic Review* 39 (1995, 739–749, J. Blum und M. Hellwig, Die makroökonomischen Wirkungen von Eigenkapitalanforderungen für Banken, in: D. Duwendag (ed.), *Finanzmärkte, Finanzinnovationen und Geldpolitik*, Schriften des Vereins für Socialpolitik, NF 242, Duncker und Humblot, Berlin 1996, 41–71.

Relation von Eigenkapital und Aktiva lässt sich nicht mehr auf der Ebene der Neukreditvergabe, einer Stromgröße, beheben, sondern muss auf der Ebene der Bestandsgrößen, durch Rekapitalisierung oder *Deleveraging*, angegangen werden. Für ein Banksystem als Ganzes ist dies letztlich gar nicht möglich.[40]

Zum anderen ist der Korrekturbedarf nicht nur der Regulierung zuzuschreiben. Auch die Gläubiger stellen gewisse Mindestanforderungen an die Eigenkapitalausstattung der Bank. In diesem Zusammenhang ist auf die Bedeutung der *Wholesale*-Märkte für die Refinanzierung der Banken zu verweisen. Für viele große Banken sind die *Wholesale*-Märkte, insbesondere Repo-Märkte, als Finanzquelle mindestens so wichtig, wenn nicht wichtiger als das traditionelle Einlagengeschäft. Die Geldgeber in diesen Märkten sind zumeist andere Finanzinstitutionen, Geldmarktfonds, Investmentbanken u. ä., die sehr genau darauf achten, wem sie ihr Geld geben, so dass es von einem Tag auf den anderen zu einem erheblichen Mittelabfluss kommen kann, genauer, zur Nichterneuerung des kurzfristigen Repo-Kredits. Die Möglichkeit eines *Run*, eines Abzugs von Mitteln durch viele Gläubiger gleichzeitig, die traditionell mit der Einlagenfinanzierung der Banken in Verbindung gebracht wird, betrifft heute vor allem die *Wholesale*-Märkte. Die Anleger in diesen Märkten sind viel aufmerksamer und achten viel genauer auf die aktuelle Entwicklung als die Anleger im traditionellen Einlagengeschäft. Der Erhalt oder die Wiederherstellung einer angemessenen Eigenkapitalposition durch *Deleveraging* soll auch einem solchen Run der Geldgeber in den *Wholesale*-Märkten vorbeugen.

5. Systemfragilität durch übermäßige Verschuldung

„Eigenkapitalmangel" der Banken bedeutet auch, dass sie zu wenig Eigenkapital überhaupt hatten. Sie hatten verschiedene Möglichkeiten genutzt, um mit den ihnen zur Verfügung stehenden Mitteln ein möglichst großes Rad zu drehen. Dazu diente nicht nur die Umgehung der Regulierung durch Zweckgesellschaften. Auch im Rahmen der geltenden Eigenkapitalregulierung haben Institutionen wie UBS oder Deutsche Bank es verstanden, ihre Bilanzsumme auf das Vierzig- oder Fünfzigfache ihres Eigenkapitals aufzublähen. Bei diesen Relationen genügen relativ kleine Verluste, um die Bank insolvent werden zu lassen oder zumindest bei den Geldgebern in den

[40] So ausdrücklich Blum und Hellwig 1996 (Fn. 398). Siehe auch T. Adrian und H. Shin, Liquidity and Leverage, Federal Reserve Bank of New York Staff Report No. 328, New York 2008, http://ssrn.com/abstract=1139857.

Wholesale-Märkten einen Verdacht der Insolvenz zu begründen und die Refinanzierung der Bank zu gefährden. So geschehen bei Bear Stearns und bei Lehman Brothers; dass UBS nicht auch zu diesem Klub gehört, ist nur der Rekapitalisierung durch den Staatsfonds von Singapur und durch die Schweizerische Eidgenossenschaft zu verdanken.

Wenn eine Bank heutzutage kundtut, sie habe zehn Prozent „Kernkapital", so bezieht sich das auf die risikogewichteten Anlagen der Bank, nicht auf die Bilanzsumme insgesamt. Die Risikogewichtung ergibt sich aus dem quantitativen Modell, das die Bank selbst zur Analyse und Steuerung ihrer Risiken verwendet. Die Verwendung der eigenen Risikomodelle zur Bestimmung regulatorischer Eigenkapitalanforderungen geht auf die 1996 eingeführte Ergänzung des ersten Basler Abkommens zur Ausweitung der Eigenkapitalregulierung auf Marktrisiken zurück. Darin wurde den Banken die Möglichkeit eingeräumt, die erforderliche Eigenkapitalunterlegung für Wertpapiere im Handelsbuch anhand ihrer eigenen Risikomodelle zu bestimmen. Die großen, international tätigen Banken haben diese Möglichkeit extensiv genutzt.

Die meisten dieser Banken führten die Hypothekenverbriefungen im Handelsbuch, da sie die Papiere dort mit weniger Eigenkapital unterlegen mussten als im Kreditbuch. Soweit man die Papiere von einer anderen Institution – und sei es auch eine Zweckgesellschaft – gekauft hatte, spielten die zugrundeliegenden Kreditrisiken für die Eigenkapitalunterlegung der Papiere im Handelsbuch keine Rolle; es kam nur auf die Kursrisiken an. Soweit man die Papiere, die man ins Portefeuille nahm, selbst vorher verbrieft hatte, stellte die Eigenkapitalregulierung auch auf die Kreditrisiken ab, ließ aber die Möglichkeit zu, dass man die Kreditrisiken im Risikomodell glatt stellte, wenn man einen entsprechenden Kreditrisikoübernahmevertrag mit einem Versicherer hatte; dies erklärt das Wachstum der *Credit Default Swaps* im Vorfeld der Krise. Die Gegenparteien waren zumeist Spezialversicherer *(„Monoline Insurers")* und AIG.[41]

Der modellbasierte Ansatz für die Eigenkapitalunterlegung von Marktrisiken bot so die Grundlage dafür, dass die Bilanzsummen auf das 40- oder 50-fache des Eigenkapitals aufgebläht wurden, und dass bei einem Eigenkapital von 2–2,5% der Bilanzsumme schon relativ kleine Verluste ausreichten, um die Solvenz der Banken infrage zu stellen. Von Seiten der Schweizerischen Nationalbank wurde dazu

---

[41] Im Geschäftsbericht für 2007 schreibt AIG, von insgesamt 527 Mrd. US $ Exposure bei *super senior credit default swaps* seien 379 Mrd. US $ nicht als Instrumente der Risikoübernahme, sondern als Instrumente der Reduktion von Eigenkapitalanforderungen bei den Banken anzusehen.

schon vor der Krise angemerkt, es sei unvernünftig, den Risikomodellen so sehr zu vertrauen, dass zehn Prozent „Kernkapital" de facto nur auf zwei oder drei Prozent der ungewichteten Bilanzsumme komme. Sie schlug deshalb vor, eine absolute Grenze für den Verschuldungsgrad einzuführen.[42] Dieser Vorschlag einer *Leverage Ratio* wurde damals von der Bankenaufsicht ebenso wie den betroffenen Banken mit dem Argument zurückgewiesen, die Risikomodelle der Banken seien so gut, dass die Risiken bei Aktiva und Passiva genau koordiniert werden könnten, so dass es auf die Relation des Eigenkapitals zur ungewichteten Bilanzsumme gar nicht ankomme. Dass UBS bei einer Bilanzsumme von 1600 Mrd. CHF nur 40 Mrd. CHF an Eigenkapital aufweise, habe nichts weiter zu bedeuten.

Im Nachhinein ist festzustellen, dass die Verluste der UBS aus Hypothekenverbriefungen weit über 40 Mrd. CHF liegen und dass die Risikomodelle weder die Marktrisiken, noch die Ausfallrisiken der Kreditversicherer, noch die Korrelationen der verschiedenen Risiken angemessen erfasst hatten. Die Risikomodelle konnten diese Risiken auch gar nicht angemessen erfassen, denn es fehlte die erforderliche Information, etwa die Information über die Systemrisiken, die von den *Conduits* und SIVs ausgingen, oder die Information über die Risikoausgesetztheit der Kreditversicherer.

Die Verwendung des modellbasierten Ansatzes der Eigenkapitalunterlegung von Marktrisiken als Instrument, um ein möglichst großes Rad zu drehen, hat sich in der Krise sehr schädlich ausgewirkt. Zum einen hatte die Entscheidung, die Hypothekenverbriefungen in das Handelsbuch aufzunehmen, zur Folge, dass diese Papiere wie erwähnt mit Marktwerten und nicht mit Ertragswerten zu bilanzieren waren. Da die Märkte für diese Papiere ab August 2007 nicht mehr funktionsfähig waren, waren die Kursrückgänge größer als die Rückgänge der Ertragswerte. Entsprechend größer war der Abschreibungsbedarf.

Zum anderen ist bei Bilanzsummen in Höhe des Vierzig- oder Fünfzigfachen des Eigenkapitals der Multiplikator für das *Deleveraging* entsprechend hoch. Ein Abschreibungsbedarf von 1 Mio. Euro zwingt dann die Bank zur Veräußerung von Papieren im Wert von 40 oder 50 Mio. Euro. In Märkten, in denen es kaum Käufer gibt, sind die Wirkungen auf die Kurse im Markt und die weiteren Rückwirkungen auf die Eigenkapitalposition anderer Banken entsprechend groß.

[42] R. Bichsel, J. Blum, Gearing Ratios, Swiss National Bank, *Quarterly Bulletin* 3/2001, 48–58; J.M. Blum, Why ‚Basel II' May Need a Leverage Ratio Restriction, *Journal of Banking and Finance* 32 (2008), 1699–1707.

IV. Ursachen und Verantwortung

Im Nachhinein ist man klüger. Daraus folgt nicht unbedingt, dass man im Vorhinein die falschen Entscheidungen getroffen hat. Der Umstand, dass ein Risiko schlecht ausgeht, ist noch kein Beleg dafür, dass dieses Risiko nicht hätte eingegangen werden dürfen. Es liegt in der Natur der Sache, dass Risiken manchmal gut ausgehen und manchmal schlecht. Wollte man, dass alles immer nur gut ausgeht, so müsste man alle Risiken vermeiden. Wirtschaft und Gesellschaft würden alsbald ihre Innovationskraft verlieren. Es käme zum sicheren Niedergang – in Relation zu dynamischeren Gesellschaften, und vielleicht sogar absolut, denn ein Teil unseres heutigen Lebensstandards beruht darauf, dass hiesige Unternehmen aufgrund innovativer – und daher riskanter – Tätigkeiten in der Lage sind, mit ihren Produkten hohe Preise zu erzielen. Solche Marktpositionen werden durch den Wettbewerb Dritter erodiert, wenn sie nicht immer wieder neu durch weitere Innovationen gefestigt werden.

Eine Beurteilung der beschriebenen Entwicklung sollte daher nicht bei der Beobachtung ansetzen, dass die Immobilienblase in den USA zerplatzt ist und dass die entstandenen Verluste eine Krise des Weltfinanzsystems ausgelöst haben. Vielmehr ist zu fragen, wo Fehler gemacht wurden, die auch im Vorhinein als solche hätten erkannt werden können oder müssen. Dabei ist zwischen *Fehlverhalten* und *Systemfehlern* zu unterscheiden.

Als *Fehlverhalten* wird im Folgenden ein Verhalten verstanden, das sich letztlich gegen den Urheber selbst richtet. Als *Systemfehler* wird eine institutionelle Regelung verstanden, die bei Wahrnehmung der Eigeninteressen durch die jeweils Beteiligten zu Fehlentwicklungen für die betreffenden Institutionen, wenn nicht gar das Finanzsystem insgesamt führt. Die Unzulänglichkeit der Kreditwürdigkeitsprüfungen durch die initiierenden Hypothekenbanken sind in diesem Sinn nicht als Fehlverhalten einzuordnen; schließlich hatten sie keinen Grund, die für angemessene Kreditwürdigkeitsprüfungen erforderlichen Ressourcen aufzuwenden. Dass sie keinen Grund dafür hatten, wird man allerdings als Systemfehler ansehen. Bei beidem, Fehlverhalten und Systemfehlern, stellt sich die Frage nach der Verantwortung, doch stellt sich diese Frage jeweils auf einer anderen Ebene. Im Folgenden gehe ich auf Fehlverhalten und Systemfehler in verschiedenen Bereichen ein.

1. Governance-Probleme der Hypothekenverbriefung

Das Fehlen jeglicher Haftung bei den initiierenden Hypothekenbanken ist als maßgeblicher Systemfehler der Hypothekenverbriefung anzusehen. Die Wirkungen dieses Systemfehlers waren zunächst gering, da *Fannie Mae* und *Freddie Mac* sich auf die Verbriefung von *Prime* Hypotheken beschränkten und selbst die Haftung für die Kreditbedienung der Hypotheken übernahmen. Die disziplinierende Wirkung dieser Maßnahmen entfiel jedoch, als die privaten Investment Banken in das Verbriefungsgeschäft eindrangen, sich auf *Subprime* Hypotheken konzentrierten und auch keine Haftung übernahmen. Die Veränderung von Qualitätsstandards und Haftungsbedingungen im Wechsel von den *government sponsored enterprises* zu den privaten Investment Banken war ein maßgeblicher Grund für die Verschlechterung der Kreditrisiken.

Diese Fehlentwicklung wurde weder von der Aufsicht noch von den Rating-Agenturen noch von den Käufern der Hypothekenverbriefungen infrage gestellt oder korrigiert. Eine Aufsicht, die zuständig gewesen wäre, gab es nicht. Die Rating-Agenturen sahen – wie ausgeführt – keine Probleme. Im Übrigen waren sie nicht nur im Bewertungsgeschäft, sondern auch im Beratungsgeschäft tätig. In letzterem berieten sie die Verbriefungsinstitutionen, wie sie die zu verbriefenden Papiere zusammensetzen und wie sie die Forderungen auf die Pakete tranchieren sollten, damit die günstigsten *Ratings* herauskämen. Dass aufgrund der vorangegangenen Beratung bei der nachfolgenden Bewertung eine gewisse Befangenheit vorliegen musste, ließen sie sich nicht anfechten. In diesem Zusammenhang ist von Bedeutung, dass nach US-amerikanischer Rechtsprechung die Rating-Agenturen so gut wie kein Haftungsrisiko hinsichtlich der Inhalte ihrer Bewertungen haben.[43]

Das Fehlen jeglicher Haftung bei der Initiierung und Verbriefung der Hypotheken wurde bestärkt durch die Bereitschaft von Hedge Funds und ihren Geldgebern, die Eigenkapitaltranchen der Verbriefungen zu übernehmen. Auch die nachrangigen *(mezzanine)* hypothekengesicherten Papiere fanden eine willige und unkritische Nachfrage bei den Banken, die sich auf die zweite Stufe der Verbriefung

---

[43] Rona-Tas und Hiß (Fn. 12). Nach dem Urteil des Berufungsgerichts im Fall *Jefferson County School District No. R-1 v. Moodys Investor Services, Civic Action No. 97–1157,* handelt es sich bei den *Ratings* um Meinungsäußerungen, die als solche unter dem Schutz des Ersten Zusatzes zur Verfassung stehen. Eine Zivilklage hätte danach nur Aussicht auf Erfolg, wenn die Ratings auf Tatsachenbehauptungen beruhen, die nachweislich falsch sind.

verlegten, eine Aktivität, die, wie oben ausgeführt, nur dann eine wirtschaftliche Funktion hat, wenn sie die Möglichkeit bietet, Regulierungsarbitrage zu betreiben.

2. Fokussierung auf Renditen – Vernachlässigen der Risiken

Die Bereitschaft der Anleger, die hypothekengesicherten Papiere und dabei selbst *Equity* zu kaufen, ist dadurch zu erklären, dass sehr viele Personen und Institutionen nur auf Renditen achteten und die Risiken der Papiere vernachlässigten.[44] Anleger aller Art, Privatpersonen, Universitäten, Stiftungen, deutsche öffentliche Banken ebenso wie US-amerikanische und Schweizerische Investment Banken, waren derart auf Renditen fixiert, dass sie nicht auf die Risiken dieser Papiere achteten. Bei den bevorrechtigten Tranchen mag man das mit dem Hinweis auf die *Ratings* erklären, bei *Equity* gibt es nicht einmal diese Entschuldigung. Auch bei Papieren mit AAA *Ratings* wäre zu hinterfragen gewesen, warum dieses *Rating* mit höheren Zinssätzen einherging als bei Einzelemittenten.

Auf Seiten der Investment Banker hat die Fokussierung auf Umsatzwachstum und Marktanteile im Verbriefungsgeschäft das mit diesem Geschäft verbundene Risiko vergessen lassen. Zwar waren sie nach dem Verkauf der Papiere aus der Haftung, doch in der Krise waren schon die Verluste im *Warehousing*, den Beständen, bei denen die Prozedur der Verbriefung noch lief und die sich nach dem Zusammenbruch der Märkte nicht mehr verkaufen ließen, ganz erheblich.

Der Bericht der UBS über diese Verluste[45] gibt an, dass es zumindest bei dieser Bank nie eine systematische und umfassende Analyse der mit dem Geschäftsmodell der Verbriefung von nachrangigen hypothekengesicherten Papieren verbundenen Risiken gab. Das Risiko-Controlling hat es versäumt, rechtzeitig die Risiken zu analysieren, die sich daraus ergaben, dass es keine wirksamen Anreize für die Kreditwürdigkeitsprüfung gab, oder auch die Risiken, die sich daraus ergaben, dass das Verbriefungsgeschäft und diese Papiere über die gemeinsame Abhängigkeit von der US-amerikanischen Immobilienpreisentwicklung und den diese Entwicklung bestimmenden Faktoren hochgradig miteinander korreliert waren. Bei der Entscheidung, *Super Senior Tranches* aus eigener Verbriefung in das eigene Portefeuille zu nehmen, wurde die Korrelation dieser Papiere mit den Papieren im *Warehousing* übersehen. Ebenfalls übersehen wurde

---

[44] Duffie (Fn. 28) gebraucht hier den Ausdruck „*yield hungry*".

[45] UBS, Shareholder Report on UBS's Writedowns (Fn. 27).

die Korrelation der Kreditrisiken auf die zugrundeliegenden Papiere mit den Gegenparteirisiken bei den Kreditausfallversicherungen, die man darüber abschloss.

Der Vorwurf einer ausschließlichen Fokussierung auf Ertragsraten – bei Vernachlässigung der damit verbundenen Risiken – betrifft auch das Übermaß an Fristentransformation und Verschuldung. Mit dem Modell der *Conduits* und *SIVs*, die praktisch ohne Eigenkapital in hypothekengesicherte Papiere investierten und sich kurzfristig refinanzierten, wurde das Prinzip „aus kurz mach lang" auf die Spitze getrieben, um zusätzliche Basispunkte zu verdienen. Die damit verbundenen Geschäftsrisiken mussten jedem Manager bewusst sein, desgleichen die mit den Garantien für *Conduits* und *SIVs* verbundenen Risiken für die jeweilige Bank.

Ähnliches gilt für das Eigenkapitalmanagement der großen Banken. Den Portfoliomanagern und Risikomanagern dieser Banken ist nicht vorzuwerfen, dass sie die von der Fristentransformation durch *Conduits* und *SIVs* ausgehenden systemischen Risiken nicht berücksichtigt haben. Da sie das Ausmaß dieser systemischen Risiken nicht kannten und auch nicht kennen konnten, konnten sie diese Risiken auch nicht berücksichtigen. Man kann den Risikomanagern der großen Banken aber zum Vorwurf machen, dass sie sich nicht genügend mit der Möglichkeit befasst haben, dass ihre Risikomodelle wesentliche Risiken nicht erfasst hatten und auch nicht erfasst haben konnten. Eigenkapital sollte ja gerade auch einen Schutz gegen die Risiken bieten, an die man noch nicht im Vorhinein gedacht hat.

Die hier benannten Mängel fallen durchweg in die Kategorie *Fehlverhalten.* Die Frage ist, warum es zu diesem Fehlverhalten kam und warum versäumte wurde, hier rechtzeitig gegenzusteuern.

3. Geldpolitik und Fristentransformation

Etliche Beobachter nennen die US-amerikanische Geldpolitik der Jahre 2002 bis 2004 als Hauptverantwortlichen für die Fehlentwicklung. Die extrem niedrigen Geldmarktzinssätze ließen die Fristentransformation in diesen Jahren so verführerisch erscheinen. Bei einem Geldmarktzinssatz von 1,5% und einem Hypothekenzinssatz von fast 6% auf konventionelle Hypotheken, über 7% auf *Subprime* Hypotheken war viel Geld zu verdienen, zumal das Angebot an kurzfristigen Mitteln unerschöpflich zu sein schien.

Eine solche Betrachtung greift aber zu kurz. Gewiss hat die Geldpolitik der amerikanischen Zentralbank dafür gesorgt, dass reichlich Mittel zur Verfügung standen, die in die Hypothekenfinanzierung fließen konnten. Die Geldpolitik hat die Marktteilnehmer aber nicht gezwungen, ihre Augen vor den Risiken ihrer Strategien zu verschließen.

In diesem Zusammenhang ist der Befund von Belang, dass das Modell der *Conduits* und *SIVs* sich für die Banken nur lohnte, weil die Hypothekenverbriefungen dabei nicht mit Eigenkapital unterlegt werden mussten. Wenn die Marge auf die Kosten der Refinanzierung durch *Asset Backed Commercial Paper* weniger als die 40 Basispunkte ausmachte, die notwendig gewesen wären, die Kapitalkosten der ansonsten erforderlichen Eigenkapitalunterlegung zu verdienen,[46] so ist daraus zu schließen, dass der größte Teil der Marge von 5 bis 6 Prozentpunkten (500 bis 600 Basispunkten) zwischen *Subprime* Hypothekenzins und Geldmarktzins gar nicht den Käufern der Verbriefungen zugute kam, sondern den Hypothekenbanken und den im Verbriefungsgeschäft tätigen Institutionen, Investment Banken und *Rating* Agenturen. Um so mehr stellt sich die Frage, warum die Anleger auch bei so kleinen Margen in diese Anlagen drängten.

4. Governance-Probleme der Banken

Übermäßige Fokussierung auf Ertragsraten und Vernachlässigung von Risiken sind letztlich auf das Versagen oder gar das Fehlen von Steuerungs- und Kontrollmechanismen zurückzuführen. Im UBS-Bericht wird das Verhalten der UBS Investment Bank teilweise mit dem Entlohnungssystem für die Investment Banker erklärt. Diese erhielten Boni, die sich am kurzfristigen Geschäftserfolg orientierten. Die Risiken, die sie eingingen, spielten solange keine Rolle, wie es keine Probleme gab. Auch waren die Boni nicht auf die mittel- oder gar langfristige Nachhaltigkeit des Geschäftserfolgs ausgerichtet. Bei dieser Struktur der Bonussysteme lag es im Interesse der Investment Banker, die *Super Senior Tranches* der selbst erzeugten Verbriefungen ins eigene Portefeuille der Investment Bank zu nehmen. Der Überschuss der Ertragsraten dieser Papiere über die Refinanzierungskosten (und über die Ertragsraten anderer AAA-Papiere) ging unmittelbar in die Boni ein, die Risiken, denen die Bank durch diese Anlagenentscheidungen ausgesetzt wurde, dagegen nicht. Mit anderen Worten: Das hier zur Diskussion stehende Fehlverhalten ergab sich unmittelbar aus dem von UBS praktizierten Anreizsystem.

Der UBS-Bericht stellt auch fest, dass die Konzernleitung es versäumte, die mit dem Geschäftsmodell der Hypothekenverbriefung und mit dem Verhalten der UBS Investment Bank verbundenen Ri-

[46] Vgl. Acharya et al. (Fn. 34).

siken angemessen zu prüfen. Ein Grund für dieses Versagen wird nicht angegeben. Man kann aber vermuten, dass UBS Investment Banking selbst in hohem Maße dazu beitrug, dass eine solche Prüfung nicht stattfand. Wer unterwirft sich schon gerne einer Prüfung, die dazu führen könnte, dass die Quelle der hohen Überschüsse, die man erwirtschaftet, verstopft würde, weil sie zu viele Risiken mit sich brachte? Man kann auch vermuten, dass die Konzernleitung nicht allzu sehr insistiert hat. Muss man wirklich so genau prüfen, wenn doch alles so gut zu laufen scheint? Die hohen Überschüsse, mit denen UBS Investment Banking zum Konzernergebnis beitrug, waren ja nicht nur eine Grundlage für hohe Bonuszahlungen an die Investment Banker, sondern auch eine Grundlage für Macht und Ansehen innerhalb des Konzerns. In einer *Community,* in der die laufenden Geschäftserfolge und die Boni den Maßstab des Erfolgs und die Grundlage des persönlichen Reichtums bilden, sind hohe Beiträge zum Konzernergebnis eine Legitimationsquelle, die auch ein Risiko-Controller und eine Konzernleitung nicht ohne weiteres infrage stellen können. Insofern dürfte auch auf der Ebene der Konzernleitung das Ertragsdenken im Vordergrund gestanden haben. Wie groß die Risiken wirklich waren und wie schlecht die vorgelegten Risikoanalysen waren, konnte man sich vor der Krise auch gar nicht vorstellen.

In diesem Zusammenhang ist auch ein Versagen der an *„Shareholder Value“* orientierten „Marktdisziplin“ zu konstatieren. Als „Marktdisziplin“ ist hier der Zusammenhang zu verstehen, dass die für die Bank Verantwortlichen auf den Börsenkurs achten und auf die Beurteilung der Bank durch Investoren, Analysen und Medien, die den Börsenkurs beeinflusst.[47] Ein Grund für dieses Verhalten mag in der Börsenkursorientierung der Managemententlohnung liegen. Im Diskurs der Konzernleitung mit Investoren, Analysten und Medien stehen regelmäßig die erzielten Renditen im Zentrum. Insofern hat Herr Ackermann nicht unrecht, wenn er sagt, 25% Eigenkapitalrendite seien der Maßstab, an dem er gemessen werde. Über Risiken wird in diesem Zusammenhang weniger geredet – als Gegenstand öffentlichen Diskurses sind sie weniger geeignet als die erzielten Renditen. So wird auch hier versäumt zu fragen, mit welchen Risiken eine hohe Rendite erkauft wurde. Und gar nicht wird in diesem Diskurs hinterfragt, ob der Maßstab von 25% Eigenkapitalrendite nicht nur ein Beleg für eine durchgehende Unterkapitalisierung der Branche ist. Die von der Unterkapitalisierung ausgehenden Risiken zu Lasten der Gläubiger, des Steuerzahlers und auch des übrigen

---

[47] Siehe Hellwig, Market Discipline, Information Processing, and Corporate Governance (Fn. 25).

Finanzsystems sind für den Aktionär der Bank ja nicht weiter von Interesse. Ein Zocken nach dem Prinzip „Kopf: der Aktionär gewinnt – Zahl: der Gläubiger oder der Steuerzahler verliert" kann ja durchaus den Börsenkurs steigern.

Auf Seiten der deutschen öffentlichen Banken waren die Governance-Probleme allerdings noch größer. Konnte man bei den privaten Anlegern und den privaten Banken von einer Rendite-Manie reden, so ist bei den öffentlichen Banken vermutlich das Wort *Rendite-Panik* angebracht. Wo sollen bei niedrigen Zinssätzen und niedrigen Intermediationsmargen die Renditen herkommen, die man braucht, um die laufenden Kosten zu decken und vielleicht auch noch die Finanzierungswünsche der öffentlichen Eigentümer zu bedienen? Da kommen die hypothekengesicherten Papiere gerade recht, zumal wenn man sie über den amerikanischen Geldmarkt refinanziert. Politiker und Beamte in den Aufsichtsgremien freuten sich über die Beiträge dieser Anlagen zu den laufenden Gewinnen ihrer Banken. Die Risiken überstiegen ihr Vorstellungsvermögen – dass sie auch haftbar sein könnten, kam ihnen kaum in den Sinn.

5. Defizite der Aufsicht

Auch von Seiten der Aufsicht wurde nicht eingegriffen. Dazu wird angeführt, man habe gar nicht die Möglichkeit dazu gehabt. In der Phase des Übergangs von Basel I zu Basel II habe noch nicht die Verpflichtung bestanden, die Positionen von Zweckgesellschaften wie *Conduits* und SIVs mit Eigenkapital zu unterlegen. Auch habe der unterjährige Charakter der Garantien für diese Gesellschaften eine Anwendung des Verbots von Klumpenrisiken ausgeschlossen.

Allerdings kann man fragen, warum die exorbitante Fristentransformation bei den Zweckgesellschaften und die exorbitanten Garantien der Mutterbanken nicht als unprofessionelle Geschäftspraktiken untersagt wurden. Im Rahmen der zweiten Säule von Basel II hat die Aufsicht darauf zu achten, dass die Bank professionell geführt wird. Engagements in der Art und der Größenordnung, wie Industriekreditbank und Sächsische Landesbank sie gegenüber ihren Zweckgesellschaften bzw. den Käufern von deren *Asset Backed Commercial Paper* eingingen, sind nicht mehr mit professionellem Bankmanagement vereinbar. Immerhin sollte hinreichend bekannt sein, wie schwer die Risiken aus übermäßiger Fristentransformation und übermäßiger Verschuldung für eine Bank wiegen.

Die Beurteilung der Professionalität des Bankmanagements erfordert ein gewisses Ermessen. Die Aufsicht scheint sich gescheut zu haben, ein solches Ermessen auszuüben. Die Gründe für diese Scheu sind nicht klar: War dies die normale Scheu einer Verwaltungsinstanz, die die ihr gesetzten Ermessensspielräume eng auslegte? Oder stand auch die Sorge vor dem Unmut der übergeordneten politischen Instanzen dahinter, die ihrerseits Wert darauf legten, dass unseren „Nationalen Champions“ nicht Sand ins Getriebe geworfen würde, der sie im globalen Wettbewerb behindern könnte? Auch der Umgang mit unseren außerparlamentarischen Ministerpräsidentenfinanzierungsinstituten – alias Landesbanken – dürfte als Politikum wahrgenommen worden sein.

Das Fehlen jeglicher Aufsicht über die Zweckgesellschaften hat allerdings dazu beigetragen, dass keinerlei Transparenz bezüglich der von diesen Institutionen ausgehenden Systemrisiken bestand. Zwar war bekannt, dass diese Institutionen eine Rolle spielten. Jedoch waren die meisten Marktteilnehmer überrascht, als im August 2007 die Größe dieses Schatten-Banksystems und das Ausmaß seines Refinanzierungsbedarfs zutage traten. Diese Überraschung machte, wie oben ausgeführt, einen maßgeblichen Teil des Schocks im August 2007 aus. Vorangegangene Risikoanalysen Dritter wurden alsbald zur Makulatur, weil sie den Systemrisiken, die von diesem Schatten-Banksystem ausgingen, nicht angemessen Rechnung getragen hatten. Dies wäre allerdings auch gar nicht möglich gewesen, denn über diese Systemrisiken gab es keine Transparenz.

Die Aussage, dass ein Mangel an Transparenz das System belastete, betrifft nicht nur die Zweckgesellschaften, sondern auch Hedge Funds und Investment Banken. Von deutscher Seite war seit Jahren gefordert worden, auch Hedge Funds müssten einer Finanzaufsicht unterworfen werden. Hinter der deutschen Forderung stand – und steht nach wie vor – die Einschätzung, dass die Einforderung von Aktionärsrechten auf Hauptversammlungen durch diese Institutionen das aktionärsfeindliche Stakeholder-Modell der Unternehmenskontrolle in Deutschland infrage stellte. Vorgetragen wurde allerdings das Argument, Hedge Funds seien hoch verschuldet, deshalb seien sie eine Gefahr für das Finanzsystem. Da aber die Verschuldung der Hedge Funds deutlich niedriger war als die der meisten Banken, ganz zu schweigen von den von Banken eingerichteten Zweckgesellschaften, hatte dieses Argument nicht viel Gewicht. Die USA setzten sich mit dem Argument durch, eine Finanzaufsicht über Hedge Funds sei nicht erforderlich, schließlich handle es sich bei den Anlegern der Hedge Funds um reiche Investoren, die die mit dieser Art der Anlage verbundenen Risiken ermessen und ggfs. auch tragen könnten.

In dieser Diskussion wurde übersehen, dass die Rolle, die Hedge Funds in verschiedenen Wertpapiermärkten ausfüllen, für das Zusammenspiel von Finanzinstitutionen und Finanzmärkten von systemischer Bedeutung ist und dass die Intransparenz über die aggregierten Positionen von Hedge Funds – ebenso wie der Zweckgesellschaften – es der Aufsicht ebenso wie den anderen Marktteilnehmern unmöglich machte, die Ausgesetztheit des Gesamtsystems gegenüber den mit Hypothekenverbriefungen verbundenen Bewertungsrisiken und Refinanzierungsrisiken überhaupt zu erfassen.

6. Defizite der Eigenkapitalregulierung

Die Vernachlässigung von Systemzusammenhängen zeigt sich nicht nur im Umgang mit Zweckgesellschaften und Hedge Funds, sondern auch im Umgang mit der Eigenkapitalregulierung. Regulierung und Aufsicht sind fixiert auf die Solvenz der einzelnen Institution und den Schutz der Anleger bei dieser Institution und realisieren nicht, dass das Überleben der Institution auch von ihrer systemischen Umgebung abhängt. Sie realisieren auch nicht, dass ein von der Eigenkapitalregulierung gebotenes *Deleveraging* das System schädigen kann – mit negativen Rückwirkungen auf alle Institutionen, um deren Sicherheit man besorgt ist. Die oben beschriebene regulierungsbedingte Mechanik des Zusammenspiels von Kurssenkungen, *Fair Value Accounting*, Eigenkapitalmangel, Eigenkapitalregulierung und *Deleveraging* hat in erheblichem Maße zur Dynamik der Abwärtsspirale beigetragen.

Die Stärke dieser Abwärtsdynamik beruhte, wie oben ausgeführt, auch auf dem Mangel an Eigenkapital bei den Banken. Bei einem Eigenkapital von 2% der Bilanzsumme sind die Multiplikatoren für ein *Deleveraging* nach Verlusten exorbitant. Bei einem Eigenkapital von 2% der Bilanzsumme stellt sich auch bald die Frage nach der Solvenz der Bank. Sobald diese Frage im Raum steht, ist die Refinanzierung über die *Wholesale*-Märkte gefährdet.

Dass Banken zu wenig Eigenkapital hatten, ist vor allem der heute praktizierten Form der Eigenkapitalregulierung zuzuschreiben. Diese geht in ihren Grundzügen zurück auf das Basler Abkommen von 1988 („Basel I") zur Eigenkapitalunterlegung von Kreditrisiken und auf die 1996 vorgenommene Ergänzung dieses Abkommens zur Eigenkapitalunterlegung von Marktrisiken. Das Abkommen von 1988 sah eine Eigenkapitalunterlegung von 8% für gewöhnliche Kreditrisiken vor. Dieser Satz hatte sich aus einer längerfristigen Durchschnittsbetrachtung der Ausfallquoten für einzelne Kredite ergeben. In der Diskussion über die Eigenkapitalunterlegung von Marktrisiken, d.h. den Risiken von Kursverlusten auf Papiere im Handelsbuch, war zunächst ein ähnlich einfacher Ansatz vorgeschlagen worden. Nach intensiver Lobby-Arbeit der großen international tätigen Finanzinstitutionen wurde diese, heute als Standard-Ansatz bekannte, Regelung ergänzt um die Möglichkeit, dass die Banken ihre eigenen Risikomodelle benutzen, um die regulatorisch erforderliche Eigenkapitalunterlegung für Marktrisiken zu bestimmen. Das später, nach langen Verhandlungen, abgeschlossene und 2006 in Europäische Richtlinien umgesetzte zweite Basler Abkommen („Basel II") eröffnet entsprechende Möglichkeiten auch für Kreditrisiken.[48]

Die seit Mitte der neunziger Jahre erfolgten Modifikationen der Eigenkapitalregulierung sollten dafür sorgen, dass die Eigenkapitalunterlegung der Banken genauer auf die von diesen eingegangenen Risiken zugeschnitten würde; die *durchschnittliche* Eigenkapitalunterlegung sollte dadurch nicht verändert werden. Tatsächlich haben diese Modifikationen aber dazu geführt, dass die durchschnittliche Eigenkapitalunterlegung insbesondere der großen international tätigen Bankinstitute deutlich zurückgegangen ist. Inzwischen stellt selbst der Basler Ausschuss für Bankenaufsicht fest, dass das Banksystem mit einer zu geringen Eigenkapitalausstattung in die Krise gegangen ist und dass es ein Problem ist, wenn das Eigenkapital großer Banken bei nur 2% der Bilanzsumme liegt.[49]

Dass die Risikokalibrierung der Eigenkapitalregulierung selbst für den Eigenkapitalmangel verantwortlich ist, wird vom Basler Ausschuss allerdings nicht bemerkt.[50] Seine Reformvorschläge beschränken sich auf Detailregelungen, etwa zur Anrechnung von Hybriden aus Anteils- und Schuldtiteln auf das regulatorische Eigenkapital oder zur Berücksichtigung von Gegenparteirisiken bei Derivaten. Dass die Eigenkapitalausstattung vieler Banken so niedrig ist, wie sie ist, beruht aber nicht so sehr auf Fehlern im Detail als vielmehr darauf, dass die Verantwortlichen in den Banken ein Interesse haben, mit dem ihnen zur Verfügung stehenden Eigenkapital möglichst viel zu bewegen, und darauf, dass die Risikokalibrierung der Eigenkapitalregulierung ihnen die Möglichkeit dazu gibt.

Letztlich geht es hier um den Umgang mit dem für die Regulierung maßgeblichen Governance-Problem: Bankenregulierung und

---

[48] Basel Committee on Banking Supervision, *International Convergence of Capital Measurement and Capital Standards: A Revised Framework* (Fn. 25).

[49] Basel Committee on Banking Supervision, Strengthening the resilience of the banking sector, Consultative Document, Bank for International Settlements, Basel 2009, http://www.bis.org/publ/bcbs164.pdf?noframes=1.

[50] Dass diese Wirkung vorherzusehen war, zeigt der Beitrag von P. Zuberbühler in M. Hellwig und M. Staub, Capital Requirements for Market Risks Based on Inhouse Models: Aspects of Quality Assessment, *Schweizerische Zeitschrift für Volkswirtschaft und Statistik* 132 (1996), 755–776.

Bankenaufsicht sollen verhindern, dass die Risiken einer Bank das Finanzsystem oder den Steuerzahler belasten. Dem liegt die Erwartung zugrunde, dass die für die Bank Verantwortlichen diese Belange nicht schon von sich aus in angemessenem Maße berücksichtigen. Um sie dazu zu veranlassen, unterwirft man sie einer gewissen Kontrolle durch die Aufsicht. Dann aber verlässt man sich darauf, dass Risikomodellierung und Risikomanagement der Banken so professionell sind, dass man die Risikokalibrierung der Eigenkapitalanforderungen weitgehend darauf stützen kann. Die Frage, ob die Rückwirkungen auf Finanzsystem und Steuerzahler nicht auch bei Risikomodellierung und Risikomanagement der Banken zu kurz kommen, wird dabei ausgeklammert.

7. Die Illusion der Messbarkeit von Risiken

Wie oben gezeigt wurde, sind viele der in der Krise zutage getretenen Risiken in den Risikomodellen der Banken – und bei der Bestimmung der erforderlichen Eigenkapitalunterlegung – nicht angemessen berücksichtigt worden. Zu nennen sind insbesondere die Risiken aufgrund von Korrelationen zwischen den Kreditrisiken der verschiedenen Hypotheken oder Hypothekenverbriefungen, die Risiken aufgrund von Korrelationen zwischen den Kreditrisiken der Gegenparteien und den zugrundeliegenden Risiken in Derivaten und anderen Absicherungsverträgen, schließlich auch die Risiken für Wertpapiermärkte, die daher rühren, dass viele der Marktteilnehmer, die diese Papiere halten, bei einem Zusammenbruch ihrer Refinanzierung Papiere verkaufen müssen.

Bei diesen Fehlern der Risikomodellierung handelt es sich nicht einfach um technische Fehler, die durch eine Verbesserung der Vorschriften und der Verfahren zu beheben sind. Hinter diesen Fehlern stehen grundsätzliche Probleme, die das System der modellbasierten Eigenkapitalregulierung insgesamt infrage stellen.

Vorab ist festzustellen, dass die empirische Basis der Risikomodellierung der Banken ungenügend ist. Viele der verwandten Zeitreihen sind sehr kurz. Noch dazu gibt es in diesen Zeitreihen erhebliche Nichtstationaritäten, die verlässliche Schätzungen der zugrunde liegenden Strukturen ausschließen.[51] Dies gilt insbesondere für die Schätzung der Korrelationen zwischen den verschiedenen Risiken.[52]

---

[51] Der UBS-Bericht (Fn. 27) liefert dazu erhebliches Anschauungsmaterial.

[52] Eine entsprechende Warnung im Vorfeld der Krise gibt D. Duffie, Innovations in Credit Risk Transfer: Implications for Financial Stability (Fn. 28).

Bei Kreditrisiken kommt hinzu, dass Kreditausfälle – anders als Kursschwankungen bei Wertpapieren – relativ seltene Ereignisse sind. Wichtiger noch ist die Erwägung, dass Kreditrisiken als endogen anzusehen sind: Sie hängen vom Verhalten der Beteiligten und von der Entwicklung der Märkte, in denen sie operieren, ab. Sie verändern sich auch im Zeitablauf, ohne dass dies ohne weiteres von außen beobachtet werden könnte. So hängen die Gegenparteirisiken von Vertragspartnern in Derivaten und anderen Absicherungsverträgen und die Korrelation dieser Gegenparteirisiken mit den Risiken, die den Gegenstand der Absicherung ausmachen, u.a. davon ab, wie viele gleichartige Verträge die absichernde Partei geschlossen hat.[53] Die Vorstellung, dass diese Risiken und diese Korrelationen objektiv gegeben sind und dass man sie verlässlich schätzen kann, ist eine Illusion.

Ehe die Risikokalibrierung der Eigenkapitalregulierung eingeführt wurde, ging man davon aus, dass es bei der Schätzung von Kreditrisiken, im Gegensatz zur Schätzung von Risiken im Massengeschäft der Versicherer, weniger um statistische Messungen geht als um die – teilweise sehr subjektive – Einschätzung der Kreditwürdigkeit durch die Zuständigen in der Bank. Dass dies heute anders gehandhabt wird, beruht nicht so sehr darauf, dass die Verfahren der Kreditwürdigkeitsprüfung sich so deutlich verändert hätten, als vielmehr darauf, dass die Banken im System der risikokalibrierten Eigenkapitalregulierung ein handfestes Interesse haben, Kreditrisiken und ihre Korrelationen mit anderen Risiken als messbar erscheinen zu lassen.

Das System der risikokalibrierten Eigenkapitalregulierung gibt den Banken auch ein Interesse, diese Risiken über Credit Default Swaps und ähnliche Instrumente an Dritte abzugeben. Die Implikationen solchen Risikotauschs für die Anreize bei der Initiierung von Kreditverträgen, für die Aufblähung der mit dem verfügbaren Eigenkapital durchgeführten Geschäfte und für die Gefahr von Dominoeffekten aufgrund exzessiver Interkonnektivität des Systems werden dabei nicht berücksichtigt.

Wenn von Bankenseite nach wie vor geäußert wird, „im Sinn der angestrebten Systemstabilität ist ein konsequent risikosensitives Regelwerk, wie es mit Basel II geschaffen wurde, ohne Alternative“, so wird vertuscht, dass die Versuche, Risiken zu messen und diese Messungen zur Grundlage des Risikomanagements zu machen, grandios gescheitert sind, und dass die konsequent risikosensitive Eigenkapitalregulierung einen erheblichen Beitrag zur Krise geleistet hat.

---

[53] So schon M. Hellwig, Systemic Aspects of Risk Management in Banking and Finance, *Schweizerische Zeitschrift für Volkswirtschaft und Statistik* 131 (1995), 723–737.

8. Das Fehlen funktionsfähiger Interventionsmechanismen in der Krise

Die konzeptionellen Defizite der Eigenkapitelregulierung betreffen auch den Umgang mit Schieflagen. Eigenkapital soll als Puffer gegen Verluste dienen. Regulatorisch gefordertes Eigenkapital aber steht als Puffer nicht zur Verfügung. Schließlich braucht man es, um die Anforderungen der Aufsicht zu erfüllen. Vor der Krise fehlte jegliche Auseinandersetzung mit diesem *Paradox der Eigenkapitalregulierung.* Erst jetzt denkt man darüber nach, dass es besser sein könnte, die Eigenkapitalregulierung flexibel zu gestalten je nach Lage des Finanzsystems. Die prozyklischen Wirkungen der Regulierung – im Aufschwung wie in der Krise – ließen sich dadurch verringern.

Allerdings ist zu warnen vor der Vorstellung, man könnte eine solche Anpassung in quantitative Regeln, etwa über die Mittelung der Eigenkapitalanforderungen „über den Zyklus", fassen. In diesem Punkt werden die Bemühungen des Basler Ausschusses auch wieder durch Illusionen der Messbarkeit geprägt, nunmehr einer Messbarkeit der Zyklizität der Entwicklung des Finanzsektors. Letztlich bedarf eine flexible Implementierung der Eigenkapitalregulierung auch eines gewissen Ermessens der Aufsicht. Regulierung und Aufsicht sind aber so auf die Mechanik der Eigenkapitalregeln fixiert, dass der Frage nach dem angemessenen Modus des Umgangs mit Solvenzproblemen in der Krise zu wenig Aufmerksamkeit geschenkt wird.

In den bisherigen Ausführungen habe ich vor allem die selbstverstärkenden Wirkungen des Zusammenspiels von Kursentwicklungen in den Märkten, *Fair Value Accounting,* Eigenkapitalregulierung und *Deleveraging* kritisiert. Es ist aber daran zu erinnern, dass dieses System nicht ohne Grund geschaffen wurde. Anfang der achtziger Jahre war ein guter Teil der US-amerikanischen *Savings and Loans Institutions* de facto insolvent. Die Insolvenz trat aber nicht zu Tage, da sie ihre in den sechziger Jahren ausgegebenen Festzinshypotheken mit mit Zinssätzen von 6% und Restlaufzeiten von 25 Jahren zum Nennwert in den Büchern führten, obwohl die Geldmarktzinssätze bei 10% und höher lagen. Aus Angst vor einer Kreditklemme für den Immobiliensektor kümmerte man sich nicht um die Solvenzprobleme dieser Institute, sondern hob die Regulierung der Einlagenzinsen und die Anlagevorschriften auf. Die Kreditklemme im Immobiliensektor war alsbald behoben. Jedoch versuchten die insolventen Sparinstitute, auch *Zombie Banks* genannt, sich dann an einem *gambling for resurrection,* Zocken zur Wiederauferstehung.

Dazu verfolgten sie außerordentlich riskante Strategien, die im Erfolgsfall die Institution saniert hätten, sich aber am Ende als sehr verlustreich erwiesen. Die Bereinigung der Krise in den neunziger Jahren kostete dann ein Vielfaches von dem, was eine Bereinigung Anfang der achtziger Jahre gekostet hätte.[54]

Fair Value Accounting als Grundlage der Rechnungslegung und Eigenkapitalanforderungen als Grundlage der Regulierung sollten dafür sorgen, dass eine solche Erfahrung sich nicht wiederholen würde. Allerdings ergibt sich nunmehr das Problem, dass diese Regulierung selbst bei allzu mechanischer Handhabung die Verluste der Banken noch vergrößert und die Krise verschärft. Es fehlt eine Vorstellung darüber, wie man sich zwischen der Szylla der Insolvenzverschleppung und der Charybdis der Prozyklizität durchwinden könnte. Dazu bräuchte man weniger an Regelmechanik *ex ante* und mehr an Überlegungen über die Interventionsmechanismen *ex post.* Eigenkapitalregulierung kann man ja auch verstehen als ein System, das der Aufsicht einen Spielraum für Interventionen gibt, ehe die Bank dem Insolvenzrecht unterworfen wird. Für diese Interventionen fehlt es aber an praktikablen Vorstellungen.[55]

Dieses Defizit wurde in der Krise besonders deutlich. Zunächst ging es jeweils um Einzelinstitutionen, Northern Rock, Bear Stearns, Fannie und Freddie. Auch die Industriekreditbank und verschiedene Landesbanken wären zu nennen. In jedem einzelnen Fall scheute man sich, die Konsequenzen aus der Krise der Institution zu ziehen, und sorgte für eine „Rettung“, sei es durch Änderung der Spielregeln für die Offenmarktpolitik der Zentralbank, sei es durch ein staatlicherseits vermitteltes Zusammengehen mit einem anderen Institut, sei es durch Einsatz von Mitteln des Steuerzahlers. Bei Lehman Brothers wich die amerikanische Regierung von diesem Muster ab. Die Konsequenzen für das Finanzsystem waren derart, dass alle sich einig waren, dass dieses Experiment nicht wiederholt werden dürfte. Von da an konnten alle Banken auf staatliche Hilfe rechnen.

Bemerkenswerterweise kamen die Staatshilfen fast durchweg,[56] ohne dass der Staat die Kontrolle übernahm und ohne dass die Eigentümer haftbar gemacht wurden. Zum Vergleich: In Schweden

---

[54] G.J. Benston, M. Carhill, B. Olasov, The Failure and Survival of Thrifts: Evidence from the Southeast, in: R. Hubbard (ed.): *Financial Markets and Financial Crises*, Chicago, University of Chicago Press 1991, 305–384., M. Dewatripont, J. Tirole, *The Prudential Regulation of Banks*, Cambridge, USA, MIT-Press 1994.

[55] Die US-amerikanische Federal Deposit Insurance Corporation Improvement Act (FDICIA) von 1991 zielt genau darauf ab und spezifiziert ein System der *„prompt corrective action“* mit einer Abfolge von *„strict but graduated responses“* je nach Ausmaß der Eigenkapitallücke.

[56] Für ersteres, die Kontrollübernahme durch den Staat, ist HRE die Ausnahme.

1992 übernahm der Staat die Kontrolle über die insolventen Banken, und die Aktionäre gingen leer aus. Es ist nicht klar, ob die Vorgehensweise des Bundes zu erklären ist durch die Furcht vor den Rückwirkungen auf den Bundeshaushalt im Vorfeld einer Wahl („Garantien kosten nichts“) oder durch die Furcht vor einer föderalismuspolitischen oder parteipolitischen Diskussion um eine Verbundlichung der Landesbanken; auch der Wunsch, eine ideologisch geführte Diskussion um etwaige Verstaatlichungen privater Banken zu vermeiden, mag eine Rolle gespielt haben.

Jedoch ist zu befürchten, dass diese Passivität des Staates in einer Situation, in der er das Geld gibt, langfristig noch sehr teuer werden kann. Zum einen wird, wie seinerzeit bei den Savings and Loans Institutions in den USA und anders als in Schweden, versäumt, etwaige Solvenzprobleme zu lösen. Zum anderen wissen die privaten Akteure nun, dass sie in der Krise auf die Hilfe des Staates zählen können und dass diese sie nicht einmal viel kosten wird. Das Beispiel von Herrn Blessing, der noch im Spätsommer 2008 die Übernahme der Dresdner Bank durch die Commerzbank mit Krediten finanzierte und den die staatliche Hilfe aus der dadurch verursachten Notlage befreite, könnte in Zukunft Schule machen.

V. Reformbedarf

Die folgenden Reformvorschläge ziehen einige Konsequenzen aus der vorstehenden Analyse. Die Vorschläge befassen sich nicht mit Fragen des Übergangs, wie man vom jetzigen Krisenregime wieder zur Normalität zurückkommt. Sie zielen vielmehr durchweg auf die Frage, welche Korrekturen mittelfristig anzustreben sind, um eine Wiederholung einer Krise dieses Ausmaßes zu verhindern.

1. Grundlegende Neuausrichtung der Eigenkapitalregulierung

Die Reform der Eigenkapitalregulierung von Banken darf sich nicht auf Detailverbesserungen beschränken. Zu fordern ist ein grundlegend neuer Ansatz. Dabei ist wegzukommen von der Illusion einer Feinsteuerung durch Eingehen auf immer neue Detailaspekte der Risikomessung und des Risikomanagements. Ferner ist dafür zu sorgen, dass die Eigenkapitalausstattung der Banken insgesamt deutlich erhöht wird.

Daher wäre die Einführung einer Schuldengrenze nach Schweizer Vorbild zu begrüßen. Die damit verbundene De-facto-Untergrenze für das Verhältnis zwischen Eigenkapital und Bilanzsumme sollte den Banken die Möglichkeit nehmen, durch Ausnutzen der Regeln für die Kalibrierung der Eigenkapitalanforderungen die Höhe des erforderlichen Eigenkapitals relativ zur Bilanzsumme weiter zu senken. Allerdings sollte man dieses Instrument nicht subsidiär zur eigentlichen Eigenkapitalregulierung und somit nur zaghaft einsetzen. Man sollte es vielmehr verwenden, um die Eigenkapitalausstattung der Banken insgesamt deutlich zu erhöhen.

Eine Eigenkapitalanforderung etwa von 20–30% der ungewichteten Bilanzsumme würde zu Werten zurückkehren, wie sie zu Beginn des zwanzigsten Jahrhunderts üblich waren. Eine derart erhöhte Eigenkapitalanforderung würde die Prozyklizität drastisch verringern. Bei einer Eigenkapitalanforderung von 25% der Bilanzsumme reduziert sich der für *Deleveraging* maßgebliche Multiplikator auf 100/25 = 4, um vieles unter dem, was wir derzeit haben. Auch die Risiken für die Solvenz der Banken würden deutlich verringert. Das würde die Funktionsfähigkeit der Interbankmärkte stärken. Der Zusammenbruch der Interbankenmärkte war ja vor allem eine Folge mangelnden Vertrauens in die Solvenz der anderen Institute.

Von Seiten der Betroffenen wird an dieser Stelle eingewandt, Eigenkapital sei teuer, und allzu hohe Eigenkapitalanforderungen würden die Kreditfinanzierung der Wirtschaft gefährden. Bei der Aussage, Eigenkapital sei teuer, ist nicht klar, ob hier von betriebswirtschaftlichen Kosten oder von volkswirtschaftlichen Kosten die Rede ist.[57] Für den Verantwortlichen in der Bank mag es als aufwendig erscheinen, neues Eigenkapital auf dem Markt aufzunehmen und die dabei anfallenden Informationspflichten materiell auszufüllen. Es mag auch als nachteilig erscheinen, wenn das Aktivgeschäft der Bank vom 40- bis 50-fachen des Eigenkapitals auf das 3- bis 5-fache des Eigenkapitals reduziert wird. Die Ertragsrate auf das eingesetzte Eigenkapital *(Rate of Return on Equity)* wird dadurch sicher gesenkt – und in der Folge auch die von den Verantwortlichen zu erwartenden Boni. Gesenkt werden aber auch die Risiken für Dritte, Gläubiger und Steuerzahler, die bei den derzeitigen exorbitant niedrigen Eigenkapitalausstattungen unvermeidlich sind.

Zu den Auswirkungen auf die Finanzierung der Wirtschaft ist zweierlei anzumerken. Zum einen dient ein Teil der Aktivitäten der Banken gar nicht der Finanzierung der Wirtschaft; gerade die Milli-

---

[57] Dazu M. King., International Harmonization of the Regulation of Capital Markets, *European Economic Review* 34 (1990), 569–577.

arden, die in den Kauf von US-amerikanischen Hypothekenverbriefungen gingen, haben mit Wirtschaftsfinanzierung in Deutschland nichts zu tun; als Wirtschaftsfinanzierung für die US-amerikanischen Immobilienmärkte waren diese Milliarden in großem Umfang Fehlinvestitionen. Zum anderen geht die Abhängigkeit der mittelständischen Unternehmen in Deutschland auch darauf zurück, dass viele dieser Unternehmen keinen Zugang zur Börse haben. Das liegt teilweise daran, dass sie einen solchen Zugang nicht haben wollen, teilweise aber auch daran, dass der Börsenzugang zumindest in der Vergangenheit sehr restriktiv gehandhabt wurde, insbesondere von den im Emissionsgeschäft tätigen Banken, die auf diese Weise de facto ihr Kreditgeschäft schützten.

2. Governance der Banken und der Aufsicht

Oben wurde ausgeführt, dass man sich allzu sehr auf Ertragsraten konzentrierte und darüber die Risiken vernachlässigte und dass die internen und externen Kontrollmechanismen der Banken dies nicht verhindern konnten. Um dem entgegenzuwirken, sind Reformen in der Governance der Banken erforderlich. Folgende Überlegungen sollten verfolgt werden:

Zum einen sollte die Haftung von Vorständen und Aufsichtsgremien verstärkt werden. Das schließt ausdrücklich die Haftung von Regierungsvertretern in den Aufsichtsgremien der öffentlichrechtlichen Banken ein. Die betreffenden Persönlichkeiten müssen ein unmittelbares materielles Interesse daran haben, dass die Risiken eines neuen Geschäftsmodells gründlich analysiert und dargelegt werden. Die Aussage, man habe sich nicht für die Risiken interessiert oder man habe die komplexen Instrumente nicht verstanden und habe sich deshalb auf die Spezialisten verlassen, die diese Geschäfte betrieben, darf keine Grundlage für eine Ausnahme von der Haftung sein.

Zum anderen sollten Entlohnungssysteme für Vorstände und Angestellte der Bank den Risiken der Geschäftsmodelle und der verfolgten Strategien Rechnung tragen. Dafür gibt es verschiedene Möglichkeiten. Eine könnte darin bestehen, dass von Anfang an Risiken geschätzt und Risikokosten bei der Berechnung von Boni veranschlagt werden. Eine andere Möglichkeit könnte darin bestehen, dass man bei der Berechnung von Boni nicht einfach auf die Geschäftserfolge eines Jahres achtet, sondern dass man eine gewisse Nachhaltigkeit über mehrere Jahre verlangt; in diesem Zusammenhang ist auch an die Einführung von Mali zu denken.

Bei diesem Vorschlag stellt sich die Frage nach der rechtlichen Umsetzung. Welche Form der Berücksichtigung von Risiken in Entlohnungssystemen am besten geeignet ist, ist im Vorhinein nicht bekannt. Für die Suche nach der besten Form würde man gerne einen Wettbewerbsmechanismus im Markt einsetzen. Insofern mag es angebracht sein, gewisse Grundprinzipien rechtlich zu fixieren mit der Vorgabe, dass die Aufsicht jeweils prüft, ob die verwandten Entlohnungssysteme diesen Prinzipen genügen.

Zum dritten ist Sorge zu tragen, dass die Frage „Und was sind die Risiken dieser Strategie?" stärker als bisher im Strategiediskurs der Bank institutionalisiert wird. Eine Möglichkeit könnte sein, dass man Geschäftsmodelle und Instrumente in stärkerem Maße als bisher der Prüfung durch die Aufsicht unterwirft. Allerdings müsste diese in der Lage sein und gewillt sein, ihr Ermessen in stärkerem Maße einzusetzen als sie das im Umgang mit der Verwendung von *Conduits* und SIVs getan hat. Eine andere Möglichkeit könnte darin bestehen, dass man die Rolle des Staates bei der Versicherung von Einlagen institutionalisiert und dass man den Vertretern der dafür zuständigen Institution die Möglichkeit gibt, an Sitzungen der Aufsichtsgremien der Banken teilzunehmen und ggfs. die Prämien, die für die Einlagenversicherung verlangt werden, von den verfolgten Geschäftsstrategien abhängen zu lassen.

Gegen solche Vorschläge wird sicher der Einwand kommen, die Vertreter der Aufsicht oder der Einlagenversicherung verstünden zu wenig von der Sache oder seien zu wenig motiviert, um die hier angesprochene Aufgabe angemessen wahrzunehmen. In Anbetracht dessen, dass die internen und externen Governance-Mechanismen der Banken selbst im Vorfeld der Krise, beim Aufbau der Risiken, versagt haben, klingt ein solcher Einwand allerdings hohl. Nach der Erfahrung, die wir gemacht haben, ist die Frage nicht, ob die Reformvorschläge die Probleme befriedigend lösen, sondern ob die Aussicht besteht, dass den Risiken der verfolgten Strategien der Banken etwas mehr Aufmerksamkeit geschenkt wird als in der Vergangenheit.

Von größerem Gewicht ist der Einwand, dass alle Rechte der Aufsicht nichts nützen, wenn die vorgesetzten politischen Instanzen sich nur für die Wettbewerbserfolge und Renditen der Banken und nicht für ihre Risiken interessieren.[58] Dem wäre allenfalls durch eine größere Unabhängigkeit der Aufsicht entgegenzuwirken.

---

[58] M. Hellwig, „Banken zwischen Politik und Markt: Worin besteht die volkswirtschaftliche Verantwortung der Banken?", *Perspektiven der Wirtschaftspolitik* 1 (2000), 337–356.

3. Entwicklung eines speziellen Restrukturierungsrechts für Banken

Zu den Grotesken der Krise in Deutschland gehörte es, dass der Bund zuerst HRE vor der Insolvenz bewahrte und dann Schwierigkeiten mit den Aktionären bekam, die darauf beharrten, Verfügungsrechte auszuüben, die ihnen ohne die Bundeshilfe schon längst entzogen worden wären. Die in der nachfolgenden Lex HRE vorgesehene Entschädigung der Aktionäre lag unter dem, was die Aktionäre wünschten, steht aber in merkwürdigem Kontrast zu dem, was die Aktionäre im Insolvenzfall erhalten hätten, nämlich nichts. Bundesregierung und Gesetzgeber waren den Aktionären gegenüber noch deutlich großzügiger als der schwedische Staat in der Krise von 1992.

Das Beispiel HRE ist paradigmatisch für die Hilflosigkeit des Staates gegenüber einer Bank, die die Stabilität des Finanzsystems gefährdet. Der Fall Lehman Brothers hatte gerade vorher gezeigt, welche Folgen die Insolvenz einer systemrelevanten Bank nach sich ziehen kann. Daher wollte man eine Insolvenz von HRE auf alle Fälle vermeiden.[59] Auch auf die Eingriffsmöglichkeiten des KWG wollte man nicht rekurrieren. Um die Kontrolle über die Bank zu übernehmen, blieb nur der Sonderweg über die Lex HRE.

Der Fall HRE ist ein Indiz für einen erheblichen Reformbedarf im Umgang mit Banken in Schieflagen.[60] Dieser ist derzeit geprägt durch das dem Insolvenzrecht zugrunde liegende Ziel des Gläubigerschutzes. §§ 45, 46 KWG geben der Aufsicht die Möglichkeit zum Eingreifen noch ehe eine Eigenmittel- oder Liquiditätsvorschrift verletzt ist. Das in § 46 genannten Eingriffskriterium einer „Gefahr für die Erfüllung der Verbindlichkeiten eines Instituts gegenüber seinen Gläubigern" wird allerdings entsprechend dem Kriterium der „drohenden Zahlungsunfähigkeit" nach § 18 InsO interpretiert. Die Eingriffsmaßnahmen zielen in der Praxis auf die vorläufige Sicherung der Vermögensposition der Bank. Der Geschäftsbetrieb wird tendenziell eingefroren, einschließlich der Geschäftsbeziehungen zu Dritten. Insofern diese dadurch Verluste erleiden, ergeben sich eben die systemischen Rückwirkungen, die auch im Insolvenzverfahren zu befürchten sind.

---

[59] K.J. Hopt, C. Kumpan, F. Steffer, Preventing Bank Insolvencies in the Financial Crisis: The German Financial Market Stabilisation Acts, European Business Organization Law Review 10 (2009), 515–554.

[60] Zum folgenden siehe auch Sachverständigenrat zur Begutachtung der gesamtwirtschaftlichen Entwicklung, *Die Zukunft nicht aufs Spiel setzen: Jahresgutachten 2009/2010*, Bonifatius GmbH Buch-Druck-Verlag, Wiesbaden 2009, 147–154.

Eine Reform der gesetzlichen Grundlagen für den Umgang mit Banken in Schieflagen ist notwendig, wenn man nicht Gefahr laufen will, dass der Staat auch in Zukunft gezwungen ist, die Gläubiger und die Aktionäre insgesamt auszuzahlen, weil er die systemischen Rückwirkungen einer Bankinsolvenz fürchtet. Einen Reformansatz bietet der Vorschlag des Sachverständigenrats für die Begutachtung der gesamtwirtschaftlichen Entwicklung,[61] der sich seinerseits an dem 2009 im Vereinigten Königreich eingeführten *Special Resolution Regime for Banks* orientiert. Dort kann das Verfahren schon im Vorfeld einer Insolvenz ausgelöst werden. Dazu genügt eine Feststellung der Finanzaufsicht in Abstimmung mit der Bank of England und dem Finanzminister. Anschließend übernimmt die Bank of England die Bank. Sie kann die Bank ganz oder teilweise an einen privaten Käufer übertragen; sie kann die Bank ganz oder teilweise auf eine „Brücken-Bank" *(Bridge Bank)* übertragen, die im Eigentum der Bank of England steht und den Geschäftsbetrieb weiterführt, bis ein privater Käufer gefunden wird; wenn öffentliche Mittel erforderlich sind, die Bank zu stabilisieren, kann sie die Aktien temporär an den Finanzminister übertragen, unter dessen Regie dann die Sanierung erfolgt; schließlich kann die Bank of England auch ein beschleunigtes Restrukturierungsverfahren durchführen.

Zu den Zielen der *Banking Act* von 2009 gehört ausdrücklich auch die Sicherung des Finanzsystems. Die Vielfalt der Optionen, die der Bank of England im *Special Resolution Regime for Banks* zur Verfügung stehen, soll verhindern, dass die marode Bank automatisch in die starre Mechanik des Insolvenzrechts gespannt wird. Vorgesehen ist unter anderem auch die Möglichkeit einer Aussonderung von Vermögenswerten zum Funktionsschutz bestimmter Märkte, etwa zum Schutz des Netting in Derivativkontrakten. Eine pauschale Staatshilfe in allen Fällen und für alle Gläubiger ist nicht vorgesehen.

Ob ein solches spezielles Insolvenzrecht für Banken die Erpressbarkeit des Staates wirklich mindert, bleibt abzuwarten. Die Aussichten dafür sind jedenfalls besser als unter dem derzeitigen deutschen Recht.

Skeptisch zu beurteilen sind demgegenüber Versuche, das Banksystem aufzuteilen in Banken, die als Teil der Infrastruktur der Wirtschaft (*Utility Banks* mit Einlagen- und Kreditgeschäft) staatlichen Schutz genießen, und Banken, die keinen Anspruch auf einen sol-

[61] Sachverständigenrat zur Begutachtung der gesamtwirtschaftlichen Entwicklung, *Die Finanzkrise meistern – Wachstumskräfte stärken: Jahresgutachten 2008/2009*, Bonifatius GmbH Buch-Druck-Verlag, Wiesbaden 2008, 160, ders., *Jahresgutachten* 2009/2010 (Fn. 60), 151.

chen Schutz haben. Die Ankündigung, dass bestimmte Banken keinen Anspruch auf staatlichen Schutz haben, ist nicht glaubwürdig. Die US-amerikanischen Investment Banken hatten einen solchen Anspruch nicht. Im Verlauf der Krise hat die Zentralbank mehrmals die Regeln zu ihren Gunsten geändert; als Lehman Brothers Insolvenz erklärte, kam man im Nachhinein zu dem Ergebnis, dass es doch besser gewesen wäre, auch Lehmans zu schützen.

An dieser Stelle wird gern versucht, zwischen systemrelevanten und nicht systemrelevanten Institutionen zu unterscheiden. „*Too big to fail – too political to fail – too interconnected to fail*" – die Reihe der Kategorisierungen lässt sich beliebig fortsetzen. Wenn man zurückdenkt an die LTCM-Krise von 1998, so erscheinen solche Versuche als müßig. Long Term Capital Management war ein nicht sehr großer Hedge Fonds, der sich hoch verschuldet hatte, um auf eine weitere Konvergenz der Zinssätze für die Staatsschulden verschiedener Länder zu spekulieren. Dieser Hedge Fonds wurde de facto insolvent, als die Zahlungseinstellung Russlands im Sommer 1998 dazu führte, dass die Risikoprämien bei Staatschulden dramatisch anstiegen. Die amerikanische Zentralbank legte aber großen Wert darauf, ein Insolvenzverfahren zu vermeiden und organisierte eine Rettungsaktion der wichtigsten Gläubigerbanken. Sie hatte Sorge, dass eine Liquidierung der Vermögenswerte von LTCM die Märkte ins Chaos stürzen könnte. Sie hatte auch Sorge vor den Unwägbarkeiten einer Abwicklung dieses Hedge Fonds mit seinen mehr als 200 Vertragspartnern mit Verträgen mit mehr als 30 Gerichtsständen, zumal viele der für Derivate üblichen Klauseln noch nicht insolvenzrechtlich erprobt waren. Wenn schon ein derart kleiner Hedge Fonds Anlass zu solchen Sorgen gab, wird eine Regel, dass bestimmte Institute nicht auf staatlichen Schutz zählen können, kaum glaubhaft sein.

In diesem Zusammenhang ist zu betonen, dass es in der Frage, wie man mit dem Problem der Interkonnektivität des Systems umgehen kann, und in der Frage, wie man die Unwägbarkeiten einer Abwicklung mit vielen Vertragspartnern, vielen Gerichtsständen und neuartigen Finanzinstrumenten bereinigen kann, seit LTCM keinen Fortschritt gegeben hat. Die Entwicklung einer internationalen Rechtsordnung für den Umgang mit grenzüberschreitend tätigen Finanzinstitutionen in der Krise ist vermutlich eine der wichtigsten Reformaufgaben überhaupt. Wenn es gelänge, durch eine solche Entwicklung die bei LTCM befürchteten Unsicherheiten deutlich zu reduzieren, so würde auch die Bereitschaft und die Fähigkeit des Staates, auch im Finanzsektor marktwirtschaftliche Haftungsmechanismen spielen zu lassen, deutlich bestärken.

Thesen

1. Die Krise der *Subprime*-Hypothekenverbriefungen war in der Konstruktion dieses Instruments angelegt. Verbriefungen von Kreditrisiken können eine ökonomisch sinnvolle Funktion erfüllen, jedoch müssen Gesetzgeber, Aufsicht und Finanzinstitutionen dafür sorgen, dass den Haftungsimplikationen solcher Instrumente von Anfang an Rechnung getragen wird.
2. Verbriefungen von Verbriefungen erfüllen keine sinnvolle ökonomische Funktion – außer der der Umgehung von Regulierungsvorschriften – und sollten untersagt werden.
3. Regeln und Handhabung der Eigenkapitalregulierung, insbesondere nach dem modellbasierten Ansatz, haben maßgeblich zur Fragilität des Finanzsystem beigetragen, indem sie den Banken die Möglichkeit gaben, ihre ungewichtete Bilanzsumme auf das Vierzig- oder Fünfzigfache ihres Eigenkapitals auszudehnen; daraus folgte eine exorbitante Prozyklizität Regulierung und eine gefährliche Insolvenzanfälligkeit der Banken. Eine grundlegende Reform des Systems der Eigenkapitalregulierung ist erforderlich. Sie sollte dafür sorgen, dass (i) man wegkommt vom Versuch einer Kalibrierung der Eigenkapitalregulierung nach wahrgenommenen Risiken und (ii) die Relation der Eigenkapitalausstattung zur ungewichteten Bilanzsumme deutlich angehoben wird.
4. Die Stärke der Systemdynamik in der Krise beruhte u.a. darauf, dass etliche Finanzinstitute übermäßige Fristentransformation betrieben und sich übermäßig verschuldeten, teilweise durch Zweckgesellschaften außerhalb der Bilanz, teilweise durch Ausnutzen bestimmter Vorschriften der Eigenkapitalregulierung. Die Aufsicht sollte die Möglichkeit haben und wahrnehmen, bei ihrer Tätigkeit im Rahmen der zweiten Säule von Basel II vermittels Ermessensentscheidungen solche Praktiken zu untersagen, auch wenn die erste Säule (Vorschriften der Eigenkapitalregulierung) keine Handhabe zum Eingreifen bietet.
5. Zum Systemkollaps trug auch die Überraschung über die Größe des Schatten-Banksystems bei. Um solche Überraschungen zu vermeiden, sollten grundsätzlich *alle* Finanzinstitutionen der Aufsicht gegenüber berichtspflichtig sein, auch solche, für die

ansonsten keine eigentliche Regulierung erforderlich oder vorgesehen ist.

6. Auf der Ebene der einzelnen Bank ist den Risiken neuer Geschäftsmodelle stärker Rechnung zu tragen. Daher sollte die persönliche Haftung der Mitglieder der Aufsichtsgremien verstärkt werden.
7. Entlohnungsysteme für Bankvorstände und -angestellte sollten von der Aufsicht genehmigt werden müssen. Dabei ist darauf zu achten, dass Risiken und Risikokosten der Geschäfte bei der Entlohnung angemessen berücksichtigt werden. Dazu sind geeignete Grundsätze zu verabschieden.
8. Der Gesetzgeber sollte nach englischem Vorbild ein spezielles Restrukturierungsrecht für Banken verabschieden. Dieses sollte nicht den Gläubigerschutz in den Vordergrund rücken, sondern den Systemschutz. Dabei braucht die Restrukturierungsinstanz erhebliche Flexibilität, um im konkreten Fall angemessen zu entscheiden, welche Restrukturierungsmaßnahme der Situation der Bank und der Situation des Finanzsystems am besten Rechnung trägt.
9. Dabei ist Sorge zu tragen, dass der Staat beim Einsatz von Steuermitteln zur Rettung von Banken nicht wieder in die Lage kommt, Haftungsregeln für Aktionäre, Manager und Gläubiger außer Kraft setzen zu müssen, um anderweitige Schäden zu vermeiden.
10. Die Bundesregierung sollte versuchen, Verhandlungen zur Entwicklung eines internationalen Insolvenzrechts für Finanzinstitute in Gang zu setzen. Dadurch sollten bestehende Rechtsunsicherheiten bezüglich des anzuwendenden Verfahrensrechts und materiellen Rechts bei der Abwicklung solcher Institute mit grenzüberschreitenden Transaktionen mit einer Vielzahl von Partnern in verschiedenen Ländern mit verschiedenen Gerichtsständen und Einsatz neuer, insolvenzrechtlich nicht erprobter Instrumente ausgeräumt werden.

Gutachten E, F und G
zum 68. Deutschen Juristentag
Berlin 2010

Verhandlungen des 68. Deutschen Juristentages

Berlin 2010

Herausgegeben von der

Ständigen Deputation

des Deutschen Juristentages

Band I

Gutachten

Teil F

Finanzmarktregulierung – Welche Regelungen empfehlen sich für den deutschen und europäischen Finanzsektor?

Gutachten F

zum 68. Deutschen Juristentag

Erstattet von

Prof. Dr. Wolfram Höfling, M.A.

Direktor des Instituts für Staatsrecht der Universität zu Köln

Verlag C. H. Beck München 2010

Inhaltsverzeichnis

A. Einleitung

Das vorliegende Gutachten – genauer: seine Erstellung – war mit drei fundamentalen Herausforderungen konfrontiert, deren explizite Benennung in gewisser Weise die Funktion einer salvatorischen Klausel übernehmen soll: (1) Die erste Herausforderung ist – natürlich – das *Themenfeld* selbst, das sich in seiner krisenbedingten Brisanz und Dynamik der kritisch-systematisierenden Analyse und rechtspolitischen Bewertung zu entziehen droht. (2) Hinzu kommt in *methodischer Hinsicht* ein inter- und intradisziplinärer Problemzugriff besonderer Art, der das Thema der wirtschaftsrechtlichen Abteilung je einem ökonomischen, einem zivil- und einem öffentlich-rechtlichen Gutachten zuweist. (3) Damit unmittelbar verknüpft ist schließlich *arbeitstechnisch* der Zwang zu einer erheblichen Begrenzung des Umfangs der Überlegungen.

Vor diesem Hintergrund beschränken sich die Darlegungen auf einige Schwachstellen der Finanzmarktregulierung, die zugleich grundsätzliche Problemdimensionen markieren. Sie betreffen – nach einigen knappen Ausführungen zur staatlichen Gewährleistungsverantwortung des Staates und zum regulatorischen Ordnungsrahmen (B.) –

(1) die Rolle (des Systems) der Zentralbanken als lender of last resort (C.),

(2) den Staat als unmittelbaren Finanzmarktakteur und damit den in Deutschland wichtigen öffentlichen Bankensektor (D.),

(3) die internationale Standardsetzung einschließlich eines Exkurses zu den Ratingagenturen, zur Haftung für unzureichende Aufsicht und zur informatorischen Teilhabe Dritter (E. II.),

(4) die Organisation der Finanzmarktaufsicht (E. III.)

(5) und schließlich ausgewählte Fragen des finanzmarktregulatorischen Instrumentariums, namentlich den Umgang mit „systemrelevanten“ Akteuren (E. IV.).

Die unfruchtbare Entgegensetzung von Staatsversagen und Marktversagen wird ebenso wenig aufgegriffen wie der Streit darüber, ob maßlose Deregulierung die Finanzkrise[1] ausgelöst hat oder ob – an-

[1] Analysen der Finanzkrise z.B. *Acharya* et al, The Financial Crisis of 2007–2009, in: Acharya/Richardsen (ed.), Restoring Financial Stability, 2009; *Hellwig*, Systemic Risk in the Financial Sector: An Analysis of the Subprime-Mortgage Financial Crisis, MPI-Preprints 2008/43; *Sinn*, Kasino-Kapitalismus, 2. Aufl. 2009.

gesichts eines z.T. konstatierten dichten Regulierungsnetzes[2] – bereits wieder Grund zur Warnung vor Überregulierung besteht.[3] Es spricht viel dafür, daß der Finanzmarkt mit seinen Subsystemen z.T. dysfunktional nicht bzw. unterreguliert (z.B. Rating-Agenturen; der Markt für Credit Default Swaps [CDS], OTC-Derivate),[4] z.T. überreguliert (wohl das deutsche Börsenrecht)[5] und z.T. fehlreguliert ist.[6] Hier ist bereichsspezifisch anzusetzen, wobei angesichts der Komplexität der Probleme ihre Lösung zu einem gewichtigen Teil ohne verfassungsrechtliche Feinsteuerung dem politischen Entscheidungsprozeß überantwortet ist.[7]

---

[2] Siehe etwa *Möschel*, WuW 2008, 1283 (1283), der von einem „ungewöhnlich festgezurrte[n] Regelungsrahmen" spricht.

[3] Siehe etwa *Hopt*, NZG 2009, 1401 (1402).

[4] Zum letzteren siehe hier nur *Sinn* (Fn. 1), S. 309f.; *Heun*, JZ 2010, 53 (55f.)

[5] Hierzu und (u. a.) zum Börsenträger als in zweifacher Hinsicht Teil der mittelbaren Staatsverwaltung mit der Folge doppelter Aufsichtsunterworfenheit siehe jüngst instruktiv *Burgi*, WM 2009, 2337ff.

[6] Er erinnert insoweit an das deutsche Gesundheitssystem mit seinen Unter-, Über- und Fehlversorgungsstrukturen.

[7] Siehe auch *Heun*, JZ 2010, 53 (59), der zu Recht darauf hinweist, dass die rechtliche Regulierung keineswegs Beschränkung auf das ökonomisch „Sinnvolle" bedeutet.

B. Finanzmarktregulierung als elementare Staatsaufgabe: Grundlagen

I. Staatliche Gewährleistungsverantwortung für die Stabilität des Finanzmarktes

Am Finanzmarkt mit seinen zentralen Segmenten, dem Kapital-, Geld-, Devisen- und Derivatemarkt, treffen sich Angebot und Nachfrage nach Geld und geldwerten Titeln, werden Ideen und Kapital zusammengeführt und Risiken verteilt. Seine Funktionsfähigkeit ist angesichts der elementaren volkswirtschaftlichen Bedeutung für hochentwickelte, hochgradig geldbasierte und global vernetzte Gesellschaften ein zentrales öffentliches Interesse.[8] Die Gewährleistung von Finanzmarktstabilität ist deshalb eine *elementare Staatsaufgabe im Mehrebenensystem.*[9] Funktionsfähigkeit des Finanzmarktes und Anlegerschutz als konnexe Zentralziele[10] finden denn auch in zahlreichen europäischen Rechtstexten ihre Anerkennung.[11]

Institutioneller Systemfunktionsschutz und individueller Anlegerschutz sind – ihrerseits operationalisierungsbedürftige – Maßstabsgrößen einer Finanzmarktordnung, die essentiell angewiesen ist auf die *Sicherung von Vertrauen,* das seinerseits auf *Transparenz*[12] angewiesen ist. Die Gewährleistung dieser Leitprinzipien wiederum ist eine fundamentale Infrastrukturleistung der Rechtsordnung.[13]

---

[8] Zur volkswirtschaftlichen Bedeutung etwa *Levine*, Journal of Economic Literature 35 (1997), 688ff.; *Hellwig*, in: Obst/Hintner (Hrsg.), Geld-, Bank- und Börsenwesen, 40. Aufl. 2000, S. 3ff.; siehe ferner etwa *Augsberg*, Rechtsetzung zwischen Staat und Gesellschaft. Möglichkeiten differenzierter Steuerung des Kapitalmarktes, 2003, S. 38f.; *Becker*, ZG 2009, 123 (125).

[9] Zur Staatsaufgabenlehre mit zahlr. Nachw. etwa *Weiss*, Privatisierung und Staatsaufgaben, 2002, S. 53ff.; zum Begriff „Finanzsystemstabilität“ siehe auch *Ohler*, in: Leible/Lehmann (Hrsg.), Hedgefonds und Private Equity – Fluch oder Segen?, 2009, S. 139 (150).

[10] Grundlegend zu diesen beiden Zielen *Hopt*, Der Kapitalanlegerschutz im Recht der Banken, 1975, S. 344ff.; ferner etwa *Bumke*, in: Hopt/Veil/Kämmerer (Hrsg.), Kapitalmarktgesetzgebung im Europäischen Binnenmarkt, 2008, S. 107 (118ff.); *Augsberg* (Fn. 8), S. 41.

[11] Nachweise siehe etwa bei *Bumke*, DV 41 (2008), 227 (235 mit Fn. 42) und *Möllers*, AcP 208 (2008), 1 (8f.).

[12] Zum Transparenzgebot als Funktionselement rechtsstaatlich-demokratischer Verfassungsordnungen siehe auch *Bröhmer*, Transparenz als Verfassungsprinzip, 2004.

[13] Siehe dazu *Bumke* (Fn. 10), S. 113f.; zur Qualifikation von Wertpapieren als „Vertrauensgütern“ mit weit. Nachw. *Fleischer*, Gutachten F für den 64. DJT, in: Verhandlungen des 64. DJT, Bd. I, 2002, F 23.

Mit diesen skizzenhaften Feststellungen ist bereits der *Modus* der Wahrnehmung der staatlichen Verantwortung für die Stabilität des Finanzmarktes als einer bereichsspezifischen Ausprägung des Gemeinwohls angedeutet. Einer inzwischen verbreiteten Typologisierung folgend[14] wird man hierin eine Emanation von *Gewährleistungsstaatlichkeit* erkennen können. Der neue Begriff der Gewährleistungsverwaltung bündelt Modi des Verwaltungshandelns, die die traditionellen Bereiche der Ordnungs- und Leistungsverwaltung überschreiten und auf die Schaffung gemeinwohlkompatibler Rahmenbedingungen für Märkte zielen.[15] Die die Finanzkrise begleitende Diskussion mit ihrem vielstimmigen Ruf nach „dem Staat" offenbart eine verstärkte Wahrnehmung der Gewährleistungsverantwortung.[16]

II. Finanzmarkt*regulierung*

Geradezu als „Zwillingskategorie" zum Gewährleistungsstaat hat sich als weitere Schlüsselkategorie der neueren staats- und verwaltungsrechtswissenschaftlichen Diskussion der Terminus *„Regulierung"* etabliert. Trotz (oder wegen?) seiner zum Teil inflationären Verwendung ist der Bedeutungsgehalt des Begriffs allerdings überaus unscharf.[17] Ohne nähere Eingrenzungen erweist er sich als wenig erklärungskräftig. Vielfach wird dementsprechend das Regulierungsrecht fokussiert auf die Netzinfrastrukturverwaltung. Damit wird der Regulierungsbegriff geprägt durch die Bezugnahme auf die Ermöglichung und die Sicherung von Wettbewerb in unvollkommenen Märkten unter gleichzeitiger Sicherung der Versorgungsfunktion.[18] Vor diesem Hintergrund sind nun aber gerade Einwände gegen die Übertragung der Regulierungskonzeption auf den Finanzmarkt formuliert worden. Diese Erwägungen zwingen indes nicht zu einem Verzicht auf den Terminus „Finanzmarktregulierung":

---

[14] Siehe hierzu nur *Schulze-Fielitz*, in: Hoffmann-Riem/Schmidt-Aßmann/Voßkuhle (Hrsg.), Grundlagen des Verwaltungsrechts, Bd. I, 2006, § 12.

[15] Siehe *Schulze-Fielitz* (Fn. 14), § 12, Rn. 51 ff.; siehe auch *Franzius*, Der Staat 45 (2006), 547 ff.

[16] Siehe auch *Hoffmann-Riem*, AöR 134 (2009), 513 (514).

[17] Siehe hier nur *von Danwitz*, DÖV 2004, 977 ff.; *M. Eifert*, in: Hoffmann-Riem/Schmidt-Aßmann/Voßkuhle (Hrsg.), Grundlagen des Verwaltungsrechts, Bd. I, 2006, § 19. – Zur unterschiedlichen Deutung des Zusammenhangs von Gewährleistung und Regulierung: *Franzius*, Gewährleistung im Recht, 2009, S. 641 ff.

[18] Siehe beispielhaft *Masing*, Gutachten D für den 66. DJT, in: Verhandlungen des 66. DJT, Bd. I, 2006.

(1) Auch im hier interessierenden Kontext steht die Strukturierung und Sicherung eines Marktes im Zentrum.[19] Dabei geht es um mehr als nur um aktive staatliche Markt*begleitung*,[20] nämlich um die infrastrukturelle Mitkonstituierung des Marktes etwa durch die Notenbanken. Auch für den Finanzmarkt ist ferner – über punktuelle Eingriffe in Marktprozesse hinaus – die permanente Beeinflussung durch einen komplexen Instrumentenmix und die Implementierung von Gemeinwohlbelangen charakteristisch.[21]

(2) In gewisser Weise beinhaltet die Finanzmarktregulierung aber auch eine Art staatlicher *„Reservefunktion" der Grundversorgung.* Dies hat die Finanzkrise offenbar werden lassen. Zahlungsverkehrs- wie Kreditvergabefunktion hätten ohne die liquiditätssichernde Notenbankpolitik und die zum Teil massiven Staatsinterventionen in den Bankensektor[22] wohl nicht mehr erfüllt werden können.

Ganz offenkundig stehen dabei Finanzmarkt und Finanzmarktregulierungsrecht in einem komplexen interdependenten Verhältnis zueinander. Der Finanzmarkt mag Ausdruck „spontaner" Ordnung sein, doch ist diese Ordnung nicht denkbar ohne die institutionellen, kompetentiellen, instrumentellen, prozeduralen und materiellen Direktiven der internationalen, supranationalen wie nationalen Rechtsordnungen. Deshalb ist das Finanzmarktregulierungsrecht auch weder darauf beschränkt, die „Eigengesetzlichkeit" des Finanzmarktes zu stützen noch ist es gar bloßes Abbild ordnungsbildender Sachgesetzlichkeit des Finanzmarktes.[23] Vielmehr gilt: Zwingendes *Korrelat der staatlichen Gewährleistungsverantwortung* für die Stabilität des Finanzmarktes ist aus verfassungstheoretischer Perspektive eine *angemessene* regulatorische *Kontrolle.* Der hiermit und im folgenden

---

[19] Siehe etwa *Bumke*, DV 41 (2008), 227 (229); *Fehling*, in: Hill (Hrsg.), Die Zukunft des öffentlichen Sektors, 2006, S. 91 (96 ff.).

[20] So aber *Bumke*, DV 41 (2008), 227 (229, Fn. 11).

[21] Siehe *Fehling* (Fn. 19), S. 91 (97, 99); vgl. auch *Ruthig/Storr*, Öffentliches Wirtschaftsrecht, 2. Aufl. 2008, Rn. 503 ff., wo das Finanzdienstleistungsrecht als ein Referenzgebiet sektorspezifischer Regulierung genannt wird.

[22] Siehe auch *Röhl*, in: Fehling/Ruffert (Hrsg.), Regulierungsrecht, 2010, § 18, Rn. 23, der im Blick auf die Sicherungsinstrumente der Notenbank und die Verstaatlichung von Banken darauf hinweist, dass dies „kein Ausdruck des Überganges von einer Gewährleistungsverantwortung zu einer Erfüllungsverantwortung" sei.

[23] Siehe auch *Bumke* (Fn. 10), S. 107 (140); anderer Akzent wohl bei *Hopt*, NZG 2009, 1401 (1402): Die ‚invisible hands' der Märkte seien unter vernünftigen staatlichen Rahmenbedingungen klüger als der Staat. Und: Aufsicht und Regulierung müßten den Märkten folgen (allerdings im Kontext der Frage nach nationalen oder europäischen/internationalen Regulierungen). Als eine Gegenposition aus verfassungsrechtlicher Perspektive siehe *Ossenbühl* (Fn. 9), S. 235 (239): „Jedoch sind die sympathischen Bilder vom freien Spiel der wirtschaftlichen Kräfte, die von ‚unsichtbarer Hand' […] geleitet sozusagen automatisch zu einer akzeptablen wirtschaftlichen Ordnung führen, längst überholte Marktmetaphorik".

verwendete Begriff der Finanzmarktregulierung umfaßt dabei sowohl den Aspekt der Finanzmarkt„aufsicht"[24] in einem institutionell-organisatorischen Sinne als auch die eher inhaltliche Dimension.[25]

III. Die triadische Funktion des Staates als Verpflichtungssubjekt regulatorischer Finanzmarktverantwortung

Erscheint somit die Verwendung des Regulierungsbegriffs im Zusammenhang mit der Ordnung und Steuerung des Finanzmarktes durchaus sinnvoll, ist es gleichwohl angezeigt, sich – hier zunächst *problemaufbereitend* – die verschiedenen Rollen des finanzmarktregulierenden Staates bewußt zu machen.[26] Man kann von der *triadischen Funktion* des Staates als Verpflichtungssubjekt regulatorischer Finanzmarktverantwortung sprechen:

(1) Zunächst erfüllt der Staat in Gestalt der Zentralbank und ihren elementaren geld- und währungspolitischen Funktionen eine den Finanzmarkt mitkonstituierende und zugleich permanent beeinflussende Infrastrukturleistung von zentraler Bedeutung.

(2) Zum zweiten agiert der Staat als unmittelbarer Finanzmarktakteur, wenn und soweit er maßgeblich an privaten Finanzdienstleistungsunternehmen beteiligt ist oder gar selbst Kreditinstitute unterhält. Unter der – bislang zum Teil kontrafaktischen – Prämisse, daß diese Aktivitäten strikt an einem verfassungsrechtlich vorgegebenen öffentlichen Zweck ausgerichtet sind, können sie sich als eine spezifische Form der Finanzmarktregulierung erweisen.[27]

(3) Schließlich geht es um das breitgefächerte Arsenal marktsteuernder, marktbeaufsichtigender und marktintervenierender Einflußnahme des Staates.[28]

---

[24] Dazu noch unten sub D. I.

[25] In der angelsächsischen Terminologie: supervision und regulation.

[26] Die Redeweise von der Regulierungsverantwortung *des* Staates für *den* Finanzmarkt provoziert natürlich die Frage, ob der Singular nicht zutreffender durch den Plural zu ersetzen sei (siehe auch *Becker*, ZG 2009, 123 [124 f.]). Sie erscheint aber gerechtfertigt, wenn die Überlegungen die komplexe Mehrebenenproblematik im Blick behalten.

[27] Siehe auch *Engels*, Landesbanken zwischen Marktsteuerung und Marktwirtschaft – Staatliche Präsenz im Bankenwesen in Zeiten der Finanzmarktkrise, 2010, S. 84 ff.; ferner nachfolgend sub D.

[28] Dazu noch unten sub E.

IV. Der Regulierungsrahmen

Im Finanzmarktrecht kumulieren die beiden wichtigsten Entwicklungsstränge des öffentlichen Rechts der Gegenwart, die Europäisierung bzw. Internationalisierung einerseits und die Öffnung des Staates hin zum regulierten Sachbereich sowie die damit einhergehende Verbindung hoheitlicher und gesellschaftlicher Handlungsrationalitäten andererseits.[29] Darin liegt eine große Herausforderung für die konzeptionelle Entwicklung eines Finanzmarktregulierungsrechts ebenso wie für dessen rechtspraktische Umsetzung. Umso wichtiger aber ist es, sich einiger zentraler Maßstabsgrößen des deutschen und europäischen Verfassungsrechts zu vergewissern, die den Ordnungsrahmen abstecken.

1. Das Gebot der „Verfassungsstrukturkompatibilität" der Finanzmarktordnung

Die Finanzmarktrechtsordnung ist – wie alle Teilrechtsordnungen – eingebettet in die europäische und deutsche Verfassungsordnung. Von ihr erhält sie Maß und Orientierung; ihr bleibt sie untergeordnet. Der Staat bzw. die supranationale Gemeinschaft und seine/ihre Organe sind ihrerseits verpflichtet, die „Verfassungsstrukturkompatibilität" der Teilrechtsordnungen sicherzustellen, mit anderen Worten: dafür zu sorgen, daß deren Akteure und Handlungs„rationalitäten" nicht die zentralen Bauelemente der Verfassungsordnung unterminieren. Das regulatorische Gesamtkonzept bleibt deshalb verpflichtet auf eine strukturelle Homogenität mit der Verfassungsrechtsordnung. Einige zentrale Aspekte seien kurz angedeutet:

a) Finanzverfassungsrechtliches Risikobegrenzungs- und Nachhaltigkeitsgebot

Das Haushalts- und Finanzverfassungsrecht zielt auf die Sicherung nachhaltiger Staatsfinanzen.[30] Sowohl das Gebot der Wirt-

[29] Siehe *Röhl* (Fn. 22), § 18, Rn. 106; allgemein *Voßkuhle*, in: Hoffmann-Riem/Schmidt-Aßmann/Voßkuhle (Hrsg.), Grundlagen des Verwaltungsrechts, Bd. I, 2006, § 1, Rn. 10ff.; *Eifert* (Fn. 17), § 19, Rn. 52ff.

[30] Siehe hierzu *Höfling*, Staatsschuldenrecht, 1993, passim; *Möstl*, in: Kahl (Hrsg.), Nachhaltigkeit als Verbundbegriff, 2008, S. 569ff.; *Hebeler*, in: Lange (Hrsg.), Nachhaltigkeit im Recht, 2003, S. 265ff.

schaftlichkeit (Art. 114 Abs. 2 GG), das nicht nur Kontrollmaßstab für die Rechnungshöfe, sondern Handlungsmaxime für alle staatlichen Akteure ist,[31] als auch die Regelung des Art. 115 GG bringen dies und zugleich den Gedanken der Generationengerechtigkeit zum Ausdruck. Er zielt auf die Abwehr von Übergriffen zu Lasten zukünftiger Generationen.[32] Deshalb entbehrt es nicht einer gewissen tragikomischen Note, wenn der hochverschuldete Staat, selbst ein Sanierungsfall, von privaten Finanzmarktakteuren um finanziellen Beistand angegangen wird,[33] jener dann aber – in seiner Finanznot – über diese seine Rettungsaktionen kreditfinanziert.[34] Der finanzmarktregulierende Staat ist vor diesem Hintergrund verpflichtet, Vorsorge gegen die private „Ausbeutung" der staatlichen Gewährleistungsverantwortung zu treffen.[35]

b) Das Prinzip rechtsstaatlicher Demokratie

Wichtige Bauelemente des Ordnungsrahmens für die Finanzmarktregulierung liefert das Prinzip rechtsstaatlicher Demokratie.[36] Demokratie als Staats- und Regierungsform ist ein *Organisationsprinzip* für die Innehabung und Ausübung von Staatsgewalt. Diese bedarf einer effektiven demokratischen Legitimation.[37] Dies hat Bedeutung für die Kreation und Durchsetzung von Spielregeln als auch für die aufsichtsrelevante Organisationsstruktur im Mehrebenenverbund:

(1) Charakteristisch für die Finanzmarktregulierung ist eine intensive internationale Kooperation, in deren Folge vielfach vollzugsrelevante Standards etabliert werden. Entformalisierung und mangelnde Transparenz führen insoweit zu einer erheblichen Ausdünnung von Legitimationsketten und bedürfen deshalb einer kritischen Analyse im Blick auf das Demokratie- und Rechtsstaatsprinzip.[38] Die

[31] Dazu *Gröpl*, in: Isensee/Kirchhof (Hrsg.), HStR, Bd. V, 3. Aufl. 2007, § 121, Rn. 17.

[32] Vgl. auch *Kahl*, in: Kahl (Hrsg.), Nachhaltigkeit als Verbundbegriff, 2008, S. 1 (27ff.).

[33] Zu den gigantischen „Rettungspaketen" siehe nur mit weit. Nachw. *Heun*, JZ 2010, 53 (53, 60).

[34] Daß am Ende immer die Bank gewinnt, gilt offenbar nicht nur im Spielkasino.

[35] Siehe auch *Hüther*, in: Depenheuer (Hrsg.), Eigentumsverfassung und Finanzkrise, 2009, S. 27 (37); ferner *P. Kirchhof*, in: Depenheuer (Hrsg.), Eigentumsverfassung und Finanzkrise, 2009, S. 7 (14).

[36] Zur Verschränkung von Demokratie- und Rechtsstaatsprinzip siehe allgemein *Böckenförde*, in: Isensee/Kirchhof (Hrsg.), HStR, Bd. II, 3. Aufl. 2004, § 24, Rn. 87ff.

[37] Dazu nur mit zahlr. Nachw. *Böckenförde* (Fn. 36), § 24, Rn. 9ff.

[38] Siehe dazu noch unten E.II.; hier nur *van Aaken*, in: Möllers/Voßkuhle/Walter (Hrsg.), Internationales Verwaltungsrecht, 2007, S. 219 (220); *Möllers*, ZaöRV 65 (2005), 351ff.

rechtsstaatlich-demokratische Verfassungsordnung schließt es aus, daß durchsetzungsstarke Interessen sich zu eigenberechtigten Teilhabern an staatlichen Entscheidungsprozessen machen.[39]

(2) Da das Verwaltungsorganisationsrecht eine wichtige Transmissionsleistung für das Demokratieprinzip erbringt,[40] bedarf auch dessen Strukturierung genauerer Betrachtung. Wegen der identitätsrelevanten Bedeutung der staatlichen Einnahmen- und Ausgabenpolitik[41] muß diese im Kern dem parlamentarischen Budgetrecht überantwortet bleiben. Die darin zum Ausdruck kommende relative Integrationsresistenz[42] kann sich u.U. als limitierender Faktor gegenüber supranationalen bzw. internationalen Regulierungsstrategien erweisen.

2. *Bundesstaatliche Direktiven*

Finanzmarktregulierung bleibt ferner den Vorgaben der bundesstaatlichen Kompetenzordnung verpflichtet. Diese dirigiert beispielsweise eine etwaige Neuordnung der nationalen Bankenaufsichtsorganisation.[43] Aber auch die Kriseninterventionen müssen das föderative Kompetenzgefüge einschließlich seiner finanzverfassungsrechtlichen Elemente beachten. Insoweit ergeben sich erhebliche verfassungsrechtliche Zweifel an der in § 13 Abs. 2 FMStFG angeordneten Beteiligung der Länder an den wahrscheinlichen Defiziten des Finanzmarktstabilisierungsfonds.[44] Entsprechendes gilt für die Entscheidung des Bundes, der WestLB über den SoFFin mindestens drei Milliarden Euro zusätzliches Eigenkapital zur Verfügung zu stellen.[45] Hier entstehen Mischverwaltungsgebilde und eine Steuerungsdominanz des Bundes, die von der Verfassung nicht vorgesehen sind.[46]

---

[39] Siehe allgemein *Böckenförde* (Fn. 36), § 24, Rn. 90.

[40] Dazu mit Nachw. *Schuppert*, in: Hoffmann-Riem/Schmidt-Aßmann/Voßkuhle (Hrsg.), Grundlagen des Verwaltungsrechts, Bd. I, 2006, § 16, Rn. 6f.

[41] Dazu BVerfG, NJW 2009, 2267 (2274).

[42] Siehe auch *Gärditz/Hillgruber*, JZ 2009, 872 (879).

[43] Dazu unten E. II.

[44] Siehe *Becker/Mock*, FMStG, 2009, § 13, Rn. 22; *Wieland*, ZG 2009, 140 (146ff.); *Engels*, NWVBl. 2010, i.E.

[45] Dies gilt jedenfalls dann, wenn man Art. 30 GG auch für den erwerbswirtschaftlichen Teil des Staatshandelns für einschlägig hält, so z. B. *Pernice*, in: Dreier (Hrsg.), GG, Bd. II, 2. Aufl. 2006, Art. 30, Rn. 28; andere Bewertung bei *Wieland*, ZSE 2009, 470 (472, 479); vgl. dazu auch *Engels*, NWVBl. 2010, i.E.

[46] So auch *F. Kirchhof*, in: Festschrift Steiner, 2009, S. 412 (425).

3. Grundrechtliche Direktiven

Die „gierdynamischen" Prozesse,[47] die in der Finanzkrise durchaus erkennbar geworden sind, dürfen nun ihrerseits nicht Anlass zu „übermäßigen" Regulierungsinterventionen sein. So unabweisbar eine funktionsadäquate Finanzmarktregulierungsordnung ist: Ein zentrales Element des – europäischen wie deutschen – Ordnungsrahmens ist der *Grundrechtsstatus* der (nicht-staatlichen) Finanzmarktakteure. Kreditinstitute, Hedgefonds, Rating-Agenturen und andere Finanzmarktdienstleister sind Grundrechtssubjekte, und zwar selbst dann, wenn sie „systemrelevant" sind. Als Träger von – insbesondere wirtschaftsrelevanten – Grundrechten definieren sie zunächst eigenverantwortlich[48] ihre Präferenzen, ihre Risikobereitschaft, ihre Geschäftsmodelle. Gemeinwohlverträglichkeit wirtschaftlichen Handelns ist keine Bedingung grundrechtlichen prima-facie-Schutzes.[49]

Mit dieser Feststellung ist – selbstverständlich – kein „Freibrief" für „verantwortungslose" Finanzmarktaktivitäten ausgestellt, vielmehr nur die grundrechtsdogmatische Grundregel in Erinnerung gerufen, daß freiheitsverkürzende Interventionen des Staates rechtfertigungsbedürftige Grundrechtseingriffe sind. Rechtfertigungsbedürftigkeit als grundrechtsdogmatische Kategorie setzt Rechtfertigungsfähigkeit nach Maßgabe spezifischer Anforderungen voraus. Die skizzierten Feststellungen gelten auch für interventionsbedingte Beeinträchtigungen wettbewerblicher Konstellationen, die sich am Maßstab des allgemeinen Gleichheitssatzes zu rechtfertigen haben.[50]

Die Grundrechte entfalten schließlich im Verbund mit der finanzverfassungsrechtlichen Systementscheidung zugunsten einer primären Steuerfinanzierung[51] eine zusätzliche Begrenzungsfunktion als

---

[47] Dazu *Sloterdijk*, Zorn und Zeit, 2006, S. 284 ff., 302 ff.

[48] „Verantwortung" ist keine unmittelbar schutzbereichsreduzierende Kategorie; siehe hierzu nur *Höfling*, in: Lange (Hrsg.), Verantwortung im Umweltrecht am Beispiel des Abfallbeseitigungs- und Abwasserrechts, 1997, S. 155 ff.

[49] Allgemein hierzu *Alexy*, Theorie der Grundrechte, 1985, S. 275 ff.; *Höfling*, Offene Grundrechtsinterpretation, 1987, S. 272 ff.

[50] Siehe etwa *Zuck*, DÖV 2009, 558 (561 f.); auch aus europarechtlicher Perspektive bedarf es der Beachtung des Wettbewerbsschutzes; siehe auch *Vöneky*, Verwaltungsrechtliche Fragen des Finanzmarktstabilisierungsgesetzes, Manuskript 2010, S. 20; kritisch im Blick auf die „wettbewerbsrechtliche[n] Konzessionen" der EU-Wettbewerbsbehörde im Blick auf die Kriseninterventionen der Mitgliedstaaten etwa *Weber/Grünewald*, EuZ 2009, 58 (67).

[51] Zur Steuerstaatsthese in ihren verschiedenen Varianten BVerfGE 93, 319 (342 f.); 105, 185 (193 f.); *Vogel/Waldhoff*, in: BK, Vorbem. z. Art. 104 a–115 (1997), Rn. 337 ff.; *F. Kirchhof*, DV 21 (1988), S. 137 ff.; *Storr*, Der Staat als Unternehmer, 2001, S. 126 ff.;

gleichsam negative Kompetenznormen zu Lasten einer reinen Erwerbswirtschaftlichkeit des Staates.[52] Ohne Legitimation durch einen öffentlichen Zweck (jenseits der Rentabilitätserwägung) ist der Staat als unmittelbarer Finanzmarktteilnehmer kein legitimer Akteur.[53]

---

kritisch etwa *Schmehl*, Das Äquivalenzprinzip im Recht der Staatsfinanzierung, 2004, S. 68ff.

[52] Siehe hier nur – im Blick auf die Landesbanken – *Engels* (Fn. 27), S. 59ff. mit zahlr. Nachw.

[53] Dazu noch unten sub D.

C. Die Zentralbanken und ihre finanzmarktregulatorischen Funktionen

I. Typologisierender Problemaufriss und Problemabschichtungen

Unabhängig von ihrer europarechtlich und durch das Recht der Mitgliedstaaten gewährleisteten Unabhängigkeit[54] sind die Zentralbanken staatliche und europäische Behörden.[55] Sie verwirklichen – vor allem im ESZB[56] – Gemeinwohlbelange für den und auf dem Finanzmarkt, zum Teil mit hoheitlichen, zum Teil mit privatrechtlichen Instrumenten.[57]

Die Stabilität des Bankensystems ihrerseits ist wichtige Bedingung der Funktionsfähigkeit von Zentralbanken. Geldpolitische Maßnahmen greifen erst über den bankengestützten Transmissionsmechanismus.[58] Vor diesem Hintergrund weist Art. 127 Abs. 5 AEUV (Art. 105 Abs. 5 EGV) dem ESZB die Aufgabe zu, zur Sicherung der Stabilität des Finanzsystems beizutragen.[59] Zwei Aspekte sollen in diesem Zusammenhang kurz beleuchtet werden, die die notenbankgestützte Effektuierung der Finanzmarktstabilisierung betreffen. Es geht

---

[54] Art. 108 EGV (Art. 130 AEUV) gewährleistet diese nicht nur für die EZB, sondern auch für die beteiligten nationalen Zentralbanken, was für die Deutsche Bundesbank durch Art. 88 Satz 2 GG noch einmal verfassungskräftig abgesichert ist; siehe dazu hier nur *Kämmerer*, in: von Münch/Kunig (Hrsg.), GG, Bd. 3, 5. Aufl. 2003, Art. 88, Rn. 13; eingehend zu den Ausgestaltungen der Zentralbankunabhängigkeit: *Gaitanides*, Das Recht der Europäischen Zentralbank, 2005, S. 41 ff.

[55] Zur umstrittenen Doppelfunktion der Bundesbank als Bundesbehörde und – als integraler Bestandteil des ESZB (Art. 107 EGV [Art. 130 AEUV]) – zugleich als europäische Behörde *Kämmerer* (Fn. 54), Art. 88, Rn. 19; anders *Hahn/Häde*, in: BK, Art. 88 (1999), Rn. 557.

[56] Zur Kompetenzabgrenzung von EZB, ESZB und Deutscher Bundesbank siehe *Schmidt*, in: Isensee/Kirchhof (Hrsg.), HStR, Bd. V, 3. Aufl. 2007, § 117, Rn. 28 ff.; *Gaitanides*, in: Friauf/Höfling (Hrsg.), GG, Art. 88 (2007), Rn. 38.

[57] Siehe nur *Ohler*, Bankensanierung als staatliche Aufgabe, WiVerw 2310, 47 (49).

[58] Siehe nur *Smits*, The European Central Bank, 1997, S. 340 f.; *Ohler*, JZ 2008, 317 (323). Zur Transmission und zu den Zielen und Aufgaben der Geldpolitik s. etwa *Neumann*, in: Obst/Hintner (Hrsg.), Geld,- Bank- und Börsenwesen, 40. Aufl. 2000, S. 1491 (1566 ff.; 1588 ff.).

[59] Dazu etwa *Häde*, in: Callies/Ruffert (Hrsg.), EUV/EGV, 3. Aufl. 2007, Art. 105 EGV, Rn. 50 ff.

- einmal um die Funktion einer *präventiven* Finanzmarktstabilisierung,[60]
- zum anderen um das *reaktive* Krisenmanagement.[61]

II. Finanzmarktstabilisierung oder Sicherung der Preisstabilität?

Neuartige Techniken des Kreditrisikotransfers, die wachsende Bedeutung wenig regulierter Akteure[62] und die damit verbundene zunehmende Nutzung des Leverage-Effekts haben bewirkt, daß in den vergangenen Jahren der Einfluss der kurzfristigen Zinsen auf die Finanzmärkte deutlich zugenommen hat. Insbesondere die Zinspolitik der US-amerikanischen Notenbank illustriert die damit verbundene Problematik. Die Federal Reserve verfolgte bis Mitte 2004 mit einem Leitzins von 1% und ab Juni 2004 von 1,25% eine extrem expansive Zinspolitik. Begründet wurde dies noch Mitte des Jahres 2004 mit einer Prognose für die Kerninflationsrate von 1,5 bis 2% für das Jahr 2005. Vernachlässigt wurde bei dieser Geldpolitik, daß ein derartig niedriges Zinsniveau durchaus destabilisierende Effekte für die Finanzmärkte haben kann. Dies erleichterte zugleich die Instrumentalisierung der Notenbankpolitik für eine Wirtschafts- (und Sozial)Politik, deren Konsequenz eine Inflation von Vermögenspreisen war. „Ninja-Kredite“[63] lösten einen politisch erwünschten Immobilienboom aus.[64]

Vor diesem Problemhintergrund wird seit längerem die Frage erörtert, ob und inwieweit sich die Geldpolitik (auch) an Vermögenspreisentwicklungen orientieren soll.[65] Bei allen Implementationsschwierigkeiten einer derart strukturierten präventiven Geldpolitik sollten die Zentralbanken im internationalen Verbund in Zukunft wachsamer reflektieren, ob sie mit ihrer Leitzinspolitik nicht Auslöser von Fehlentwicklungen sein können. Die Europäische Zentralbank verfügt mit ihrer sog. Zwei-Säulen-Strategie bereits

---

[60] Dazu im folgenden sub B. II.

[61] Hierzu im folgenden sub B. III.

[62] *Sachverständigenrat zur Begutachtung der gesamtwirtschaftlichen Entwicklung*, Jahresgutachten 2007/2008, Ziffer 201 spricht insoweit sogar von unregulierten Akteuren.

[63] Ninja steht in der Branche für unzureichend abgesicherte Kredite, nämlich: No Income, No Job, or No Assets.

[64] Dazu mit weit. Nachw. *Heun*, JZ 2010, 53 (55); vgl. ferner *Krieg*, Lettre International 83, 2008, 42 (44).

[65] Dazu etwa *Sachverständigenrat zur Begutachtung der gesamtwirtschaftlichen Entwicklung*, Jahresgutachten 2006/2007, Ziffer 271 ff.

über einen Analyserahmen, der es relativ gut erlaubt, neben den prognostizierten aktuellen Risiken für die Preisniveaustabilität auch die Gefährdungen für die Finanzmarktstabilität zu berücksichtigen.[66]

III. Zentralbanken als lender of last resort?

Während eine stärkere Fokussierung auch von Vermögenspreisentwicklungen eine wichtige präventive Schutzfunktion zugunsten der Finanzmarktstabilität entfalten könnte, kommt den Zentralbanken bzw. dem ESZB – wie die Finanzkrise vor Augen geführt hat[67] – auch eine bedeutsame reaktive, kriseninterventionistische Stabilisierungsaufgabe zu. Sie betrifft die Liquiditätsversorgung. In der Krise mutiert die Refinanzierungsaufgabe der Zentralbanken zu einer Art überlebenswichtiger Liquiditätssicherung, weil andere Refinanzierungsquellen der Banken, etwa Einlagen und der Interbankenmarkt, faktisch versiegen. Im Blick auf diese *lender of last resort-Funktion* (LOLR-Funktion)[68] der Zentralbank stellen sich – abgesehen von der *beihilferechtlichen Problematik*,[69] die insbes. auch kein Vorwand für verdeckte Finanzmarktstrukturpolitik sein darf – allerdings einige Fragen:

(1) Zunächst bedarf es der Klärung der *kompetentiellen Grundlagen* im europäischen Mehrebenenverbund. *ESZB* bzw. *EZB* haben entsprechende Rechtsetzungs-, Entscheidungs- und/oder Durchführungskompetenzen nur, wenn sie dazu primärrechtlich[70] ermächtigt wurden. Eine explizite Aufgabenzuweisung für das Krisenmanagement fehlt.[71] Die bloße Behauptung, finanzmarktrelevantes Krisenmanagement sei gleichsam eine immanente Aufgabe jeder Zentral-

---

[66] Siehe *Sachverständigenrat zur Begutachtung der gesamtwirtschaftlichen Entwicklung*, Jahresgutachten 2007/2008, Ziffer 206.

[67] Siehe zu den Maßnahmen der EZB während der Finanzkrise *Sachverständigenrat zur Begutachtung der gesamtwirtschaftlichen Entwicklung*, Jahresgutachten 2008/2009, Ziffer 192 ff.

[68] Eingehend *Stasch*, Lender of Last Resort, 2009.

[69] Dazu *Schwarze*, DVBl. 2009, 1401 ff.; *Stasch* (Fn. 68), S. 259 ff.; zu den Landesbanken siehe *Ewer/Behnsen*, BB 2008, 2582 ff.; ferner *Herrmann*, WiVerw 2010, 36 ff.

[70] Ggf. in Verbindung mit der ESZB-Satzung.

[71] Der Verzicht auf entsprechende Regelungen zum Krisenmanagement wird vielfach als Ausdruck einer Constructive-ambiguity-Strategie erklärt, mit deren Hilfe moral hazard minimiert werden soll; siehe etwa *Padoa-Schioppa*, in: Good‚hart (Hrsg.), Which Lender of Last Resort for Europe?, 2000, S. 15 (27 f.). – Zum Constructive-ambiguity-Argument siehe auch noch unten E. IV.

bank,[72] schafft keine Ermächtigungsgrundlage.[73] Allerdings wird man im Ergebnis die Regelung in Art. 127 Abs. 5 AEUV (Art. 105 Abs. 5 EGV)[74] als kriseninterventionistische Ermächtigungsgrundlage deuten können. Dafür spricht nicht zuletzt die Interdependenz zwischen den dem ESZB in Art. 127 Abs. 2 AEUV (Art. 105 Abs. 2 EGV) zugewiesenen Aufgaben und der Stabilität des Finanzsystems.[75] Mit diesen Kompetenzerwägungen ist indes noch nicht die Frage beantwortet, ob und inwieweit auch den nationalen Zentralbanken eine LOLR-Kompetenz verblieben ist. Eine solche ist nicht durch die ausschließliche Zuständigkeit des ESZB für die Währungspolitik ausgeschlossen. Die begrenzte Kriseninterventionskompetenz nach Art. 127 Abs. 5 AEUV (Art. 105 Abs. 5 EGV) spricht vielmehr für einen parallelen Kompetenzbereich.[76]

(2) Vor dem Hintergrund der parallelen LOLR-Kompetenz wird man im Blick auf das Subsidiaritätsprinzip (Art. 5 Satz 2 EG/Art. 5 Abs. 2 EUV) als Kompetenz*ausübungs*regel formulieren können, daß das ESZB bei grenzüberschreitenden Finanzmarktkrisen zu Interventionen auf der Grundlage von Art. 127 Abs. 5 AEUV (Art. 105 Abs. 5 EGV) ermächtigt ist.[77] Bei lokalen bzw. regionalen Finanzmarktinstabilitäten sind dagegen die betroffenen Mitgliedstaaten bzw. deren nationale Zentralbanken ermächtigt, als Lender of Last Resort zu agieren. Als problematisch könnte sich eine Konstellation erweisen, in der das ESZB im Interesse der Finanzmarktstabilität intervenieren will, ein betroffener Mitgliedstaat aber das unterstützungsbedürftige Kreditinstitut „untergehen“ lassen möchte. Eine derartige Fallgestaltung mag unwahrscheinlich sein, ist aber etwa bei Meinungsverschiedenheiten über die (grenzüberschreitende) „Sys-

---

[72] Vgl. *Lastra*, in: Goodhart (Hrsg.),Which Lender of Last Resort for Europe?, 2000, S. 199 (203).

[73] Zutreffend *Stasch* (Fn. 68), S. 125.

[74] „Das ESZB trägt zur reibungslosen Durchführung der von den zuständigen Behörden auf dem Gebiet der Aufsicht über die Kreditinstitute und der Stabilität des Finanzsystems ergriffenen Maßnahmen bei“.

[75] Ausführlich hierzu *Stasch* (Fn. 68), S. 126ff.; *Häde* (FN 59), Art. 105 EGV, Rn. 12ff. mit weit. Nachw.

LOLR-Interventionen im Rahmen von Zahlungssystemen kann das ESZB auf Art. 105 Abs. 2 4. Spiegelstrich EGV (Art. 127 Abs. 2 4. Spiegelstrich AEUV) i.V.m. Art. 22 ESZB-Satzung stützen, um das Funktionieren der Zahlungssysteme zu gewährleisten (*Stasch* [Fn. 68], S. 141f.).

[76] Einer solchen parallelen Zuständigkeit von ESZB und nationalen Zentralbanken widerstreitet auch nicht die Regelung des Art. 14.4 der ESZB-Satzung (dazu noch sogleich); zum ganzen auch *Stasch* (Fn. 68), S. 146ff.

[77] Zur Aufgabenverteilung innerhalb des ESZB siehe *Stasch* (Fn. 68), S. 161ff.; zur (eingeschränkten) Bedeutung des Subsidiaritätsprinzips in organisatorischer Hinsicht *Augsberg*, in: Terhechte (Hrsg.), Verwaltungsrecht in der Europäischen Union, 2010, § 6, Rn. 11, 21.

temrelevanz" nicht ausgeschlossen. Die lediglich unterstützende („beitragende") Kriseninterventionskompetenz spricht hier gegen eine LOLR-Befugnis des ESZB.[78] Im Zweifel, d.h. dann, wenn der Zusammenbruch des betroffenen Kreditinstituts möglicherweise doch grenzüberschreitende „Systemrelevanz" hat, dürfte sich aus dem Grundsatz der Gemeinschaftstreue aber eine „Duldungspflicht" des Mitgliedstaats im Blick auf eine LOLR-Intervention des ESZB ergeben.[79]

(3) Klärungsbedarf besteht auch im Blick auf das *Kriseninstrumentarium* gem. Art. 127 Abs. 5 AEUV (Art. 105 Abs. 5 EGV) i.V.m. Art. 18.1 der ESZB-Satzung. Durch die letztgenannte Regelung wird die Liquiditätsversorgung des Bankenmarktes auf besicherte Kredite, Reprogeschäfte und Wertpapierkäufe beschränkt. Weitere Stützungsinstrumente, namentlich ungesicherte Garantien für einzelne Institute, sind europarechtlich nicht vorgesehen.[80] Denkbar ist indes, daß die nationalen Zentralbanken nach innerstaatlichem Recht zu derartigen Stabilisierungsmaßnahmen herangezogen werden. Dabei ist aber Art. 14.4 der ESZB-Satzung zu beachten. Danach können die nationalen Zentralbanken bestimmte Aufgaben nicht wahrnehmen, wenn der EZB-Rat mit Zweitdrittelmehrheit feststellt, dass diese Aufgaben nicht mit den Zielen und Aufgaben des ESZB vereinbar sind. Durch diesen Veto-Mechanismus soll sichergestellt werden, daß der Aufgabenbereich der Finanzmarktstabilität als parallele Kompetenz ausgestaltet sein kann, ohne die Ausschließlichkeit der geldpolitischen Kernkompetenz des ESZB zu gefährden.[81]

(4) Problematisch ist darüber hinaus, wieweit die Liquiditätsversorgung für einzelne Banken gehen darf. Aus einer textlich kaum gedeckten teleologischen Auslegung des staatsdefizitgerichteten Kreditgewährungsverbots in Art. 123 AEUV (Art. 101 EGV) leitet die EZB ab, daß eine nationale Zentralbank nicht Rettungsmaßnahmen bei insolventen Banken finanzieren darf.[82] Zur Begründung führt die EZB aus, daß es sich insoweit um eine originäre Regierungsaufgabe handele, die die Zentralbanken nicht finanzieren dürften.[83]

(5) Insgesamt scheint das Krisenmanagement im ESZB bislang weitgehend dezentral ausgestaltet zu sein. Hierfür sprechen auch vereinzelte Informationen, die die EZB über das „Übereinkommen

---

[78] Siehe hierzu näher *Stasch* (Fn. 68), S. 152ff., 158ff.

[79] Zum Grundsatz der Gemeinschaftstreue grundlegend EuGH, Slg. 1990, I-3365, Rn. 17f.

[80] Siehe auch *Ohler* (Fn. 57), S. 47 (49).

[81] Siehe auch *Stasch* (Fn. 68), S. 151f.; *Ohler* (Fn. 57), S. 47 (49).

[82] Siehe *EZB*, Konvergenzbericht, Mai 2008, S. 25f., abrufbar unter http://www.ecb.int/pub/pdf/conrep/cr200805de.pdf).

[83] *EZB* (Fn. 82), S. 24; zum ganzen *Ohler* (Fn. 57), S. 47 (50).

über die Gewährung von Überbrückungskrediten im Krisenfall" preisgibt, das bereits 1999 beschlossen worden ist.[84] Weitgehend geheim ist auch der Inhalt einer Übereinkunft zur Regelung des Krisenmanagements, das die EZB im März 2003 im Rahmen des Ausschusses für Bankenaufsicht mit den Bankenaufsichtsbehörden und den Zentralbanken der Mitgliedstaaten getroffen hat.[85] Angesichts der vorstehend skizzierten Unsicherheiten vermag eine derart restriktive Informationspolitik auch als Ausdruck einer Constructive-ambiguity-Strategie nicht zu überzeugen.

---

[84] Siehe *EZB*, Jahresbericht 1999, S. 102f.: „Grundsätzlich entscheidet die zuständige NZB, ob sie einem in ihrem Zuständigkeitsbereich tätigen Institut im Krisenfall Liquiditätshilfe leistet oder nicht. Die Verantwortung und Kosten für einen Einsatz dieses Instruments würde die betroffene NZB tragen. Es wurden Mechanismen für einen entsprechenden Informationsaustausch eingerichtet, so dass potentielle Auswirkungen auf die Liquiditätssituation aufgefangen werden können, damit Vereinbarkeit mit der einheitlichen Geldpolitik gewährleistet ist".

[85] Siehe *EZB*, Pressemitteilung vom 10. März 2003, abrufbar unter http://www.bundesbank.de/download/ezb/pressenotizen/2003/20030310ezb1.pdf; hierzu auch *Stasch* (Fn. 68), S. 172–175.

D. Der öffentliche Bankensektor: Finanzmarktregulierung durch Finanzmarktteilnahme?

I. Problemaufriss

Eine nicht zuletzt rechtspolitisch motivierte Befassung mit dem Finanzmarkt und seiner Architektur muß – jedenfalls in Deutschland – auch den öffentlich-rechtlichen bzw. öffentlichen Sektor[86] als ein Element des Drei-Säulen-Modells[87] in den Blick nehmen. Sparkassen, Landesbanken und andere Kreditinstitute[88] der öffentlichen Hand[89] bestimmen mit ihren Kapitalmarktaktivitäten einen durchaus bedeutsamen Teil am Finanzmarktgeschehen.[90] Wenn damit der Staat als unmittelbarer Finanzmarktakteur auftritt, wirft dies – aus einer gewährleistungsstaatlichen Regulierungsperspektive betrachtet – prinzipielle Fragen auf:

(1) Läßt sich die staatliche Finanzmarktteilnahme überhaupt legitimieren oder ist sie ein systemwidriges und steuerungsdysfunktionales Phänomen?

(2) Können die öffentlichen Kreditinstitute vielleicht – umgekehrt – als finanzmarktregulierende Stabilisatoren konzipiert werden?

II. Der Staat als unmittelbarer Finanzmarktakteur – grundsätzliche Legitimationsanforderungen

Während das europäische Recht sich prinzipiell nicht dafür interessiert, welche Ziele dem Staat zurechenbare Marktakteure (öffentliche Unternehmen)[91] verfolgen, markiert das deutsche Verfas-

---

[86] Zur Unterscheidung siehe hier nur *Becker*, Die Vernetzung der Landesbanken, 1998, S. 22ff.; *Engels* (Fn. 27), S. 15f.

[87] Dazu *Becker* (Fn. 86), S. 22ff.; kritisch etwa *Möschel*, in: Festschrift Mailänder, 2006, S. 33ff.

[88] Öffentlich-rechtliche Versicherungsunternehmen bleiben hier ausgeklammert; siehe dazu nur *Isensee*, DB 1979, 145ff.

[89] Siehe etwa den Überblick bei *Sinn*, Der Staat im Bankenwesen, 1997, S. 29ff.

[90] *Möschel* (Fn. 87), S. 33ff.; *Donges/Eekhoff/Möschel/Neumann/Sievert*, Privatisierung von Landesbanken und Sparkassen, 2001, S. 12.

[91] Zur Begrifflichkeit des öffentlichen Unternehmens siehe nur *Storr* (Fn. 51), S. 44ff.

sungsrecht insoweit Grenzen. Dem Staat kommt zwar die Kompetenzkompetenz zu, die aus seiner Sicht erforderlichen Aufgaben zu erfüllen,[92] doch bedeutet dies nicht die Dispension von verfassungsrechtlichen Bindungen hinsichtlich der Zwecksetzung.[93] Die – bleibend – elementare und rechtsstaatskonstituierende Unterscheidung von Staat und Gesellschaft,[94] zwischen staatlicher Kompetenzordnung und grundrechtlicher Freiheitsordnung, bedeutet, daß das Prinzip „Freiheit" dem Staat ebenso vorenthalten ist wie die autonomielegitimierte wettbewerbliche Marktteilnahme.[95] Finanzmarktteilnahme des Staates ist dementsprechend kein originäres „Recht", sondern rechtfertigungsbedürftige, weil grundrechtsrelevante „Einmischung". Auch wenn der Staat als „Mitspieler" auftritt, bleibt er Intervenient und muß diese Intervention aus seinem Bauprinzip heraus, der verfassungsrechtlich gebundenen Kompetenz zur Erfüllung von Staatsaufgaben, legitimieren.[96]

Aus dieser Bindung an eine öffentliche Zweckerfüllung[97] folgt ein *doppeltes Legitimationserfordernis:* Sowohl die institutionelle Frage nach der grundsätzlichen Zulässigkeit des Marktzutritts bzw. der Marktpräsenz des Staates als auch diejenige nach der Rechtfertigungsfähigkeit der jeweiligen konkreten Marktaktivitäten muss positiv beantwortet werden können, will der Staat als legitimer Finanzmarktakteur anerkannt werden.[98] Vor diesem Hintergrund vermag eine erwerbswirtschaftliche Motivation bzw. eine *Gewinnerzielungsabsicht* des Staates *als solche keinerlei legitimatorische Wirkung* zu entfalten. Sie ist als nachgeordneter Begleitreflex staatlichen Unternehmertums unschädlich;[99] den Marktzutritt selbst wie einzelne

---

[92] Womit die Gemeinwohlkonkretisierung weitgehend dem Prozeß parlamentarischer Willensbildung überantwortet ist.

[93] Siehe hier nur *Löwer*, VVDStRL 60 (2001), 416 (418 f.); *Ehlers*, Gutachten E für den 64. DJT, in: Verhandlungen des 64. DJT, Bd. I, 2002, E 34 f.; *Mann*, Die öffentlich-rechtliche Gesellschaft, 2002, S. 16 ff., 45 ff., 55 ff. mit zahlr. Nachw.

[94] Siehe grundlegend *Böckenförde*, Die verfassungstheoretische Unterscheidung von Staat und Gesellschaft als Bedingung der individuellen Freiheit, 1973; ferner etwa *Isensee*, Der Staat 20 (1981), 161 ff.

[95] Siehe nur *Löwer*, VVDStRL 60 (2001), 416 (418 f.) mit zahlr. Nachw.; mit Blick auf die Landesbanken *Engels* (Fn. 27), S. 47 ff.

[96] Siehe etwa *Löwer*, VVDStRL 60 (2001), 416 (419); *Mann*, JZ 2002, 819 (820); *Badura*, ZHR 146 (1982), 448 ff.; *Grupp*, ZHR 140 (1976), 367 ff.

[97] Nur der Klarstellung halber: Diese Voraussetzung ist zweifelsohne erfüllt, wenn der Staat sich zur Sicherung der Finanzmarktstabilität (maßgeblich) an privaten Banken beteiligt oder diese ganz übernimmt; siehe auch *Wieland*, ZSE 2009, 470 (488).

[98] Siehe dazu etwa *Selmer*, in: Stober/Vogel (Hrsg.), Wirtschaftliche Betätigung der öffentlichen Hand, 2000, S. 75 (84); *Koenig*, WM 1995, 317 (320 ff.); *Engels* (Fn. 27), S. 50 ff. mit weit. Nachw.

[99] Beispielhaft zeigt die Deutsche Bundesbank und die Europäische Zentralbank, daß die Verfolgung offenkundiger öffentlicher Zwecke (Geldwertstabilität, Liquidi-

Marktaktivitäten kann sie indes nicht rechtfertigen. Für diese – durchaus nicht unumstrittene – These[100] sprechen überzeugende Gründe, namentlich die grundrechtlich unterfütterte Steuerstaatlichkeit der grundgesetzlichen Verfassungsordnung.[101] Ökonomische Expansion als solche liegt außerhalb der Teleologie des freiheitlichen Verfassungsstaates.[102]

Einfachrechtlich wird dieser Befund durch das Haushaltsrecht rezipiert und gespiegelt. Die Grundsätze der Wirtschaftlichkeit und Sparsamkeit gelten – unabhängig von ihrer verfassungsrechtlichen Verankerung[103] – nach Maßgabe der §§ 6 HGRG, 7 Haushaltsordnungen für Bund und Länder gleichermaßen und verpflichten diese, sich an der Leistungsfähigkeit und dem voraussichtlichen Bedarf zu orientieren. Der Regelung des § 65 BHO/LHO kann man über ihren expliziten Anwendungsbereich hinaus eine allgemeine Direktionskraft dahingehend entnehmen, daß der Staat sich nur bei einem wichtigen öffentlichen Interesse und unter Begrenzung des Risikos unternehmerisch betätigen darf.[104]

Schließlich bleiben für die staatlichen Finanzmarktaktivitäten auch territoriale Grenzmarken zu beachten: Zunächst beansprucht die grundlegende bundesstaatliche Kompetenzabgrenzungsnorm des Art. 30 GG Beachtung.[105] Entsprechend sind auch die Wirkungskreise von Landesunternehmen untereinander abzugrenzen. Ein Tätigwerden auf fremdem Gebiet setzt vor allem voraus, dass eigene Aufgaben bzw. eigene öffentliche Zwecke verfolgt werden. Rechtfertigungspflichtig sind staatliche Finanzmarktaktivitäten auch dann, wenn sie außerhalb des eigenen Hoheitsgebietes erfolgen. Zwar untersagen weder das Völkerrecht noch das Europarecht der öffentlichen Hand die Teilnahme am Wirtschaftsverkehr auf ausländischen Märkten; doch muß es auch insoweit um die Erfüllung einer durch

---

tätsversorgung, Vorhaltung von Währungsreserven) durchaus zu nicht unerheblichen Gewinnen führen kann; siehe auch *Lutter*, BB 2009, 786 (789).

[100] Zum Streitstand mit weit. Nachw. etwa *Engels* (Fn. 27), S. 50ff., kritisch etwa *Böckenförde*, Diskussionsbeitrag, VVDStRL 60 (2001), 594; *Badura*, Diskussionsbeitrag, ebenda, 600; *Wieland*, Diskussionsbeitrag, ebenda, 605; andere Position auch bei *Cremer*, DÖV 2003, 921ff.

[101] Zu den Gründen siehe etwa *Löwer*, VVDStRL 60 (2001), 416 (420ff.); *Ehlers*, JZ 1990, 1089ff.; *Engels* (Fn. 27), S. 50ff.; *Kluth*, in: Stober/Vogel (Hrsg.), Wirtschaftliche Betätigung der öffentlichen Hand, 2000, S. 23 (26ff., 29, 39f.).

[102] Siehe *Isensee*, DB 1979, 145 (149).

[103] Dazu *Gröpl*, in: Isensee/Kirchhof (Hrsg.), HStR, Bd. V, 3. Aufl. 2007, § 121, Rn. 9ff.

[104] Die Norm hat jedenfalls nicht nur eine innerorganisatorische Begrenzungsfunktion, siehe dazu *Storr* (Fn. 51), S. 116, der die Norm aber im Übrigen großzügiger deutet, vgl. a.a.O., S. 529ff.; zu § 65 BHO ferner auch *Ehlers* (Fn. 93), E 114.

[105] Siehe schon den Hinweis oben bei Fn. 45.

einen öffentlichen Zweck legitimierten inländischen Staatsaufgabe gehen. Und erneut reicht bloßes Gewinnstreben insoweit nicht.[106]

III. Gewährleistungsstaatliche Reformulierung einer finanzmarktförderlichen bzw. finanzmarktstabilisierenden Zweckbindung des öffentlichen Bankensektors

1. Allgemeine Überlegungen: Einfachrechtliche Zweckkonkretisierung (als verfassungsrechtliche Verpflichtung)

Da die Hoffnung auf eine selbstkritische Reformulierung der rechtfertigenden öffentlichen Zwecksetzung[107] durch die öffentlichen Finanzmarktinstitute in der Vergangenheit bitter enttäuscht worden ist und sich weiterer „Langmut" schon im Blick auf die – zum Teil realisierten – massiven Haushaltsrisiken verbietet,[108] steht der Gesetzgeber in der Pflicht. Er ist eindringlich aufgerufen, Rechenschaft über etwaige gewährleistungsstaatliche Funktionen des öffentlichen Bankensektors bzw. seiner einzelnen Subsysteme abzulegen und sodann ggf. eine operationalisierbare finanzmarktförderliche bzw. finanzmarktstabilisierende Zwecksetzung zu formulieren. Von Verfassungs wegen („Wesentlichkeitslehre") hat das jeweilige „Errichtungsgesetz" den öffentlichen Zweck näher zu umschreiben. Darüber hinaus ist die entsprechende Zweckbindung auch auf der Ebene des Unternehmensstatus zu normieren („Zweckverdeutlichungspflicht").[109]

2. Konsequenzen

a) Zur institutionellen Legitimation des öffentlichen Bankensektors

Die traditionell den öffentlichen (öffentlich-rechtlichen) Kreditinstituten zugeschriebenen Funktionen lassen sich nun grundsätzlich

---

[106] Siehe nur *Ehlers* (Fn. 93), E 119f.

[107] Im Blick auf die Landesbanken angemahnt z.B. von *Kluth*, Bitburger Gespräche, Bd. I, 2002, S. 111 (141).

[108] Siehe allgemein dazu *Löwer*, VVDStRL 60 (2001), 416 (421); zum Negativbeispiel der Vorgänge um die Sachsen LB siehe Verfassungsgerichtshof des Freistaates Sachsen, Urteil vom 28. September 2009, Az.: Vf. 41-I-08; Rechnungshof des Freistaates Sachsen, Sonderbericht nach § 99 SäHO, Az.: 120308/64, 2009.

[109] So *Mann* (Fn. 93), S. 84 mit weit. Nachw.; *von Danwitz*, AöR 120 (1995), 595 (605); *Haverkate*, VVDStRL 46 (1988), 217 (230). Vgl. auch *Ehlers* (Fn. 93), E 138.

durchaus als legitimationstaugliche öffentliche Zwecke identifizieren: Die *Sparkassen* haben nach Maßgabe gesetzlicher Programmierung für die flächendeckende Versorgung *(Regionalprinzip)* mit Krediten und Anlagemöglichkeiten zu sorgen. Die *Landesbanken* nehmen spezifische Aufgaben als Sparkassenzentralbanken und als Kommunal- sowie Staatsbanken wahr. Ihnen fällt dabei namentlich die Aufgabe einer verbundweisen Zusammenarbeit mit den Sparkassen in Geschäftsbereichen zu, die den Sparkassen aus rechtlichen oder wirtschaftlichen Gründen verschlossen bleiben. Des Weiteren eröffnen sie den Sparkassen den Zugang zum Geldmarkt und nehmen regelmäßig das Wertpapier- sowie das Auslandsgeschäft war.

Darüber hinaus wird den öffentlichen Kreditinstituten verbreitet die Aufgabe zugewiesen, als Geschäftsbank tätig zu werden,[110] um auf diese Weise eine Wettbewerbskorrektur- bzw. Wettbewerbsstärkungsfunktion wahrzunehmen.[111] Im deutschen Drei-Säulen-Modell bedingen in dieser Perspektive privatwirtschaftliche und öffentlich-rechtliche Kreditinstitute einander, sie ergänzen, modifizieren und regulieren sich wechselseitig, schwächen systemimmanente Wirkungen ab bzw. schließen systembedingte Lücken.[112] Die Aktivitäten von Sparkassen und Landesbanken sollen dabei für eine Intensivierung des Wettbewerbs sorgen, die die umfassende kreditwirtschaftliche Versorgung von Bevölkerung und Wirtschaft zu gemeinwohlorientierten Bedingungen sicherstellt.[113] Diese Funktion des öffentlichen Bankensektors erlaubt eine gewisse Parallelisierung zum typischen Universalbankengedanken der Regulierungsagenden i.e.S.[114] Trotz der geäußerten Kritik[115] begegnet eine entsprechende legislative Aufgabenzuweisung keinen grundsätzlichen verfassungsrechtlichen Bedenken.

b) Keine Dynamisierung der öffentlichen Zweckbindung

Indes erweist sich auch im vorliegenden Zusammenhang, daß die mit prinzipiell unbedenklichen öffentlichen Zweckzuweisungen ver-

---

[110] Vgl. ausführlich zum ganzen *Becker* (Fn. 86), S. 42 ff.; *Engels* (Fn. 27), S. 16 ff.; ferner *Dörries*, Zur Rechtsstellung von Landesbanken, 1988, S. 63 ff. – Zur Kritik etwa *Donges/Eekhoff/Möschel/Neumann/Sievert* (Fn. 90), passim; *Möschel* (Fn. 87), S. 33 ff.; dezidierte Kritik auch bei *Brümmerhoff/Lehmann*, ZögU 2000, 131 ff.

[111] Siehe dazu etwa *Nierhaus*, DÖV 1984, 662 (666); *Thode*, ZgesKW 1994, 172; *Püttner*, ZgesKW 1994, 840 f. Ausführlich zur Bedeutung dieser Funktion in der Finanzmarktkrise *Engels* (Fn. 27), S. 78 ff.

[112] Siehe *Rehm*, WM 1993, S. 133 (134).

[113] Siehe auch VerfGH NW, DVBl. 1986, 1196 (1198); zum Ganzen mit weit. Nachw. noch *Engels* (Fn. 27), S. 82 f.

[114] Siehe auch *Röhl* (Fn. 22), § 18, Rn. 81 ff.

[115] Siehe nochmals eingehend *Donges/Eekhoff/Möschel/Neumann/Sievert* (Fn. 90), passim.

bundene institutionelle Legitimation nichts auszusagen vermag über die Rechtfertigung konkreter Finanzmarktaktiviäten. Soll die limitierende Funktion der Bindung an einen öffentlichen Zweck überhaupt Wirkung entfalten, verbietet sich ein Schluss von der institutionellen auf die tätigkeitsbezogene Legitimation.[116] Dieses Verbot gilt auch für mittelbare Umgehungsstrategien, die mit Hilfe einer Dynamisierung der institutionelle Legitimation vermittelnden „Wettbewerbstärkungsfunktion" zugleich „bankmäßige Geschäfte aller Art"[117] zu rechtfertigen versuchen. Die „Lücke" zwischen institutioneller und tätigkeitsbezogener Legitimation lässt sich nicht mit dem Argument schließen, eine ausgreifende Finanzmarktpräsenz sei unerläßliche Voraussetzung für die Wettbewerbsfähigkeit öffentlich-rechtlicher Kreditinstitute, namentlich der Landesbanken.[118] Vielmehr muss die jeweilige spezifische Marktaktivität sich aus einem eigenen öffentlichen Zweck heraus rechtfertigen lassen.[119] Gelingt dies nicht, hat sich der staatliche Finanzmarktakteur zu beschränken – auch um den Preis mangelnder Rentabilität.[120]

c) *Insbesondere: Die Landesbanken*

Speziell für die Landesbanken ergeben sich hieraus weitreichende *Restrukturierungszwänge:* Die „Kompensationspolitik" des letzten Jahrzehnts, durch eine zum Teil aggressive und auch betriebswirtschaftlich unverantwortliche Expansion[121] den Wegfall der Gewährträgerhaftung auszugleichen,[122] war und ist in weiten Teilen il-

[116] Dazu *Engels* (Fn. 27), S. 78 ff.

[117] Zu den rechtlichen Grundlagen insbesondere im Landesbankensektor siehe den Überblick bei *Engels* (Fn. 27), S. 20 ff.

[118] Siehe auch *Emmerich*, in: Festschrift Priewasser, 2006, S. 97 ff.; *Bremke/Wagener/West*, in: Everling/Goedeckemeyer (Hrsg.), Bankenrating, 2004, S. 291 ff.; ferner mit weit. Nachw. *Engels* (Fn. 27), S. 72 f.

[119] Siehe auch *Koenig*, WM 1995, 317 (321).

[120] Im grundrechtlich fundierten Steuerstaat des Grundgesetzes ist er der Notwendigkeit der Rentabilität strukturell enthoben, siehe *Isensee*, in: Isensee/Kirchhof (Hrsg.), HStR V, 3. Aufl. 2007, § 122 Rn. 90; vgl. ferner *W. Löwer*, VVDStRL 60 (2001), 416 (436).

[121] Beispielhaft der Kauf der Hypo Alpe Adria durch die Bayern LB.

[122] Als die EU-Kommission 2001 das Auslaufen der staatlichen Haftungsgarantie erzwang, deckten sich Landesbanken für eine Übergangszeit noch mit günstigem Fremdkapital ein, die Bayern LB mit 82 Milliarden Euro, die Nord/LB mit 66 Milliarden, die LBBW mit 45 Milliarden und die WestLB mit 110 Milliarden Euro – Unsummen, für die es im „Kerngeschäft" keinerlei Verwendung gab; siehe auch *Möschel*, WuW 2008, 1283 (1288). – Zum Debakel der SachsenLB nochmals Verfassungsgerichtshof des Freistaates Sachsen, Urteil vom 28. September 2009, Az.: Vf. 41-I-08, NVwZ 2010, 1 ff.; Rechnungshof des Freistaates Sachsen, Sonderbericht nach § 99 SäHO, Az.: 120308/64, 2009.

legitim.[123] Kreditfinanzierte Risikotransaktionen auf ausländischen Märkten, die allein durch die Hoffnung auf höhere Rendite motiviert waren, erweisen sich nicht nur als Verletzung des essentiellen Legitimationserfordernisses der öffentlichen Zweckbindung, sondern missachten zudem die Begrenzungen des territorialen Aktionsradius.[124] Entsprechendes gilt für die Eigengeschäfte mit börsennotierten Wertpapieren. Nicht nur in einer ex post-Perspektive stellt sich in aller Schärfe die Frage, wer – und mit welchem Argument – den Kauf ausländischer Risikopapiere in der Größenordnung von 20, 25 oder 30 Milliarden Euro als von einem öffentlichen Zweck legitimiert verantwortet hat bzw. zu verantworten bereit ist.[125] Der Einsatz von Steuererträgen als Wagniskapital mit der Konsequenz des Einsatzes weiterer Steuermittel zur Verlustdeckung[126] – z. T. erpreßt mit dem Verweis auf die eigene „Systemrelevanz" –[127] erweist sich damit als eine besondere Variante der Gemeinwohldemontage. Vor diesem Hintergrund ist auch die maßgebliche Beteiligung von Sparkassen an Landesbanken – als mittelbare Involvierung in spekulative Finanzmarktaktivitäten – überaus kritisch zu betrachten.[128]

Der Rechtsbruch des „Finanzmarktstaates" birgt zugleich Gefahren für die Effektivität der finanzmarktregulierenden Hoheitsträger. Wenn der Staat als unmittelbarer Finanzmarktakteur rechtliche Regeln verletzt, indem er Landesbanken als Landesspielbanken missbraucht, wird es ihm schwerfallen, seine Rolle als Kontrolleur über die Einhaltung finanzmarktstabilisierender Spielregeln durch die privaten Finanzmarktakteure glaubwürdig auszufüllen.

Nur ein radikaler Politikwechsel eröffnet die Möglichkeit zum Erhalt derjenigen öffentlichen Zwecke mit wirklich unbezweifelbarer (verfassungs)rechtlicher Legitimationswirkung: nämlich Vertrauen zu schaffen,[129] Anlegerschutz zu gewährleisten, durch die

---

[123] Bereits für den Zeitraum 2001–2005 umschreibt das DIW die Politik der Landesbanken wie folgt: „Weitgehend befreit vom öffentlichen Auftrag [es fragt sich allerdings: von wem befreit?] und auf der Suche nach nachhaltigen [?] Ertragsquellen in ihren Aktivitäten als Geschäftsbank […]" (Zusätze hinzugefügt); *Berge/Berger/Locarek-Junge*, Vierteljahreshefte zur Wirtschaftsforschung 4/2006, S. 73 (89).

[124] Siehe auch *Klein*, Das Sparkassenwesen in Deutschland und Frankreich, 2003, S. 173: Diese Aktivitäten „sind mit dem Regionalprinzip nicht nur nicht in Einklang zu bringen, sondern stellen eine offensichtliche Verletzung dieses Prinzips dar" (mit Hinweisen in Fn. 329 auf die abweichende Bewertung durch die h. M.).

[125] Siehe auch *Lutter*, BB 2009, 786 (789f.); *Engels* (Fn. 27), S. 108. Vgl. ferner die Entscheidung des Verfassungsgerichtshofes des Freistaates Sachsen, Urteil vom 28. September 2009, Az.: Vf. 41-I-08.

[126] Dazu schon *Löwer*, VVDStRL 60 (2001), 416 (421).

[127] Siehe FAZ Nr. 273 vom 24. November 2009, S. 9: Hartes Ringen um die Rettung der WestLB.

[128] Vgl. auch OVG NW, DVBl. 2009, 1112ff.

[129] Siehe dazu auch BT-Drs. 16/10600, S. 9.

flächendeckende Versorgung für eine Diversifizierung des Bankenbereichs zu sorgen und letztlich einen risikomindernden Systemeffekt[130] auszuüben.[131] Daß staatliche Finanzmarktakteure zu dieser Leistung in der Lage sind, hat der Sachverständigenrat zur Begutachtung der gesamtwirtschaftlichen Entwicklung dem *Sparkassensektor* ausdrücklich attestiert und dessen Wirkung als stabilisierender Faktor in der Finanzkrise hervorgehoben.[132] *Allerdings:* Ob eine derartige Finanzmarktregulierung durch Finanzmarktteilnahme – bei Beachtung der rechtlichen Bindungen – auch unter Berücksichtigung von Kosten-Nutzen-Erwägungen sinnvoll bzw. wünschenswert ist, bleibt weitgehend dem demokratischen Entscheidungsprozeß überantwortet. Für die Landesbanken dürfte die Abwägung negativ ausfallen.[133]

---

[130] Siehe auch *Röhl* (Fn. 22), § 18, Rn. 82, der darin aber nur ein Nebenziel des Sparkassenrechts sieht.

[131] Siehe mit weit. Nachw. *Engels* (Fn. 27), S. 86.

[132] Siehe *Sachverständigenrat für die Begutachtung der gesamtwirtschaftlichen Entwicklung*, Das Deutsche Finanzsystem, Effizienz steigern – Stabilität erhöhen, 2008, Ziffer 240; ferner etwa *Schneider*, ZRP 2009, 119 (120).

[133] Siehe aber im Blick auf die Sparkassen auch *Löwer*, ZBB 1993, 108 ff.

E. Bauelemente einer Regulierungsordnung für den internationalen und nationalen Finanzraum

I. Problemaufriss und ausgewählte Fragestellungen

Versucht man, den finanzmarktregulatorischen Zugriff des Staates – in dem eingangs skizzierten weiten Sinne, von der Spielregelsetzung bis zur Spielregelkontrolle – anhand von Parametern zu strukturieren und Charakteristika zu benennen, so rücken folgende Kriterien ins Blickfeld:[134]

(1) Zunächst beschränkt sich die Finanzmarktregulierung nicht auf gefährliche Geschäftsumstände oder risikoreiche Geschäftsgegenstände als Anknüpfungspunkte, sondern bezieht konkretes Vertragshandeln von Finanzmarktakteuren und das begleitende Informationsverhalten mit ein. Auf diese Weise erweist sie sich als ein die Marktaktionen und -entwicklungen ständig begleitender und moderierender Prozeß und führt zu einer intensiven Präsenz der finanzmarktregulierenden Instanzen im Alltagsgeschäft der Finanzmarktakteure.[135] Hinzu tritt – wenngleich in der Vergangenheit vernachlässigt – eine systemische Perspektive.

(2) Zwar bedient sich die finanzmarktregulatorische Intervention auch der typischen Instrumente der Wirtschaftsaufsicht (Meldepflichten, Überwachungsrechte, Eingriffsbefugnisse), entfernt sich gleichzeitig aber von der klassischen gefahrenabwehrrechtlichen Eingriffsschwelle. Weil und insofern sie diese weit in den Risikobereich vorverlagert, kann man auch von „Risikoaufsicht" sprechen.[136]

(3) Die „Spielregeln" – und damit auch die Kontrollmaßstäbe – sind überaus komplex und vielfach das Produkt (informaler) internationaler professioneller Standardsetzung.[137]

---

[134] Allgemein zu einer typologisierenden Betrachtung anhand unterschiedlicher Kontrollparameter *Eichhorn/Friedrich*, Verwaltungsökonomie, Bd. I, 1976, S. 252ff.; *Kahl*, in: Hoffmann-Riem/Schmidt-Aßmann/Voßkuhle (Hrsg.), Grundlagen des Verwaltungsrechts, Bd. III, 2009, § 47, Rn. 35. mit weit. Nachw.

[135] Siehe auch *Röhl* (Fn. 22), § 18, Rn. 32 und 89f., der insoweit auch von ‚symbiotischer Verwaltung' spricht.

[136] Siehe auch *Röhl* (Fn. 22), § 18, Rn. 86f.; siehe auch schon *Meister*, Auszüge Nr. 6 vom 7. Februar 2001, 2 (3).

[137] Siehe im Überblick *Ohler*, in: Möllers/Voßkuhle/Walter (Hrsg.), Internationales Verwaltungsrecht, 2007, S. 259ff.; *Spindler/Hupka*, in: Möllers (Hrsg.), Geltung und Faktizität von Standards, 2009, S. 117ff.; näher noch unten E. II.

(4) Der Komplexität des „Spiels" und seiner „Spielregeln" entspricht ein außergewöhnlich dichtes und ausdifferenziertes Instrumentenarsenal in der Finanzmarktaufsicht.[138]

(5) All dies hat selbstverständlich Auswirkungen auf die Organisationsstruktur der finanzmarktregulierenden (i.e.S.) und finanzmarktkontrollierenden Instanzen.[139]

Der Zwang zur Beschränkung erlaubt es nicht, den angesprochenen Parametern der finanzmarktregulatorischen Kontrolle auch nur ansatzweise im einzelnen nachzugehen. Vielmehr können lediglich einige wenige, zentrale Problemaspekte etwas näher analysiert werden.

- Im Blick auf die Maßstäbe der Finanzmarktregulierung wirft insbesondere die *internationale Standardsetzung* im Blick auf rechtsstaatliche und demokratische Legitimationserfordernisse erhebliche Zweifelsfragen auf.[140]
- Sodann soll die Organisation der Finanzmarktaufsicht einer näheren Betrachtung unterzogen werden,[141] da insbesondere die geplante Verlagerung der Finanzmarktaufsicht auf die Bundesbank einer genaueren Betrachtung bedarf.
- Zuvor sind einige Exkursüberlegungen zu einem „Zwischenbereich" zwischen Standardsetzung und Aufsicht angebracht. Sie betreffen die Ratingagenturen und thematisieren in diesem Zusammenhang ganz kurz auch das Problem der Haftung für unzureichende Aufsicht und die Informationsteilhabe Dritter.[142]
- Im Blick auf den finanzmarktregulatorischen Instrumentenmix soll die Möglichkeit „rigider" Interventionen erörtert werden. Von besonderem Interesse ist dabei der regulatorische Umgang mit sog. systemischen Risiken.[143]

II. Legitimationsprobleme der (internationalen) Norm- und Standardsetzung

1. Problemaufriss

Die finanzmarktregulierende Standard- und Normsetzung[144] ist heute weitgehend international[145] und ein hoheitlich-privates „Ver-

[138] Vgl. hier nur den Überblick bei *Röhl* (Fn. 22), § 18, Rn. 44ff.; ferner *Bumke*, DV 41 (2008), 227 (242ff.).

[139] Zu den jüngsten Reformvorschlägen siehe *Hopt*, ZG 2009, 1401ff.

[140] Dazu im folgenden sub III.

[141] Dazu im folgenden sub IV.

[142] Dazu sub III. 4.

[143] Dazu unten sub V.

[144] Zur Begrifflichkeit siehe etwa *Möllers*, in: Möllers (Hrsg.), Geltung und Faktizität von Standards, 2009, S. 143ff.

[145] Siehe hier nur *Röhl* (Fn. 22), § 18, Rn. 110ff.

bundprodukt".[146] Charakteristisch ist zugleich ein hohes Maß an Informalität und die Prädominanz professioneller Standardsetter.

Beispielhaft seien hier zwei „Key-Players"[147] der internationalen finanzmarktregulatorischen Standardsetzung in ihren Organisationsstrukturen und Einflusssphären skizziert:

Einer der wichtigsten Standardsetter im Bankenbereich ist der 1974 (nach dem Zusammenbruch der Herstatt-Bank in Deutschland) von den Zentralbankgouverneuren der Gruppe der 10 unter der Ägide der Bank für Internationalen Zahlungsausgleich (BIZ) gegründete *Baseler Ausschuß für Bankenaufsicht (Basel Committee on Banking Supervision – BCBS).*[148] Die Mitglieder kommen heute aus 27 Staaten (darunter neben den Gründungsmitgliedern u.a. Argentinien, China, Rußland, Saudi-Arabien, Singapur, Südafrika). Diese werden vertreten durch die jeweiligen Zentralbanken und darüber hinaus die Leiter der jeweiligen Bankenaufsichtsbehörde.[149] Für den Baseler Ausschuß für Bankenaufsicht existiert keine Rechtsgrundlage.[150] Trotz dieser Informalität[151] koordiniert das BCBS zentrale materielle Fragen der (weltweiten) Bankenaufsicht, vergleicht Standards und entwickelt Empfehlungen. Mit seinen Eigenkapitalregeln von 1988 (Basel I) und 2004 (Basel II)[152] hat sich der Baseler Ausschuss für Bankenaufsicht faktisch zu dem zentralen weltweiten Standardsetzer entwickelt.[153] Bis ins Detail hinein wurden die Baseler Empfehlungen in europäisches Recht übernommen[154] und anschließend in deutsches Recht umgesetzt.[155]

Das *zweite Beispiel* betrifft das *International Accounting Standards Board* (IASB), eine privatrechtliche Organisation mit Sitz in London, die 1973 von Berufsverbänden der sich mit der Rechnungs-

---

[146] *Becker*, ZG 2009, 123 (130ff., 134).

[147] Bezeichnung bei *Emmenegger*, in: Grote/Marauhn (Hrsg.), The Regulation of International Financial Markets, 2006, S. 224 (224).

[148] Siehe dazu im Überblick BCBS, History of the Basel Committee and its Membership, 2009, abrufbar unter http://www.bis.org/bcbs/history.pdf.

[149] Soweit die Bankenaufsicht nicht allein der jeweiligen Zentralbank zugewiesen ist; siehe BCBS (Fn. 148), S. 1, 7f.

[150] Das BCBS tagt zwar örtlich und organisatorisch in der Regel am Rande der BIZ, die auch Sekretariatsdienst zur Verfügung stellt. Gleichwohl hat er institutionell mit der BIZ nichts zu tun.

[151] Siehe dazu etwa *Emmenegger* (Fn. 147), S. 226: „A rather informal type of organisation"; *Möllers*, ZaöRV 65 (2005), 351 (357).

[152] Manche glauben hierin bereits die „aufsichtsrechtliche Konstitution kollektiver Intelligenz" erblicken zu können; s. *Strulik/Kussion*, Zeitschrift für Rechtssoziologie 26 (2005), 101 (101).

[153] *Van Aaken* (Fn. 38), S. 219 (227ff.).

[154] Siehe die Bankenrichtlinien 2006/58/EG und die Kapitaladäquanzrichtlinie 2006/49/EG; *Barr/Miller*, European Journal of International Law 17 (2006), 15 (21ff.).

[155] Siehe dazu hier nur *Reckers*, in: Festschrift Rudolph, 2009, S. 67ff.

legung und Prüfung befassenden Professionen gegründet worden ist. Sie wird getragen von der „International Accounting Standards Committee (IASC) Foundation", einer nach dem Recht des US-Bundesstaates Delaware gegründeten Gesellschaft, die auch die Mitglieder des IASB ernennt.[156] Die private Organisation gilt heute im Bereich der Rechnungslegung mit ihren „International Financial Reporting Standards" (IFRS) als weltweit wichtigster Standardsetzer in diesem Bereich.[157] Rezipiert werden die IFRS durch die zuständigen Gesetzgeber.[158]

2. *Defizitstrukturen und Legitimationsprobleme*

Professionelle Standardsetzung, wie vorstehend in zwei unterschiedlichen Erscheinungsformen[159] skizziert, ist mit vielfältigen positiven Steuerungserwartungen verknüpft: Auf diese Weise lässt sich einfacher transnational regulieren, spezifisches Expertenwissen generieren und fachliche Reputation bündeln, Interessen aggregieren und ausgleichen, flexibel und innovationsoffen auf den spezifischen Sachbereich zugreifen und für ein höheres Maß an Akzeptanz sorgen.[160] Der vielfach betonte soft law-Charakter ermöglicht internationale Problemlösungskonzeptionen bei relativ geringen Souveränitätskosten.[161]

Diesen „Positivlisten" stehen indes durchaus (sicherlich nicht immer realisierte) Nachteile und Dysfunktionalitäten gegenüber. Dazu zählen: eine effektivitätsbeeinträchtigende Komplexitätssteigerung, eine intransparente Verantwortungsdiversifizierung, Kontrolldefizite, selektive Interessenartikulation und anderes mehr. Damit läuft der Staat zugleich Gefahr, Gruppeninteressen unreflektiert zu seinen

---

156 Siehe dazu etwa *Ohler* (Fn. 137), S. 259 (261 f.); *Huber*, AöR 133 (2008), 389 (392), der darauf hinweist, daß die Finanzierung des IASB durch Spenden erfolgt; ferner *F. Kirchhof*, in: Hopt/Veil/Kämmerer (Hrsg.), Kapitalmarktgesetzgebung im Europäischen Binnenmarkt, 2008, S. 167 (168).

157 Siehe etwa *Großfeld*, NZG 2003, 841 ff.; *Ohler*, EuZW 2006, 679 ff.; *Huber*, AöR 133 (2008), 389 (393); näher – auch zur Terminologie – *Merkt*, in: Hopt/Merkt, Bilanzrecht, 2010, vor § 238 HGB, Rn. 115 ff.

158 Zur Rezeption der EU siehe mit Nachw. hier nur *Huber*, AöR 133 (2008), 389 (393 f.); ferner auch *Augsberg* (Fn. 8), S. 218 ff.; zur Rezeption in Deutschland näher *F. Kirchhof* (Fn. 156), S. 167 (169 ff.).

159 Einmal in der Gestalt eines informalen Fachbehördennetzwerks, zweitens als rein private Normproduktion.

160 Hierzu allgemein *Höfling*, in: Trute (Hrsg.), Allgemeines Verwaltungsrecht – Zur Tragfähigkeit eines Konzepts, 2008, S. 45 (51 ff.); *Augsberg* (Fn. 8), S. 51 ff.

161 Jedenfalls für die bei der Aushandlung beteiligten Staaten; hierzu *van Aaken* (Fn. 38), S. 219 (257).

eigenen zu machen und seine – im Demokratieprinzip wurzelnde – Verpflichtung auf Neutralität und Objektivität zu relativieren.[162] Dies lässt sich mit Blick auf die hier gewählten beiden Referenz-Standardsetter exemplifizieren:

(1) Zunächst zum *Baseler Ausschuss für Bankenaufsicht:* Ein kritischer Blick auf die Entstehung von „Basel II" offenbart hier einen überaus problematischen Fall von „strategischer Regulierungsarbitrage", nämlich eine Vereinnahmung des Baseler Prozesses durch die Regulierten selbst:[163] Bereits Mitte der 1990er Jahre wurde auf Interventionen der großen Banken und ihrer Verbände die Möglichkeit eingeräumt,[164] anstelle des – nunmehr so bezeichneten – Standardansatzes die geforderte Eigenkapitalunterlegung auf der Grundlage von bankinternen quantitativen Modellen zu berechnen. Daß aber die Bewertung der Bankrisiken durch eine auf den Schutz der Anleger und des Finanzsystems abzielende Regulierung nicht identisch ist mit einer Bewertung der Bankrisiken durch die Geschäftsleitung bzw. die Eigentümer des Kreditinstituts selbst, wurde ausgeblendet. Die Notwendigkeit von Regulierung beruht aber gerade auf der Erkenntnis, daß es erhebliche Externalitäten und Kollektivprobleme gibt. In der Konsequenz des skizzierten Ansatzes kam es dann dazu, daß das regulatorisch erforderliche Eigenkapital in keinem Verhältnis mehr zu den eingegangenen Risiken und den am Markt erzielbaren Risikoprämien stand.[165] Die Vereinnahmung des Regulierungsprozesses durch die (interessenverengte) Expertise der Betroffenen führte in der Folgezeit zu einer dramatischen Verschlechterung der Eigenkapitalunterlegung.[166]

(2) Für das *IASB* gilt Ähnliches. Seine Rechnungslegungsstandards entfalten erhebliche (faktische) Wirkungen, die Bestellung seiner

---

[162] Dazu mit weit. Nachw. *Höfling* (Fn. 160), S. 45 (53 f.) – Systeme kooperativer Rechtsetzung stellen im übrigen erhebliche Anforderungen an das staatliche Steuerungswissen und die regulatorische Konzeptionalisierungkompetenz; dazu *Eifert* (Fn. 17), § 19, Rn. 60; *Ladeur*, DV 34 (2001), Beiheft 4, 59 (71).

[163] Vor dieser Gefahr im Finanzmarktbereich warnt allgemein auch *Ohler* (Fn. 137), S. 259 (277).

[164] Zur Öffnung des Baseler Prozesses und zu den Konsultationen mit anderen „stakeholders" siehe auch *van Aaken* (Fn. 38), S. 219 (250).

[165] Zum Ganzen *Hüther/Jäger/Hellwig/Hartmann-Wendels*, Arbeitsweise der Bankenaufsicht vor dem Hintergrund der Finanzmarktkrise, 2009, S. 106; siehe auch schon *Hellwig/Staub*, Swiss Journal of Economics and Statistics 132 (1996), 755 ff.

[166] Siehe hier nur *Hüther/Jäger/Hellwig/Hartmann-Wendels* (Fn. 165), S. 106 ff. – Diese Feststellung gilt ungeachtet des Umstandes, dass die Neuerungen, die Basel II für Kreditrisiken gebracht hat, für die Finanzkrise noch keine Rolle gespielt haben, vgl. S. 109. Die neue Risikogewichtung hatte zur Folge, daß die maßgebende Kernkapitalquote der großen deutschen Banken zwischen 7,0 und 9, 1% lag, die bilanzielle Eigenkapitalquote tatsächlich nur bei Werten um 2%; siehe auch *Heun*, JZ 2010, 53 (57); *Sinn* (Fn. 1), S. 155 ff.

Mitglieder dagegen ist intransparent und nicht repräsentativ.[167] Seine vorrangige Finanzierung durch Spenden macht es anfällig für Einflußnahmen.[168]

Sowohl die Eigenkapitalbestimmungen (des BCBS) als auch die Rechnungslegungsstandards (des IASB) bestimmen grundlegend über den ökonomischen Status und die finanzmarktrelevanten Handlungsspielräume der einzelnen Marktakteure einerseits, andererseits aber auch über Eingriffsmöglichkeiten und etwaige Kriseninterventionszwänge des Staates.[169] Sie sind finanzmarkt„wesentlich" in einem elementaren Sinne und erfordern deshalb ein korrespondierendes rechtsstaatlich-demokratisches Legitimationsniveau.[170] Zwar werden die internationalen Kooperationsprozesse zum Teil europarechtlich überwölbt[171] und die Standards durch den europäischen und deutschen Gesetzgeber rezipiert.[172] Doch erweist sich diese Transformation des „soft law" in Rechtsregeln als z.T. jedenfalls weitgehend staatsnotarieller Akt[173] bei gleichzeitiger Verlagerung der materiellen Entscheidungsverantwortung. Diese Prozesse der Entformalisierung, „Privatisierung" und Entparlamentarisierung sind auch unter den Bedingungen eines offenen Verfassungsstaates hochproblematisch;[174] die Legitimationsdefizite sind unübersehbar. Drei zentrale Aspekte seien kurz erörtert:

(1) *Zunächst:* Im Blick auf die Mitgliedschaft bzw. Beteiligung der Deutschen Bundesbank und der BaFin im bzw. am *BCSB* stellt sich zunächst die Frage nach (dem Maß) der Außenvertretungsbefugnis von nachgeordneten Fachbehörden.[175] Dies gilt umso mehr, als hier

---

[167] Siehe auch Europäisches Parlament, Bericht über die Internationalen Rechnungslegungsstandards (IFRS) und die Leitung des International Accounting Standards Board (IASB) vom 5. Februar 2008, PE 392.238 v03–00, S. 16f., 23.

[168] So ausdrücklich *Huber*, AöR 133 (2008), 389 (402); kritisch gegenüber dem IASB auch etwa *Bartsch*, ZRP 2009, 97 (97); ferner *Bohl*, DB, Heft 22 vom 29. Mai 2009, S. I: „Im übrigen gibt es viele Beispiele dafür, daß das IASB [...] nicht frei von Einflüssen interessierter Kreise" ist.

[169] Man denke etwa nur an die Frage der sachgerechten Bilanzierung von Zweckgesellschaften.

[170] Allgemein *Michael*, in: Bauer/Huber/Sommermann (Hrsg.), Demokratie in Europa, 2005, S. 431 (434ff.).

[171] Siehe dazu *Möllers*, ZaöRV 65 (2005), 351 (364ff.).

[172] Siehe hierzu etwa *Huber*, AöR 133 (2008), 389 (391ff.); *F. Kirchhof* (Fn. 156), S. 169 (175ff.).

[173] Siehe etwa *Becker*, ZG 2009, 123 (136); auch *Kämmerer*, in: Merz (Hrsg.), An den Grenzen des Staates, 2008, S. 17 (29): „die hoheitliche Normsetzung wird zur hoheitlichen Fassade"; im Blick auf die IFRS anders *Merkt* (Fn. 157), vor § 238 HGB, Rn. 170: „Das Endorsement ist keine bloße Formalie".

[174] Siehe auch *Kahl*, in: Trute (Hrsg.), Allgemeines Verwaltungsrecht – Zur Tragfähigkeit eines Konzepts, 2008, S. 71 (104f.).

[175] Auch die Bundesbank ist in diesem Kontext kein weisungsfreies und unabhängiges Sonderorgan.

die Fachbehörden am politisch gestaltenden Ausgangspunkt transnationaler Regelsetzung und zugleich – als Bankenaufsichtsbehörden – an ihrem Endpunkt durch Vollzug stehen.[176] Durch ihre Eingliederung in Gremien, die im Konsens[177] vollzugsrelevante Standards setzen, verselbständigen sich die Bundesbehörden gegenüber dem hierarchischen Einfluss- und Bindungskontext.[178]

(2) Diese Herauslösung aus dem demokratischen Legitimationskontext und die überaus große Diskrepanz zwischen intensiver inhaltlicher Bindungskraft der Standards einerseits und der nahezu „vollständigen Formlosigkeit"[179] verlangt nach einer kompensatorischen Legitimation und einer angemessenen normativen Steuerung. Die mehr oder weniger „blinde" Übernahme privater Entscheidungen durch staatliche Instanzen verleiht weder demokratische Dignität noch ist sie Ausdruck von „Verfahrensverantwortung".[180]

(3) *Schließlich:* Erhebliche Legitimationsbedenken speisen sich aus der *Intransparenz wichtiger finanzmarktrelevanter Standardsetzung*. Transparenz und Publizität aber sind rechtsstaatliche Gebote.[181] Weil Transparenz Voraussetzung von Vertrauen, Vertrauenssicherung aber eine elementare Infrastrukturleistung des Staates in Erfüllung seiner Gewährleistungsverantwortung für die Finanzmarktstabilität ist,[182] besteht hier Optimierungsbedarf.[183] Transparenz ist Verbindungsglied und Vertrauensgarantieelement gerade bei der Herstellung internationaler Legitimationsmuster. Sie ist zugleich zentrale Voraussetzung für die Rechenschaft der Exekutive gegenüber dem nationalen Parlament und der Öffentlichkeit, weil sie den strategischen Gebrauch von Informationsprivilegien zu begrenzen vermag.[184]

---

[176] Zutreffend problematisiert bei *Möllers*, ZaöRV 65 (2005), 351 (355); siehe auch *van Aaken* (Fn. 38), S. 219 (249): „Dies ist nicht irrelevant für das Verfassungsrecht".

[177] Informalität und Konsensualität von Entscheidungsprozessen bewirken eine deutlich erschwerte Reversibilität. Damit wird auch ein zentrales Element parlamentarischer Demokratie, nämlich die Herrschaft auf Zeit, in Frage gestellt. Sie kann insbesondere dann nicht mehr realisiert werden, wenn Entscheidungen über Standards von Gremien getroffen werden, die über einen Wahlakt des Volkes nicht ihres Amtes enthoben werden können. Siehe dazu auch *Ohler* (Fn. 137), S. 259 (273).

[178] Siehe *Möllers*, ZaöRV 65 (2005), 351 (375); allgemein auch *Hermes*, in: Bauer/Huber/Sommermann (Hrsg.), Demokratie in Europa, 2005, S. 457 ff.

[179] So *Möllers*, ZaöRV 65 (2005), 351 (381).

[180] Siehe auch *Becker*, ZG 2009, 123 (137).

[181] Siehe für den vorliegenden Zusammenhang nur *Becker*, ZG 2009, 123 (138).

[182] Siehe dazu oben B. I.

[183] Siehe auch *Huber*, AöR 133 (2008), 389 (402); für den Baseler Ausschuss glaubte *Röhl* (Fn. 22) § 18, Rn. 12 „durchaus Transparenz" feststellen zu können.

[184] Dazu allgemein *Eifert*, in: Trute (Hrsg.), Allgemeines Verwaltungsrecht – Zur Tragfähigkeit eines Konzepts, 2008, S. 307 (329); ferner *Müller-Franken*, AöR 134 (2009), 542 (570 f.).

3. Reformbedarf

Auch wenn man die bereichsspezifische Dynamik des Regelungsbereichs, das Bedürfnis nach transnationaler Harmonisierung und die professionsgestützte Expertise ernst nimmt: Der Prozeß der internationalen finanzmarktregulierenden Standardsetzung bedarf angesichts der skizzierten Probleme einer deutlich stärkeren normativen Umhegung und Einbindung,[185] um mißbräuchlichen Selbststeuerungsprozessen vorzubeugen[186] Im einzelnen:

(1) Ohne die Funktionalität von „Fachbehörden-Netzwerken" prinzipiell in Frage stellen zu wollen:[187] Völkerrechtlich „freischwebende" exekutive Standardsetzung sollte ersetzt werden durch eine verbindliche völker(verwaltungs)rechtliche Strukturierung der Kooperation, die damit zumindest mittelbar eingebettet wird in einen demokratischen Legitimationszusammenhang.[188]

(2) Die Außenvertretungs- und Mitwirkungsbefugnis von Behörden an internationalen Behörden-Netzwerken bedarf einer intensiveren sachgesetzlichen Ausgestaltung, um die ausgedünnte personale Legitimation in einem Gremium, in dem nicht-deutsche Vertreter eine deutsche Aufsichtspraxis mit definieren, zu kompensieren.[189] Jedenfalls für eine institutionell verfestigte Koordinierungsarbeit (Beispiel: BCBS) sind Gegenstand, Organisation und Verfahren der Koordination zu bestimmen. § 4 Bundesbankgesetz reicht insoweit als Legitimationsgrundlage für die Mitwirkung der Deutschen Bundesbank im Baseler Bankenausschuss nicht aus.[190]

(3) Schließlich bedarf es einer *steuernden Rezeption* von professionellen Standards.[191] Denkbar ist zunächst eine der Rezeption vorgängige inhaltliche Auseinandersetzung.[192] Der auf der europäischen

---

[185] Kritisch gegenüber kompensatorischen Legitimationserwägungen *Lepsius*, in: Möllers/Voßkuhle/Walter (Hrsg.), Internationales Verwaltungsrecht, 2007, S. 345 (372).

[186] Siehe auch *Hesse*, ZSE 2009, 329 (343).

[187] Dazu *van Aaken* (Fn. 38), S. 219 (221 ff.).

[188] Hierzu näher *Möllers*, ZaöRV 65 (2005), 351 (384); siehe auch *Röhl* (Fn. 22), § 18 Rn. 112: „Wegen der verschiedenen Gewichte der innerstaatlichen Gewaltenteilung wie des institutionellen Gleichgewichts auf EU-Ebene sollte [...] eine völkervertragliche Absicherung vorgenommen werden" (im Blick auf den BCBS); ähnlich für das Bilanzrecht auch *P. Kirchhof*, ZGR 2000, 681 (691 f.).

[189] *Möllers* ZaöRV 65 (2005), 351 (375).

[190] *Möllers* ZaöRV 65 (2005), 351 (376).

[191] Dazu *Huber*, AöR 133 (2008), 389 (401) im Blick auf die IFRS; eher kritisch *Augsberg* (Fn. 8), S. 196 ff.

[192] Auch wenn dies zu einer Schwächung der privaten Handlungsrationalitäten und damit der erwarteten Vorteile professioneller Standardsetzung führen könnte; dies stark betonend *Becker*, ZG 2009, 123 (136 f.).

Ebene unternommene Versuch der Einbeziehung einer eigenen Sachverständigenberatung weist in diese Richtung. Mit Blick auf die Schwierigkeiten einer materiellen ex-post-Kontrolle dürfte es indes erfolgversprechender sein, primär auf der Verfahrensebene anzusetzen. In diesem Sinne müssten prozedurale Mindeststandards zur Voraussetzung der Rezeption gemacht werden, um Transparenz, Öffentlichkeit und Beteiligungsmöglichkeiten in ausreichendem Maße zu sichern. Dazu könnten etwa beitragen: Die Ankündigung von Normsetzungsvorhaben, die Möglichkeit aller interessierten Parteien, an Konsultationsprozessen teilzunehmen, die Sicherung gleicher Beteiligungschancen unter Berücksichtigung der Organisierbarkeit verschiedener Interessen, die angemessene Beachtung der Eingaben bei der letztlich entscheidenden Instanz und schließlich eine öffentliche Begründung der (Nicht-)Berücksichtigung von eingebrachten Positionen sowie schließlich (gerichtliche) Schutzkonzeptionen bei Verstoß gegen Verfahrensregeln.[193]

4. Exkurs: Zur Rolle der Ratingagenturen, zur Haftung für unzureichende Aufsicht und zur Öffnung der Aufsichtstätigkeit für informatorische Teilhabe Dritter

a) Ratingagenturen

Die letzten Bemerkungen leiten über zu einem Problembereich, der eine wichtige „Schnittmenge" von (externen) Aufsichtsmaßstäben und Wahrnehmung der Aufsichtskompetenz durch die zuständigen Behörden markiert. Er betrifft die *Rating-Agenturen*, denen faktisch durch ihre Bewertungen ein Teil der Finanzaufsicht überlassen worden ist.[194] Die EU-Kommission hat hier bis vor kurzem ein Modell des expliziten Rechtsetzungsverzichts verfolgt unter Verweis auf die internationalen Standards der *IOSCO*,[195] nämlich den „Code of Conduct Fundamentals for Credit Rating Agencies", also auf

---

[193] Siehe *van Aaken* (Fn. 38), S. 219 (250). – Wenn jüngst *Lanfermann*, DB, Heft 10 vom 6. März 2009, S. I, meint, „mit jeder Umstrukturierung der IASB-Governance-Struktur" verbinde sich die Gefahr einer Politisierung, so deutet dies möglicherweise auf eine fundamentale Fehleinschätzung der hier skizzierten Problematik hin. – Governance needs Government! So zu Recht *Ohler*, in: Bungenberg (Hrsg.), Recht und Ökonomik, 2004, S. 309 (338).

[194] So zu Recht *Heun*, JZ 2010, 53 (61 f.); zur regulatorischen Inbezugnahme der Ratings im Rahmen von „Basel II" siehe *Bauer*, Ein Organisationsmodell zur Regulierung der Rating-Agenturen, 2009, S. 70 ff.

[195] International Organisation of Securities Commissions mit Sitz in Madrid; dazu etwa *van Aaken* (Fn. 38), S. 219 (229 ff.).

„soft law".[196] Darin ist lange Zeit unter Berufung auf ein reputationsökonomisches Argument kein Problem gesehen und noch 2007 ganz affirmativ von einem „langfristig gebildeten Vertrauen (gesprochen worden), das der Kapitalmarkt sowie die Emittenten in die Fachkenntnis, die Sorgfalt, die Unabhängigkeit und Integrität dieser Ratingagenturen (sc: Moody's, Standard and Poor's sowie Fitch) setzen".[197]

Kurze Zeit später und mitten in der Krise, als man es besser wußte bzw. wissen mußte,[198] präsentierte der Präsident der BaFin auf der Jahrespressekonferenz am 28. Mai 2008 ein verblüffendes Eingeständnis: „Auch wir Aufseher müssen uns bei der Analyse der Risikosituation einer Bank auf Ratings verlassen können; dies umso mehr, als die Banken immer mehr Risiken aus Verbriefungstransaktionen auf ihre Bücher nehmen. Der Gedanke, wir sollten uns in Konkurrenz zu den Ratingagenturen ein eigenes Urteil über diese Risiken bilden, ist absurd. Wir hätten keine Chance, die Ratings der Agenturen zu hinterfragen oder gar zu widerlegen."[199] Angesichts der Schlüsselfunktion von Risikobenennung und Risikokommunikation für die Finanzmarktstabilität einerseits und der Mißbrauchspotentiale einer oligopolistischen Ratingmarktstruktur mit manifesten Interessenkonflikten[200] andererseits stellt sich nun allerdings in aller Schärfe die Frage, ob diese Form der *Selbstauslieferung der Finanzmarktaufsicht*[201] Minimalanforderungen gewährleistungsstaatlicher Aufsicht[202] wirklich noch gerecht wird. Zwar erlaubt es § 4 Abs. 3 FinDAG der BaFin, sich zur Erfüllung ihrer kapitalmarktrechtlichen Aufsichtsfunktionen privater Institutionen zu bedienen;[203] doch entbindet dies nicht von der strikten Verpflichtung auf die Sicherung der konnexen Ziele des Anleger- und Systemschutzes.

---

[196] Siehe *van Aaken* (Fn. 38), S. 219 (252f.); siehe auch *Haar*, ZBB 2009, 177 (180f.); kritisch auch *Bauer* (Fn. 194), S. 210ff.

[197] So tatsächlich *Seibt*, in: Bachmann/Casper/Schäfer/Veil (Hrsg.), Steuerungsfunktionen des Haftungsrechts im Gesellschafts- und Kapitalmarktrecht, 2007, S. 191 (208).

[198] Siehe bspw. *Heise*, in: Festschrift Rudolph, 2009, S. 43 (45f.); *C. Mattern*, in: ebenda, S. 107ff.; *Sinn* (Fn. 1), S. 140ff.

[199] Siehe Jahrespressekonferenz am 25. Mai 2008, abrufbar unter http://www.bafin.de/SharedDocs/Reden/DE/2008/re__080515__pk.html; Dieses Statement irritiert auch im Blick auf die Feststellungen im Jahresbericht 2007 der BaFin, S. 59, wo zu Recht hervorgehoben wird, daß ab Mitte 2007 „Investoren mehr und mehr die Qualität der Ratings von strukturierten Finanzprodukten" bezweifelten.

[200] Siehe nur *Haar*, ZBB 2009, 177ff.; *Bauer* (Fn. 194), S. 23ff.

[201] Siehe auch *Partnoy*, Overdependence on Credit Ratings Was a Primary Cause of the Crisis, Fondazione Eni Enrico Mattei Working Papers, Nr. 288, 2009.

[202] Dazu allgemein *Edelbluth*, Gewährleistungsaufsicht, 2008.

[203] Dazu knapp *Bauer* (Fn. 194), S. 82; siehe ferner *Schwirten*, in: Boss/Fischer/Schulte-Mattler (Hrsg.), KWG, 3. Aufl. 2008, § 4 FinDAG, Rn. 6.

b) Zur Haftung

Wie auch immer die deshalb unabweisbar deutlich intensivere regulatorische Einbindung der Rating-Agenturen aussehen mag – Etablierung eines Anerkennungs- oder eines Zulassungsverfahrens,[204] Gewinnabschöpfung als Steuerungsinstrument zur Transparenzsicherung,[205] Verpflichtung zu Produktdifferenzierungen[206] u.a. mehr:[207] Ganz grundsätzlich stellt sich die Frage, ob die vollständige Haftungsfreistellung der Finanzmarktaufsicht (§ 4 Abs. 4 FinDAG)[208] trotz Bestätigung durch den EuGH[209] verfassungskompatibel ist.[210] Die Berufung auf den römisch-rechtlichen Grundsatz „impossibilium nulla obligatio" ist nicht mehr als die „dogmatisch auf das Trefflichste verbrämte[n] [...] Kapitulation" vor den finanziellen Auswirkungen" einer Staatshaftung für den Haushalt.[211] Ein Staat, der über Anreizstrukturen seine Bürger veranlaßt, ihre Altersvorsorge jedenfalls z.T. mit Hilfe von Kapitalmarktprodukten zu organisieren, muß von Grundrechts wegen ein wirksames Mindestmaß an Schutz vor Übergriffen Dritter sicherstellen; eine entsprechende Pflichtverletzung löst grundrechtlich fundierte Kompensationsansprüche aus.[212]

c) Informatorische Teilhabe Dritter

Eine dritte Randbemerkung schließt an die konstatierten Defizite des Aufsichtsprozesses an, der im übrigen durch einen signifikanten

---

[204] Siehe im Überblick *Bauer* (Fn. 194), S. 222 ff.

[205] *Haar*, ZBB 2009, 177 (185 ff.).

[206] Siehe Financial Stability Form (FSF), Report of the FSF on Enhancing Market and Institutional Resilience, 7. April 2008, S. 58; auch *de Haan*, ZSE 2009, 539 (547); sehr kritisch zur bisherigen Finanzdienstleistungsaufsicht *Wieland*, DV 42 (2010), 83 ff.

[207] Siehe auch schon *Fleischer* (Fn. 13), F 132 ff.; kritisch zum Vorschlag der Kommission (KOM [2008], 704) *Antenbrink/de Haan*, Common Market Law Review 46 (2009), 1915 ff.

[208] Zuvor – als gesetzgeberische Reaktion auf die BGH-Rechtsprechung zur „Herstatt-Pleite" (BGHZ 71, 144 [152 f.] – schon § 6 Abs. 2 KWG.

[209] EuGH, NJW 2004, 3479 ff. zu § 6 Abs. 4 KWG a. F., dem § 4 Abs. 4 FinDAG entspricht; dazu etwa *Häde*, EuZW 2005, 39 ff.

[210] Ähnlich kritisch etwa *Papier*, in: MüKo BGB, Bd. V, 4. Aufl. 2004, § 839, Rn. 55; *Giesberts*, in: Hirte/Möllers (Hrsg.), WphG, 2007, § 4 Abs. 2 WpÜG und § 4 Abs. 4 FinDAG, Rn. 75 ff.; *Ruffert*, NJW 2009, 2093 (2095); anders *Böhme*, Staatshaftung für fehlerhafte Bankenaufsicht nach deutschem und europäischem Recht, 2009, S. 24 ff.

[211] So zu Recht *von Danwitz*, JZ 2005, 729 (730).

[212] Dazu grundsätzlich *Höfling*, VVDStRL 61 (2002), 260 (267 ff.); *ders.*, in: Hoffmann-Riem/Schmidt-Aßmann/Voßkuhle (Hrsg.), Grundlagen des Verwaltungsrechts, Bd. III, 2009, § 51, Rn. 82 ff. – Nach *Ruffert*, NJW 2009, 2093 (2095) besteht ein haftungsbewehrter Anspruch auf effektive Aufsicht.

Mangel an vor Gericht ausgetragenen Konflikten mit den Kontrollbetroffenen geprägt ist.[213] Die insoweit fehlende Publizität könnte jedenfalls partiell „kompensiert" werden durch eine über das Informationsfreiheitsgesetz vermittelte Transparenz.[214] Die informatorische Teilhabe außerhalb des zumeist bipolar strukturierten Aufsichtsverfahrens stehender Dritter sollte nicht als Zumutung fehlgedeutet werden.[215]

III. Zur Organisation der Finanzmarktaufsicht

1. Finanzmarktaufsicht im Umbruch: Problemaufriss

Ein zentrales Thema der (inter)nationalen Diskussion nach dem Ausbruch der Finanzkrise[216] betrifft die (Neu-)Organisation der Finanzmarkt„aufsicht".[217] Die überaus vielstimmigen und variantenreichen Vorschläge können hier nicht im einzelnen nachgezeichnet werden. Folgende skizzenhaften Darlegungen müssen genügen:

Der oftmals grenzüberschreitende Charakter der Finanzmarktaktivitäten begründet verbreitet das Bedürfnis, die Finanzmarktaufsicht jedenfalls teilweise in Verbundstrukturen zu überführen. Das Resultat sind organisatorische Verklammerungen und verfahrensmäßige Verbindungen sowohl auf europäischer wie internationaler Ebene.[218] Im Zuge der Finanzkrise hat die Europäische Union mit

---

[213] Dazu *Wieland*, DV 42 (2010), 83 ff.

[214] Siehe auch VG Frankfurt, NVwZ 2008, 1384 ff.; *Tolkmitt/Schomerus*, NVwZ 2009, 568 ff.; *Gurlit*, WM 2009, 773 ff.

[215] So zu Recht *Gurlit*, WM 2009, 773 (780), die vermutet, dass der Amtshaftungsausschluss (siehe vorstehend sub b) den auf das Regulierungsklientel beschränkten Fokus der BaFin noch verstärkt.

[216] Für die Zeit davor siehe z. B. *Pitschas/Gilles*, VerwArch 94 (2003), 68 ff.

[217] Die Redeweise ist mißverständnisträchtig. Sie ist ein Relikt des Konstitutionalismus. Aufsicht in einem präziseren Sinne ist Selbstverwaltungskorrelat und auf hierarchisch strukturierte Rechtsverhältnisse im Bereich der Staatsverwaltung bezogen. Finanzmarktregulierung ist dagegen „Wirtschaftsüberwachung" (zum Problem nur *Gröschner*, Das Überwachungsrechtsverhältnis, 1992, S. 46 ff.; *Kahl*, Die Staatsaufsicht, 2000, S. 369 ff.; *Huber*, in: Hoffmann-Riem/Schmidt-Aßmann/Voßkuhle [Hrsg.], Grundlagen des Verwaltungsrechts, Bd. III, 2009, § 45, Rn. 11 ff.). Sie trifft typischerweise auf kollidierende, grundrechtlich geschützte Interessen und verlangt eine durchgängige Bindung der überwachenden Hoheitsträger an das Übermaßverbot.

[218] Hierzu bspw. die Übersichten bei *Röhl* (Fn. 22), § 18, Rn. 100 ff.; *Berkenbusch*, Grenzüberschreitender Informationsaustausch im Banken-, Versicherungs- und Wertpapieraufsichtsrecht, 2004, S. 38 ff.; *Zens*, Die Zusammenarbeit der Versicherungsaufsichtsbehörden in der Europäischen Gemeinschaft, 2005, passim; *Sethe/Thieme*, in: Tietje (Hrsg.), Internationales Wirtschaftsrecht, 2009, § 13, Rn. 33 ff.

einem Legislativpaket vom 23. September 2009 Vorschläge für eine stärkere Europäisierung unterbreitet.[219] Die Reformvorschläge zielen sowohl auf die makro- als auch auf die mikroökonomische Ebene. Zunächst ist die Einsetzung eines Europäischen Ausschusses für Systemrisiken (European Systemic Risk Board – ESRB) für die Makroaufsicht vorgesehen. Er soll Systemrisiken abwenden bzw. eindämmen, Phasen ausgedehnter finanzieller Notlagen vermeiden und ein reibungsloses Funktionieren des Binnenmarktes sowie einen nachhaltigen Beitrag des Finanzsektors zum Wirtschaftswachstum sicherstellen.[220] Daneben ist die Einrichtung eines Europäischen Finanzaufsichtssystems (European System of Financial Supervisors – ESFS) beabsichtigt, in dem die nationalen Finanzaufsichtsbehörden im Netzverbund mit neuen Europäischen Finanzaufsichtsbehörden (European Supervisory Authorities – ESAs)[221] zusammenarbeiten, welche ihrerseits aus der Umwandlung der bestehenden europäischen Ausschüsse in eine Europäische Bankenaufsichtsbehörde (European Banking Authority – EBA),[222] eine Europäische Wertpapieraufsichtsbehörde (European Securities and Markets Authority – ESMA)[223] und eine Europäische Aufsichtsbehörde für das Versicherungswesen und die betriebliche Altersversorgung[224] (European Insurance and Occupational Pensions Authority – EIOPA) hervorgehen sollen.

Der auf eine Empfehlung der sog. de Larosière-Gruppe zurückgehende Vorschlag der Etablierung eines Europäischen Ausschusses für Systemrisiken greift den unabweisbaren Gedanken auf, daß eine europäische oder internationale Finanzaufsicht über ein effizientes Risikoerkennungs- und Frühwarnsystem verfügen muss, das die Analyse der Beziehungen zwischen marktökonomischen Entwicklungen und Trends mit den einzelwirtschaftlichen Daten länderüber-

[219] Siehe den Überblick bei *Hopt*, NZG 2009, 1401 (1404ff.) mit weit. Nachw.

[220] Siehe Vorschlag für eine Verordnung des Europäischen Parlaments und des Rates für die gemeinschaftliche Finanzaufsicht auf Makroebene und zur Einsetzung eines Europäischen Ausschusses für Systemrisiken, KOM (2009), 499.

[221] Siehe dazu den Vorschlag für eine Verordnung des Europäischen Parlaments und des Rates zur Einrichtung einer Europäischen Bankaufsichtsbehörde, KOM (2009), 501.

[222] Vorschlag für eine Verordnung des Europäischen Parlaments und des Rates zur Einrichtung einer Europäischen Wertpapieraufsichtsbehörde, KOM (2009), 501.

[223] Vorschlag für eine Verordnung des Europäischen Parlaments und des Rates zur Einrichtung einer Europäischen Aufsichtsbehörde für das Versicherungswesen und die betriebliche Altersversorgung, KOM (2009), 503.

[224] Vorschlag für eine Verordnung des Europäischen Parlaments und des Rates zur Einrichtung einer Europäischen Aufsichtsbehörde für das Versicherungswesen und die betriebliche Altersversorgung, KOM (2009), 502.

greifend tätiger Finanzinstitute zusammenführt.[225] Ob allerdings die recht komplexe und etwas unübersichtliche Struktur des neuen ESRB eine effektive Wahrnehmung seiner ohnehin begrenzten Befugnisse zulässt, kann bezweifelt werden.[226] Konfliktpotential kann sich ferner aus dem Umstand ergeben, daß der bei der EZB angesiedelte ESRB in seinen Beurteilungen auch auf die Finanzmärkte in nicht-europäischen Staaten einwirkt.[227]

Die politisch umstrittenen Vorschläge zur Neuordnung der europäischen Mikroaufsicht werfen auch die grundsätzliche Frage auf, ob eine stärkere europäische bzw. internationale Harmonisierung der Bankenaufsicht institutionenökonomisch wirklich den Königsweg weist.[228] Entscheidungsfindung auf dezentraler Ebene verfügt über bessere Informationen, ist wirksamer in demokratische Kontrollstrukturen eingebunden und ermöglicht die Erprobung alternativer Regulierungsstrategien.[229] Die Vorstellung jedenfalls, das Problem der Exterritorialisierung der Finanzgeschäfte könnte konsequent nur gelöst werden, „wenn eine Weltaufsicht etabliert wird, die nach globaleinheitlichen Kriterien Verstöße gegen globaleinheitliche Standards sanktioniert",[230] ist schon mangels Realisierbarkeit wenig hilfreich.

2. *Zur Neuorganisation der nationalen Finanzmarktaufsicht*

Auch nach einer weiteren Überführung der finanzmarktregulatorischen Kontrolle in Verbundstrukturen wird in Zukunft der nationalen Finanzmarktaufsichtsorganisation eine bedeutsame Funktion

---

[225] Siehe dazu auch schon *Sachverständigenrat für die Begutachtung der gesamtwirtschaftlichen Entwicklung*, Jahresgutachten 2008/2009, Ziffer 270ff., wo zu Recht darauf hingewiesen wird, daß dies eine globale Finanzdatenbank voraussetzt. – Zu einem deutschen Kreditregister dieser Art siehe § 14 KWG (Millionenkreditmeldeverfahren).

[226] Siehe auch *Hopt*, NZG 2009, 1401 (1405).

[227] Dazu die Einschätzung des *Centrums für europäische Politik*, Europäische Finanzaufsicht, 6. Juli 2009 (abrufbar unter http://www.cep.eu/fileadmin/user_upload/Kurz-Analysen/EU-Finanzaufsicht/KA_Finanzaufsicht_der_EU.pdf).

[228] Kritisch etwa *Möschel*, WuW 2008, 1283 (1290) unter Hinweis auf die Unterdrückung von Regulierungssystemwettbewerb und die Gefahr einer dominoeffektauslösenden Gleichheit; im Blick auf das Organisationsrecht siehe auch *Augsberg* (Fn. 77), § 6, Rn. 86.; ferner *Vaubel*, Die europäische Bankenaufsichtsbehörde: ein Eigentor?, Abrufbar unter http://www.vwl.uni-mannheim.de/vaubel/pdf-Dateien/Europaeische BankenaufsichtsbehoerdeEigentor081209.pdf.

[229] Siehe auch *Vaubel*, Zur Finanzmarktkrise: Die Verantwortung des Staates, Manuskript 2008, S. 8f.

[230] So *Sanio*, in: Festschrift Rudolph, 2009, S. 15 (30).

verbleiben.[231] Das ist verfassungsrechtlich angezeigt: Finanzmarktaufsicht und Finanzmarktregulierung betreffen nämlich Gebiete, die den „Kernbereich staatlicher Souveränität“ berühren.[232]

a) Zur gegenwärtigen Struktur der Finanzmarktaufsicht in Deutschland

Sieht man von den spezifischen Strukturen der Börsenaufsicht[233] und der staatlichen Sonderaufsicht (§ 52 KWG) über die öffentlich-rechtlichen Kreditinstitute ab,[234] ist die nationale Finanzaufsicht formal zentralisiert[235] bei der Bundesanstalt für Finanzdienstleistungsaufsicht (BaFin). Sie ist selbständige Anstalt des öffentlichen Rechts (§ 1 Abs. 1 FinDAG) und als zentrale Behörde der Allfinanzaufsicht mit den drei Aufsichtssäulen: Bankenaufsicht, Versicherungsaufsicht und Wertpapieraufsicht/Asset-Management tätig.[236] Die skizzierte Konstruktion darf indes nicht darüber hinwegtäuschen, daß die Finanzmarktaufsicht nicht alleine in den Händen der BaFin liegt, vielmehr nach § 7 KWG der Deutschen Bundesbank für den Bereich der laufenden Institutsüberwachung die Rolle des maßgeblichen Akteurs zugewiesen ist.[237] Diese eigenartige „Zwitterkonstruktion“ der organisationsrechtlichen Ausgestaltung der Bankenaufsicht[238] ist die

---

[231] Siehe auch die (allerdings vor dem Ausbruch der Finanzkrise formulierte) Einschätzung von *Häde*, in: Festschrift Stober, 2008, S. 467 (472): „Trotz der weltweiten oder europäischen Koordinierung erfolgt die Bankenaufsicht letztlich im nationalen Rahmen“. Siehe auch Koalitionsvertrag zwischen CDU, CSU und FDP, Zeile 2292: „Die nationalen Kompetenzen und das Etatrecht bleiben unberührt“.

[232] So zu Recht *van Aaken* (Fn. 38), S. 219 (223), sowie S. 257: „letzter Hort der Souveränität“; siehe auch *Abelshauser*, ZSE 2008, 565 (575).

[233] Siehe dazu hier etwa *Möller*, Kapitalmarktaufsicht, 2006, S. 37 ff., 170 ff.; *Merkt*, Gutachten G zum 64. DJT, in: Verhandlungen des 64. DJT, Bd. I, 2002.

[234] Siehe dazu *Lindemann*, in: Boss/Fischer/Schulte-Mattler (Hrsg.), KWG, 3. Aufl. 2008, § 52, Rn. 2 ff.

[235] Trotz dieser formalen Konzentration sind die Rechtsgrundlagen im Bereich der Finanzdienstleistungsaufsicht in organisatorischer wie in normativer Hinsicht „extrem unübersichtlich“; so *Ruthig/Storr* (Fn. 21), Rn. 510.

[236] Zur BaFin siehe etwa *Junker*, Gewährleistungsaufsicht über Wertpapierdienstleistungsunternehmen, 2003.

[237] Dazu etwa *Stern*, in: Festschrift Selmer, 2004, S. 519 (529); näher zur Zusammenarbeit die „Vereinbarung über die Zusammenarbeit der Bundesanstalt für Finanzdienstleistungsaufsicht und der Deutschen Bundesbank bei der Beaufsichtigung der Kredit- und Finanzdienstleistungsinstitute“; abgedruckt bei *Lindemann* (Fn. 234), § 7, Rn. 45 ff.; ferner die Richtlinie zur Durchführung und Qualitätssicherung der laufenden Überwachung der Kredit- und Finanzdienstleistungsinstitute durch die Deutsche Bundesbank (Aufsichtsrichtlinie – AufsichtsRL), in der Fassung der Bekanntmachung vom 21. Februar 2008.

[238] Zum internationalen Vergleich siehe etwa *Goddhart/Schoenmaker*, in: Bruni (Hrsg.) Prudential Regulation, Supervision and Monetary Policy, 1993, S. 393 ff.; *Neumann*, Bankhistorisches Archiv, Beiheft 43, 2004, 11 (17); *Häde* (Fn. 231), S. 467 (475).

Antwort auf die komplexen verwaltungskompetentiellen Vorgaben des Grundgesetzes: Der Kunstgriff[239] sichert nämlich dem Bund den Zugriff auf die Bankenaufsicht.[240] Zwar eröffnet(e) Art. 87 Abs. 3 GG dem Bund die Möglichkeit zur Errichtung des Bundesaufsichtsamtes für das Kreditwesen bzw. der BaFin.[241] Zugleich aber verwehrt(e) die Verfassungsnorm ihm die Errichtung eines entsprechenden Verwaltungsunterbaus für die Bundesoberbehörde.[242] Eine Finanzmarktaufsicht allein durch eine „abgehobene" Bundesoberbehörde war und ist indes keine funktionsadäquate Organisationsstruktur. Vor diesem Hintergrund lag die Einbindung der Deutschen Bundesbank nahe, die zulässigerweise über organisatorische Untergliederungen verfügt(e).[243] Das Bundesverfassungsgericht akzeptierte bereits in seiner Entscheidung aus dem Jahre 1962 die Zusammenarbeit zwischen dem Bundesaufsichtsamt für das Kreditwesen und der Deutschen Bundesbank.[244] Allerdings formulierte der Zweite Senat einschränkend, daß die Zuweisung von (weiteren) Aufgaben an die Deutsche Bundesbank – hier: durch das KWG – nur insoweit zulässig sei, als „diese noch in ihren Geschäftsbereich als Währungs- und Notenbank fallen".[245]

b) Reformüberlegungen

Die organisatorisch und prozedural komplizierte Verflechtung der Finanzmarktaufsichtsstrukturen stößt indes schon seit längerem auf Kritik. Verfassungsrechtliche Bedenken im Blick auf die – allerdings schwach ausgeprägte – Eingriffsbefugnis der Deutschen Bundesbank einerseits[246] und erhebliche Zweifel an der Effektivität der gewählten Konstruktion andererseits[247] speisten die Skepsis. Bereits vor einem

---

[239] So *Häde*, Kreditwesen 2009, 64 (64).

[240] Die bis 1962 noch von den Ländern wahrgenommen wurde; siehe dazu nur *Häde* (Fn. 231), S. 467ff.

[241] Siehe schon BVerfGE 14, 197 (210, 213).

[242] Siehe nur BVerfGE 14, 197 (211); ferner etwa *Herdegen*, WM 2000, 2121 (2122).

[243] Siehe näher zur Organisationsstruktur *Gaitanides* (Fn. 56), Art. 88 (2007), Rn. 13ff.

[244] Siehe BVerfGE 14, 197 (211).

[245] BVerfGE 14, 197 (215).

[246] Siehe dazu *Häde* (Fn. 231), S. 467ff. – Das Bundesverfassungsgericht hat in seiner damaligen Entscheidung wesentlich darauf abgestellt, dass die Deutsche Bundesbank über keinerlei ordnungspolitische Zwangsmittel verfüge (siehe BVerfGE 14, 197 [218]); siehe auch *Häde*, JZ 2001, 105 (108).

[247] Dazu etwa *Hirdina*, BKR 2001, 135 (139); *DIW*, Evaluationsuntersuchungen zur Bewertung der Aufsicht der Kreditwirtschaft und Erstellung eines Erfahrungsberichts, 2006, S. 39; ferner *Sachverständigenrat zur Begutachtung der gesamtwirtschaftlichen Entwicklung*, Jahresgutachten 2008/2009, Ziffer 284: „Nach wie vor erscheint eine solche Arbeitsteilung wenig zweckmäßig".

Jahrzehnt wurden deshalb – allerdings folgenlos – intensiv alternative Konzeptionen diskutiert.[248] und im Vorfeld der Errichtung der Bundesanstalt für Finanzdienstleistungen erneut die durchaus institutioneninteressengeleiteten Argumente ausgetauscht.[249]

In einer modelltheoretischen Perspektive, die (zunächst) die (hohen) Hürden der verfassungsrechtlichen Kompetenzordnung ausblendet, lassen sich *drei Grundmodelle* der Finanzmarktaufsicht unterscheiden,[250] die in der internationalen Finanzmarktarchitektur durchaus ihre realen Entsprechungen finden:[251]

(1) Konzentration der Finanzmarktaufsicht bei der Zentralbank,

(2) zentralbankunabhängige Finanzmarktaufsicht bei einer einzigen Aufsichtsbehörde in einem integrierten Drei-Säulen-Modell oder aber auch Auffächerung in zwei/drei sektorale Aufsichtsbehörden,

(3) duales Modell einer Aufsichtsteilung zwischen Zentralbank und eigener Aufsichtsbehörde.

Wirklich belastbare evidenzbasierte Erkenntnisse zum Vorrang eines der drei Grundmodelle sind nicht zu erkennen.[252]

In ihrem Koalitionsvertrag haben sich die Regierungsparteien darauf verständigt, die Bankenaufsicht bei der Bundesbank zu bündeln.[253] Umstritten ist, ob auch die Versicherungsaufsicht der Bundesbank zugeschlagen werden soll.[254] *Für* eine derartige Neuordnung der *Bankenaufsicht*[255] könnten folgende Überlegungen sprechen: Zunächst wird man feststellen können, dass zwischen den Aufgaben der mikro-prudentiellen Bankenaufsicht und der makro-prudentiellen Sorge um die Stabilität des Finanzsystems sowie der Geldpolitik vielfältige Querverbindungen bestehen. Darüber hinaus könnte die

---

[248] Zur Diskussion siehe etwa *Häde*, JZ 2001, 105 ff.; *Herdegen*, WM 2000, 2121 ff.; ausführlich auch *Heun*, Rechtsgutachten zur verfassungsrechtlichen Zulässigkeit verschiedener Organisationsmodelle zur Umgestaltung der Bankenaufsicht im Auftrag des Bundesministeriums der Finanzen, 2000.

[249] Siehe etwa *Artopoeus*, in: Pitschas (Hrsg.), Integrierte Finanzdienstleistungsaufsicht, 2002, S. 265 (276 ff.); *Bayer*, ebenda, S. 283 (294 ff.); *Koebnick*, ebenda, S. 301 ff.; ferner *Gramlich*, ebenda, S. 313 (344 ff.) – auch mit weit. Nachw. zu den Positionen der damaligen „Kontrahenten", *Sanio* einerseits und *Welteke* andererseits.

[250] Dazu grundlegend *Wymeersch*, European Business Organization Law Review 8 (2007), 237 ff.; *Masciandaro/Quintin*, Designing Financial Supervision Institutions, 2007.

[251] Siehe hier nur den knappen Überblick bei *Hopt*, NZG 2009, 1401 (1402).

[252] Deshalb ist die Entscheidung für eines der Grundmodelle zunächst eine dem politischen Prozess überantwortete Wahl („pfadabhängige Entscheidung"), die aber im Prinzipiellen wie in ihrer konkreten Ausgestaltung sodann nur nach Maßgabe der normativen Vorgaben umgesetzt werden kann.

[253] Koalitionsvertrag zwischen CDU, CSU und FDP, Zeilen 2294 ff.

[254] Siehe auch *Hopt*, NZG 2009, 1401 (1402).

[255] Die Versicherungsaufsicht bleibt hier ausgeklammert.

Bundesbank durch die Verbindung komplementärer Elemente mit der Verantwortung für Systemstabilität, der Zahlungsverkehrsfunktion, der allgemeinen Refinanzierungsgeschäfte und ihren Aktivitäten an den Finanzmärkten sowie in internationalen Finanzmarktgremien erhebliche Informationssynergien für den Aufsichtsprozeß nutzen.[256] *Andererseits* ist es keineswegs gesicherte Erkenntnis, daß Zentralbanken prinzipiell zuverlässigere Bankenkontrolleure als (andere) Aufsichtsbehörden sind oder weniger versucht, Fehler zu kaschieren.[257] Im übrigen könnte die Doppelrolle eine Gefahr für die stabilitätspolitische Orientierung der Geldpolitik heraufbeschwören.[258]

c) Europa- und verfassungsrechtliche Direktiven für eine Reform der nationalen Bankenaufsicht

Das europäische Recht stünde einer Übertragung der Bankenaufsicht auf die Bundesbank nicht grundsätzlich entgegen. Eine derartige Aufgabenerfüllung würde aber außerhalb des ESZB-Rahmens erfolgen (Art. 14.4 Satz 2 ESZB-Satzung).[259] Allerdings kann der Rat mit 2/3-Mehrheit im Interesse der Sicherung der Weisungsunabhängigkeit der nationalen Zentralbanken beschließen, daß die Mitgliedstaaten ihre Zentralbanken von weiteren Aufgaben, etwa der Bankenaufsicht, freistellen müssen.[260]

---

[256] In diesem Sinne etwa Deutsche Bundesbank, Monatsbericht September 2000: Die Mitwirkung der Deutschen Bundesbank an der Bankaufsicht, S. 33 (43f.); *Weber*, ZgesKW 2007, 402ff.; vgl. ferner auch *Neumann*, Bankhistorisches Archiv 2004, Beiheft 43, S. 11 (18).

[257] In diesem Sinne *Neumann*, Bankhistorisches Archiv 2004, Beiheft 43, S. 11 (18). Die Diskussion um die Rolle der österreichischen Nationalbank im Fall der HGAA (Hypo Group Alpe Adria) liefert durchaus Anschauungsmaterial für entsprechende Zweifel. – Bei der Österreichischen Nationalbank ist darüber hinaus der – besonders problematische – Umstand zu beachten, dass sie organisatorisch als Aktiengesellschaft verfasst ist und sich 30% der Anteile im Eigentum von Interessenvertretungen sowie Banken und Versicherungen befinden. Insoweit war immer wieder kritisiert worden, daß damit die Nationalbank ihre eigenen Eigentümer prüfe. Österreich will nunmehr die Nationalbank völlig in staatliche Hand überführen; siehe dazu FAZ Nr. 9 vom 12. Januar 2010, S. 11: Österreichs Notenbank vor der Verstaatlichung.

[258] Siehe *Hütler/Jäger/Hellwig/Hartmann-Wendels* (Fn. 177), S. 112.

[259] Siehe *Potacs*, EUR 1993, 23 (38); *Häde*, JZ 2001, 105 (109); siehe auch *Goetze*, Die Tätigkeit der nationalen Zentralbanken in der Wirtschafts- und Währungsunion, 1999, S. 160f.

[260] Siehe dazu auch *Seidel*, EuR 2000, 861 (877), der hierin eine implizite Entscheidung dafür sieht, „daß nach Auffassung des Vertragsgebers auf der europäischen Ebene der Errichtung einer selbständigen Aufsichtsbehörde für das Kreditwesen, über die Börsen, die Wertpapier- bzw. die Kapitalanlagegesellschaften der Vorzug vor einer Übertragung der Aufsicht auf die Europäische Zentralbank zu geben ist".

Auch Art. 88 GG steht einer Betrauung der Deutschen Bundesbank mit der Bankenaufsicht nicht entgegen, vermag aber andererseits auch keine Legitimationswirkung zugunsten einer auch mit bankenaufsichtsrechtlichen Eingriffsbefugnissen ausgestattete Bundesbank zu vermitteln.[261] Voraussetzung für eine auf Art. 88 GG gestützte Übertragung von Aufgaben auf die Bundesbank ist ein – wie auch immer näher konkretisierter – Zusammenhang mit dem Geschäftskreis als Währungs- und Notenbank.[262] Auch wenn durchaus Verbindungslinien zwischen währungsbank-/notenbankpolitischen und bankaufsichtlichen Tätigkeiten bestehen,[263] rechtfertigt dieser Konnex keinesfalls die Übertragung sämtlicher „gewerbepolizeilicher" Befugnisse der Bankenaufsicht, wie etwa die Anordnung der Schließung oder die Untersagung bestimmter Bankgeschäfte.[264]

Dieser Befund schließt indes nicht aus, dass die Übertragung weiterer bankaufsichtlicher Befugnisse auf die Deutsche Bundesbank auf eine andere Ermächtigungsgrundlage gestützt wird. Art. *87 Abs. 3 Satz 1 GG* scheidet insoweit allerdings ebenfalls aus, da er nur zentral wahrgenommene Aufgaben und Befugnisse deckt. Bankaufsichtsrechtliche Eingriffsbefugnisse etwa der Hauptabteilung der Deutschen Bundesbank wären davon nicht erfasst.[265] Es verbleibt insoweit nur noch ein Rückgriff auf Art. 87 Abs. 3 Satz 2 GG. Aber auch dies erscheint mehr als problematisch. Voraussetzung für eine entsprechende Aufgabenübertragung ist nämlich u.a., dass es sich materiell um neue Aufgaben handelt. Wenn man die normative Direktionskraft dieses Tatbestandsmerkmals nicht gänzlich ignorieren will,[266] führt kein Weg an der Feststellung vorbei, dass die Bankenaufsicht keineswegs eine Aufgabe betrifft, die bisher weder vom Land noch vom Bund wahrgenommen worden ist.[267] Vor diesem Hintergrund ist eine *Verfassungsänderung angeraten,* um die Übertragung der Bankenaufsicht auf die Bundesbank auf eine normativ sichere Grundlage zu stellen. Eine solche ist für Status, Kompetenz und Befugnis der Aufsichtsbehörde im hochsensiblen Finanzmarkt unverzichtbar.

---

[261] Ausführlich hierzu *Hahn/Häde* (Fn. 55), Art. 88 (1999), Rn. 160f.; ferner *Häde*, JZ 2001, 105 (109).

[262] Zu den unterschiedlichen Deutungen siehe im Überblick nur *Heun* (Fn. 248), S. 17f.

[263] Siehe auch BVerfGE 14, 197 (215ff.).

[264] In diesem Sinne bspw. *Heun* (Fn. 248), S. 19; *Häde*, JZ 2001, 105 (108); im Ergebnis ebenso *Herdegen*, WM 2000, 2121 (2123).

[265] Siehe auch *Häde*, JZ 2001, 105 (111).

[266] In diese Richtung wohl *Lerche*, in: Maunz/Dürig, Art. 87 (1992), Rn. 213.

[267] Siehe hier nur *Häde*, JZ 2001, 105 (112); auch *Heun* (Fn. 248), S. 24f., der die Vorschrift allerdings teleologisch reduzieren will, vgl. S. 26ff.

Die bisherigen Überlegungen bedürfen indes noch der Ergänzung im Blick auf den Unabhängigkeitsstatus der Deutschen Bundesbank.[268] Die einfachgesetzlich in § 12 Satz 1 BBankG geregelte Weisungsunabhängigkeit der Bundesbank ist durch höherrangiges Recht garantiert. Zunächst gewährleistet Art. 130 AEUV (Art. 108 EGV) die Unabhängigkeit der Bundesbank als Teil der ESZB auf der Grundlage des Art. 88 Satz 2 GG. Die mit dieser Unabhängigkeit verknüpfte Durchbrechung des Erfordernisses demokratischer Legitimation ist vom Bundesverfassungsgericht in seinem Maastricht-Urteil „als eine in Art. 88 Satz 2 GG vorgesehene Modifikation" des Demokratieprinzips und als mit Art. 79 Abs. 3 GG vereinbar bezeichnet worden.[269] Der Unabhängigkeitsstatus der Deutschen Bundesbank ist damit auch nach nationalem Verfassungsrecht gewährleistet.[270] Die einfachrechtlich, verfassungsrechtlich und europarechtlich garantierte Unabhängigkeit der Deutschen Bundesbank bezieht sich indes nur auf den Funktionsbereich der Geld- und Währungspolitik.[271] Die Bankenaufsicht ist davon nicht erfaßt. Insoweit sind auch rechtfertigende Sachgründe für eine Ausgliederung der Bankenaufsicht aus dem Geltungsanspruch des allgemeinen hierarchischen Prinzips der Rechts- und Fachaufsicht nicht erkennbar.[272]

Vor diesem Hintergrund steht die Option einer legislativen Übertragung der Bankenaufsicht auf die Deutsche Bundesbank vor der Herausforderung, einerseits den durch höherrangiges Recht gesicherten Unabhängigkeitsstatus im Kernbereich der Währungssicherung zu gewährleisten, andererseits aber gleichzeitig die Bankenaufsicht in die hierarchischen Strukturen der Fach- und Rechtsaufsicht einzubinden.[273] Die Deutsche Bundesbank selbst hat darin vor 10 Jahren kein Problem gesehen,[274] scheint inzwischen aber sensibel auf Überlegungen zur Einordnung in Weisungsstrukturen zu reagie-

[268] Der Koalitionsvertrag zwischen CDU, CSU und FDP, Zeilen 2296 ff., weist ausdrücklich darauf hin, daß der Umfang der bisherigen rechtlichen Unabhängigkeit der Deutschen Bundesbank durch die hinzukommende hoheitliche Zuständigkeit nicht berührt werde.

[269] BVerfGE 89, 155 (208).

[270] Siehe nur *Brosius-Gersdorf*, Deutsche Bundesbank und Demokratieprinzip, 1997, S. 178 ff.; *Stern*, Staatsrecht, Bd. II, 1980, S. 505 ff.; *Schmidt*, in: Isensee/Kirchhof (Hrsg.), HStR, Bd. V, 3. Aufl. 2007, § 117, Rn. 39 f.

[271] Siehe etwa *Herdegen*, in: Maunz/Dürig, Art. 88 (1998), Rn. 56, 41; *Gaitanides* (Fn. 56) Art. 88 (2007), Rn. 32; *Bauer*, in: Dreier (Hrsg.), GG, Bd. III, 2. Aufl. 2008, Art. 88, Rn. 12.

[272] Siehe auch *Heun* (Fn. 248), S. 45; *Herdegen*, WM 2000, 2121 (2122 f.); vgl. in diesem Zusammenhang auch *Mayen*, DÖV 2004, 45 ff.

[273] Kritisch zu dieser Konzeption *Wieland*, DV 42 (2009), i. E.

[274] Siehe *Deutsche Bundesbank*, Monatsbericht September 2000, S. 33 (44).

ren.[275] Die europa- und verfassungsrechtlich vorgegebene funktionale Entkoppelung zwischen den Aufgaben der Währungs- und Geldpolitik auf der einen Seite und der Bankenaufsicht auf der anderen Seite, die auch denkbare Konfliktfelder zwischen beiden Politiken reflektiert,[276] erfordert deshalb eine normativ abgestützte organisatorische Absicherung. Die Gründung einer unselbständigen Anstalt mit der Zuständigkeit für die Bankenaufsicht unter dem Dach der Deutschen Bundesbank wäre ein Modell, das die distanzwahrende Trennung weisungsfreier währungs- und geldpolitischer Aktivitäten einerseits und weisungsgebundener Finanzmarktkontrolle andererseits angemessen zum Ausdruck bringen würde.[277] Je stärker allerdings die organisatorische Absicherung der funktionalen Trennung ausfällt, umso mehr dürften sich erneut effektivitätsmindernde Koordinierungs- und Kooperationslasten einstellen.

IV. Verfassungsrechtliche Aspekte „rigider“ systemschützender Finanzmarktregulierung

1. Problemaufriss

Das Finanzmarktregulierungsrecht mit seinem breiten Instrumentenarsenal, intensiv ausgestalteten Informationsrechtsverhältnissen, Elementen einer symbiotischen Verwaltung, mit Formen qualitativer Überwachung und Enforcement-Steuerung ist ein Rechtsgebiet avancierter Regelungstechniken.[278] Zahlreiche (auch: Verfassungs-)Rechtsfragen sind mit diesem dichten Instrumentenmix verbunden, denen hier nicht nachgegangen werden kann. Die nachfolgenden Überlegungen beschränken sich auf einige ausgewählte Aspekte *rigider finanzmarktregulatorischer Intervention*, deren primäres Schutzziel die Systemstabilität ist. Die Existenz auch effektiver Zugriffsmechanismen ist nämlich Funktionsbedingung von Gewährleistungsstaatlichkeit.

Intensive Grundrechtseingriffe und harte Beschränkungen sind im Finanzmarkt – gelegentlicher Tabuisierung zum Trotz – keineswegs von vornherein ausgeschlossen. Die (Über-)Komplexität mancher Finanzmarktstrukturen bedeutet ferner nicht, dass der Staat hierauf

[275] Ein Beispiel bietet der erst auf Drängen der Bundesbank eingefügte § 3 a FMStBG; dazu *Gurlit*, WM 2009, 773 (775).
[276] Dazu *Glatzl*, Geldpolitik und Bankenaufsicht im Konflikt, 2009, S. 183 ff.
[277] Siehe zu einem solchen Modell auch schon *Heun* (Fn. 248), S. 47.
[278] Siehe hier nur im Überblick *Röhl* (Fn. 22), § 18 Rn. 42 ff.

nur mit komplexen Regulierungsstrategien antworten dürfte. Komplexitätsreduktion kann durchaus eine angemessene Reaktion sein. Allerdings setzen rigide Interventionen operationalisierbare und rechtsstaatskonforme, insbesondere grundrechtskompatible Eingriffstatbestände voraus, die zugleich den europarechtlichen Vorgaben gerecht werden. Dabei gilt grundsätzlich, daß sich mit steigender Eingriffsintensität auch die Anforderungen an die Regelungsdichte und Bestimmtheit gesetzlicher Ermächtigungen erhöhen.[279] Vor diesem Hintergrund sollen zwei im Gefolge der Finanzkrise vielfach diskutierte Fragestellungen kurz problematisiert werden:

(1) Zum einen ein mögliches Verbot bestimmter „Produkte“[280] bzw. Transaktionen,

(2) zum anderen der Umgang mit als „systemrelevant“ eingestuften Finanzmarktakteuren.

2. Verbot gefährlicher „Glücksspiele“?

a) Verantwortungsmarginalisierende Risikodistribution durch Mehrfachverbriefung

Einen erheblichen Verursachungsbeitrag zur Krise leistete der Derivatemarkt namentlich über die Technik der Verbriefung von Immobilienkrediten.[281] Während etwa für deutsche Hypothekenpfandbriefe die ausgebende Bank unmittelbar haftet (siehe § 1 PfandBG), begründeten die sog. mortgage-based-securities (MBS) als Unterkategorie der asset backed securities (ABS) nur Ansprüche gegen die Kreditschuldner und ihre Immobilien, nicht aber gegen die emittierende Bank. Hohe Renditeerwartungen führten zu unüberschaubaren „Verbriefungskaskaden“. Vor diesem Hintergrund ist der Ruf nach einem Verbot oder restriktiver Regulierung durchaus naheliegend. Nicht nur als renommierte Finanzrechtler ausgewiesene Verfassungsrichter haben ihr Erstaunen darüber zum Ausdruck gebracht, „daß ein Staat, der Glücksspiele zu seinem Monopol erklärt, um der Spielsucht Einhalt zu gebieten, der in den §§ 284, 285 StGB die unerlaubte Veranstaltung und Beteiligung an Glücksspielen sogar mit Strafe bedroht, die strukturell gleichen Finanzwetten als ordent-

---

[279] Siehe etwa BVerfGE 62, 203 (210); *Höfling/Augsberg*, RdE 2008, 353 (361).

[280] Im Blick auf die nachfolgend behandelten Mehrfachverbriefungen ist man versucht, *Hans Magnus Enzensberger* mit seinem „Alphabet der Krise“ (ZEIT-Magazin Nr. 12 vom März 2009) zu zitieren: „**Produkt,** das; oft mit dem Adjektiv innovativ versehen, ein Phantasieerzeugnis jener Branche, die stolz darauf ist, dass sie nicht produziert“.

[281] Näher hierzu *Heun*, JZ 2010, 53 (55 f.).

liche Bank- und Börsengeschäfte ohne Beanstandung passieren läßt".[282]

b) „Wilde Wahrscheinlichkeit" als Herausforderung des Risikoverwaltungsrechts

Nun wird man allerdings konzedieren müssen, daß Verbriefungen als solche zweifelsohne nützliche Instrumente zur Konsolidierung von Finanzierungsrisiken sind.[283] Andererseits erscheint die Charakterisierung jedenfalls von Teilen des Derivatemarktes als „Glücksspiel"-Veranstaltung eher verharmlosend. „Ökonomik ist keine zweite Physik".[284] Völlig unwahrscheinliche Ereignisse ereignen sich an den Finanzmärkten (leider) häufiger, als es die illusionäre Mathematisierung von Risikomodellen orakelt(e).[285] In seiner Eigenschaft als *spezifisches Risikoverwaltungsrecht* muss das Finanzmarktregulierungsrecht hierauf angemessen reagieren. Da das Risiko zweiter Ordnung – nämlich die Irrtumskosten unterlassener Regulierung[286] – immens groß sein kann, wie die Finanzkrise offenbart hat, darf der Staat nicht „blind" ein bestimmtes Risikomodell adaptieren.[287] Er muß sich sozusagen dem „Berufsirrtum des Ökonomikers, das Problem der Kalkulation in den Mittelpunkt einer Debatte zu rücken, die an die Grundfesten der politischen Gesamtordnung rührt",[288] verschließen.

---

[282] So *F. Kirchhof* (Fn. 46), S. 413 (420); ähnlich *P. Kirchhof* (Fn. 35), S. 7 ff. (7).

[283] Siehe hier nur *Sinn* (Fn. 1), S. 129 f.; zur Funktion von Derivaten insgesamt *Steinherr*, Derivatives. The Wild Beast of Finance, 1998, S. 132 ff.; hierauf verweisend auch *Heun*, JZ 2010, S. 53 (61), der deshalb auch von einem überschießenden Regulierungseifer warnt.

[284] *Vanberg*, Wettbewerb und Regelordnung, 2009, S. 289 ff.; siehe auch *Bieta*, ZgesKW 2008, 76 ff.

[285] Die Wahrscheinlichkeit für den Crash des Dow Jones am 19. Oktober 1987 (minus 29,2%) betrug nach der Standardabschätzung der Finanztheoretiker weniger als $1{:}10^{50}$ – eine Zahl „außerhalb der Größenordnungen der Natur"; siehe dazu die Darlegungen des französischen Mathematikers *Mandelbrot*: *Mandelbrot/Hudson*, Fraktale und Finanzen, 2. Aufl. 2005, S. 26, vgl. auch S. 145 für ein weiteres Beispiel eines tatsächlich erfolgten Kurssprungs von 10,7 Standardabweichungen: „Bezogen auf die normale Wahrscheinlichkeit heißt das: Selbst wenn die Citigroup seit dem Urknall täglich Dollar und Yen gehandelt hätte, sollte sich dieser Fall nicht ereignet haben – kein einziges Mal"; zum Ganzen auch *Thiele*, Bachelier, Black & Scholes oder Mandelbrot? – Anforderungen an das Recht im Falle divergierender Risikomodelle am Beispiel des Finanzmarkts, 2009; *Heun*, JZ 2010, 53 (56).

[286] Zur Begrifflichkeit *Scherzberg*, VVDStRL 63 (2004), 214 (219 ff.); ferner *Lepsius*, VVDStRL 63 (2004), 264 ff.

[287] Nochmals sei auf das „Vertrauen" der BaFin auf die Solidität von Ratings verwiesen, siehe oben bei Fn. 199; vgl. auch *Schmies*, in: Engel (Hrsg.), Recht und Verhalten, 2007, S. 165 (186 f.).

[288] So *Albert*, Ökonomische Theorie als politische Ideologie, 2009, S. 108.

Vor diesem Hintergrund begegnet es aus verfassungsrechtlicher Perspektive keinen Bedenken, *komplexe Weiterverbriefungen* rigide zu reglementieren. Der Vorschlag der EU-Kommission vom 13. Juli 2009 für eine Änderungsrichtlinie zu den Richtlinien 2006/48/EG und 2006/49/EG versucht, das Problem mit erhöhten Eigenkapitalanforderungen zu entschärfen.[289] Dabei sollen die nationalen Aufsichtsbehörden prüfen, ob die jeweilige Bank Art und Risiko der zugrundeliegenden Forderungen angemessen bewertet. Welche Verbriefungen als „besonders komplex“ gelten, soll der Ausschuß der Europäischen Bankenaufsichtsbehörden (CEBS) durch Leitlinien konkretisieren.[290] Der Mehrwert dieser komplizierten Reaktion auf ein komplexes Problem erscheint indes zweifelhaft.[291] Erwägenswert ist eine einfache, komplexitäts- und risikominimierende Alternative: das Verbot von Mehrfachverbriefungen, mit dem ein hohes Maß an Transparenz erzeugt und klare Verantwortungsstrukturen geschaffen werden.[292]

3. „Systemrelevanz“ als Eingriffstitel

a) Problemaufriss und Problemabschichtung

Ein, wenn nicht *der* Karrierebegriff der Finanzkrise dürfte der Terminus „Systemrelevanz“/„systemrelevant“ (und unmittelbar mit ihm verknüpft: Systemgefährdung) sein. Der unbestrittenen Prominenz dieser Kategorie und ihrer Bedeutung für die Stabilität des Finanzmarkts zum Trotz gehen allerdings die Ansichten über den regulatorischen Umgang mit systemrelevanten Finanzmarktakteuren[293] weit auseinander. Mehr noch: Das Begriffsverständnis selbst ist – nicht zuletzt wegen der Prägung durch psychologische Wahrnehmungsmuster (Vertrauen) – unsicher,[294] was die Eignung als Ein-

---

[289] Siehe KOM (2009) 362.

[290] Siehe Erwägungsgrund 16.

[291] Kritisch auch *Centrum für europäische Politik*, Eigenkapitalvorschriften für die Banken (Basel II), 26. 10. 2009, S. 3 (abrufbar unter http://www.cep.eu/fileadmin/user_upload/Kurz-Analysen/Basel_II/KA_Basel_II_Review_DE.pdf).

[292] Siehe auch *Sinn* (Fn. 1), S. 308.

[293] Nicht nur Banken zählen dazu; zu Hedgefonds siehe z.B. *Wilhelmi*, WM 2008, 861 ff.

[294] Siehe *Ohler* (Fn. 57), S. 47 (57); *Schneider*, ZRP 2009, 119 (120); *Becker/Mock* (Fn. 44), § 4, Rn. 40 ff.; näher zu einer Klassifikation systemischer Risiken: *Fey*, Banken zwischen Wettbewerb, Selbstkontrolle und staatlicher Regulierung, 2006, S. 62 ff. – Als ein Beispiel für den Versuch einer Legaldefinition siehe § 1 Abs. 1 Satz 2 KreditReorgG des BMJ – Diskussionspapier vom August 2009: „Systemrelevante Kreditinstitute sind Kreditinstitute, deren Bestandsgefährdung aufgrund ihrer Größe, der

griffstitel zweifelhaft erscheinen lassen könnte. Bevor dieser Fragestellung näher nachgegangen wird, bedarf es aber einiger problemabschichtender Ausführungen: Bezieht man die Systemrelevanz – hier ganz grob – auf die Finanzmarkt(system)stabilität, so lassen sich zunächst *zwei Instrumenteebenen* unterscheiden:

(1) Mit *präventiven* Interventionen kann man versuchen zu verhindern, daß die Stabilität des Finanzmarktsystems durch die „Pathologie" eines oder mehrerer systemrelevanter Akteure bedroht wird. Denkbare Instrumente wären etwa

(1.1) Entflechtung bestehender systemrelevanter Institute und Verhinderung des Entstehens neuer;[295]

(1.2) schrittweise Rückführung systemrelevanter Risikostrukturen etwa durch systemrelevanzkorrelierende Eigenkapitalanforderungen;

(1.3) Auflösung des Zusammenhangs von „too big to fail"-Eigenschaft und impliziter staatlicher Rettungspflicht durch Etablierung anderer (Pflicht-)Auffangsysteme.[296]

(2) Mit *reaktiven* und zugleich *protektiven* Interventionen soll im Krisenfall das Übergreifen auf die Stabilität des Gesamtsystems verhindert werden. Beispiele für entsprechende Eingriffsvarianten liefert etwa der britische Banking Act 2009.[297] Der deutsche Gesetzgeber hat insoweit auf dem (ersten) Höhepunkt der Krise mit eigentumsbeschränkenden Eingriffstatbeständen reagiert: Zum einen ermächtigt das sog. RettungsübernahmeG die Bundesregierung, zur Stabilisierung eines Unternehmens, das Leistungen der Stabilisierung in Anspruch genommen hat, dessen Eigentümer auf der Grundlage einer Rechtsverordnung zu enteignen.[298] Daneben eröffnet das Finanzmarktstabilisierungsbeschleunigungsgesetz durch Änderungen gesellschafts- und kapitalmarktrechtlicher Regelungen dem Bund die Möglichkeit, Minderheitsaktionäre im Wege des übernahme- oder

---

Intensität ihrer Interbankenbeziehungen und ihrer engen Verflechtung mit dem Ausland erhebliche negative Folgeeffekte bei anderen Kreditinstituten auslösen und zu einer Instabilität des Finanzsystems führen könnte".

[295] Zur „Unbundling"-Debatte in der Energiewirtschaft siehe z.B. *Möllinger*, Eigentumsrechtliche Entflechtung der Übertragungsnetze, 2009; *Müller-Terpitz/Weigl*, EuR 2009, 348ff.; *Mayen/Karpenstein*, RdE 2008, 33ff.

[296] Ein untauglicher Versuch war insoweit der sog. *Ackermann*-Plan eines EU-weiten Rettungsfonds und einer Lastenteilung zwischen Finanzindustrie und öffentlicher Hand, der nur zu einer Verstärkung von moral hazard führen würde; siehe auch *Wieland*, ZSE 2009, 470 (473). – Zur Einlagensicherung siehe *Bigus/Leyens*, Einlagensicherung und Anlegerentschädigung, 2008.

[297] Hierzu u.a. *Deutsche Bundesbank*, Finanzstabilitätsbericht 2009, 2009, S. 82f.

[298] Siehe §§ 1f. RettungsG. Siehe dazu *Engels*, BKR 2009, S. 465ff.; *Wolfers/Rau*, NJW 2009, S. 1297ff.; *Brück/Schalast/Schanz*, BB 2009, S. 1306ff.; *Appel/Rossi*, Finanzmarktkrise und Enteignung, 2009, passim.

aktienrechtlichen Squeeze-out aus dem Unternehmen zu drängen.[299] Auf diese Weise übernahm der Bund schließlich die *HRE.*[300]

Zum Ende der letzten Legislaturperiode sind dann – deutlich voneinander abweichende – Diskussionsentwürfe für Sondergesetze zur Sanierung systemrelevanter Finanzinstitute vom Bundesministerium der Justiz (BMJ) einerseits und vom Bundesministerium für Wirtschaft und Technologie (BMWi) vorgelegt worden. Das BMJ-Konzept sieht ein dreistufiges Verfahren vor. Ein neues Kreditinstitut-Reorganisationsgesetz konstituiert zunächst zwei Stufen eines Sanierungs- bzw. Reorganisationsverfahrens. Führen diese nicht zum Erfolg, sollen neue Interventionsmöglichkeiten bei Gefahren für die Stabilität des Finanzsystems (§§ 48a ff. KWG-E) u.a. mit der Möglichkeit einer sog. Übertragungsanordnung den Systemschutz bewirken.[301] Demgegenüber konzentriert sich das BMWi-Modell von vornherein auf ein Gesetz zur Ergänzung des Kreditwesensgesetzes und enthält Vorschläge für einen neuen Abschnitt im KWG über „Maßnahmen zur Restrukturierung“ (ebenfalls §§ 48a ff. KWG-E).[302]

Allen Interventionsinstrumenten gemeinsam ist (1) der *Eigentumszugriff* und (2) der *Anknüpfungspunkt der stabilitätsgefährdenden Systemrelevanz* der betroffenen Finanzmarktakteure. Beiden Aspekten ist im folgenden nähere Aufmerksamkeit zu widmen.

b) Der eigentumsverfassungsrechtliche Ausgangsbefund, insbes. zum Typus „systemrelevantes Eigentum“

Das Eigentumsgrundrecht ist ein normgeprägtes Grundrecht und auf die Ausgestaltung durch den Gesetzgeber („Inhaltsbestimmung“) angewiesen. Anders als die „natürlichen“ Freiheitsrechte garantiert Art. 14 Abs. 1 GG keine beliebige Entfaltungsfreiheit, sondern schützt eine kompetentielle Freiheit, deren Inhalt – bei Wahrung des Untermaßverbotes – legislativ bestimmt wird.[303] Art. 14 Abs. 2 GG weist dem inhaltsbestimmenden wie dem schrankenziehenden Gesetzgeber dabei die Richtung: Realisierung der Sozialpflichtigkeit. Dieser kommt dabei umso größere Bedeutung zu,

---

[299] Aus der Vielzahl der Stellungnahmen siehe etwa *Hopt/Fleckner/Kumpan/Steffeck*, WM 2009, S. 821 ff.; *Horn*, BKR 2008, S. 452 ff.; *Böckenförde*, NJW 2009, S. 2484 ff.; *Brück/Schalast/Schanz*, BB 2008, S. 2526 ff.; *Spindler*, DStR 2008, S. 2268 ff.; *Roitzsch/Wächter*, DZWIR 2009, S. 1 ff.; *Marotzke*, JZ 2009, S. 763 ff.

[300] Dazu etwa *Wieland*, ZSE 2009, 470 (478 f.).

[301] Zum Konzept siehe WM 2009, 1913 ff.

[302] Näher zu beiden Modellen *Eidenmüller*, Finanzkrise, Wirtschaftskrise und das deutsche Insolvenzrecht, 2009, S. 55 ff., 60 ff.; ferner *Ohler* (Fn. 57), S. 47 (58 ff.); siehe auch noch unten sub 4.

[303] Zur Dogmatik dieser Unterscheidung *Höfling*, Vertragsfreiheit, 1991, S. 29 ff.

desto weniger die Innehabung von Eigentumsrechten der vermögensrechtlichen Absicherung der eigenverantwortlichen persönlichen Freiheitsentfaltung dient bzw. desto stärker deren soziale und gesamtgesellschaftliche Funktion ausgeprägt ist.[304] Die vom Träger des Eigentumsgrundrechts geforderte „Solidarität" (Art. 14 Abs. 2 GG) ist nicht umkehrbar[305] in dem Sinne, daß der Staat zur Rettung von bedrohtem Eigentum verpflichtet wäre. Im Gegenteil: Der Konnex von freiheitlichem Wirtschaften und Verantwortungsübernahme für das Ergebnis dieser Freiheitsrealisierung verbietet eine „Risikosozialisierung". Der Staat – und d.h.: der Steuerbürger – muß nicht für die Fehler privater Finanzmarktakteure einstehen, darf vielmehr voraussetzen, daß das Gewinnstreben in Wahrnehmung von Berufs- und Eigentumsgrundrecht auf eigene Chance *und* eigenes Risiko erfolgt.[306]

Vor diesem Hintergrund leuchtet unmittelbar ein, daß der Gesetzgeber „systemrelevantes" Eigentum als eine spezifische Eigentumskategorie ausgestalten und formen darf und muss: Wegen der elementaren Bedeutung eines funktionsfähigen Finanzmarktes für das Gemeinwohl einerseits und das systemdestabiliserende Gefährdungspotential andererseits ist „systemrelevantes" Eigentum einer intensiven regulatorischen Einbindung zu unterwerfen.[307] „Systemische Bank zu sein hat seinen Preis"[308] (zu haben, muss man hinzufügen). Bislang jedenfalls ist dieser Preis deutlich zu niedrig angesetzt gewesen.[309]

c) „Systemrelevanz" als Eingriffstitel

Daß die Eigenschaft eines Finanzmarktunternehmens, systemrelevant zu sein, Anknüpfungspunkt (auch) für rigide regulatorische Interventionen sein kann und sein muss, steht danach außer Zweifel. Allerdings sind an die Fassung entsprechender Eingriffstatbestände[310] der Eingriffsintensität korrespondierende Anforderungen zu

---

[304] Dazu – mit Unterschieden im einzelnen – etwa *Wendt*, in: Sachs (Hrsg.), GG, 5. Aufl. 2009, Art. 14, Rn. 85 ff.; *Wieland*, in: Dreier (Hrsg.), GG, Bd. I, 2. Aufl. 2004, Art. 14, Rn. 38 ff.; ferner mit Blick auf die Finanzkrise *P. Kirchhof* (Fn. 35), S. 7 ff.

[305] Siehe *Droege*, DVBl. 2009, 1415 (1421).

[306] Siehe *P. Kirchhof* (Fn. 35), S. 7 (9); *Depenheuer*, in: Depenheuer (Hrsg.), Eigentumsverfassung und Finanzkrise, 2009, S. 3 (5).

[307] Siehe auch *Droege*, DVBl. 2009, 1415 (1417 f.).

[308] *Depenheuer* (Fn. 306), S. 3 (5), vgl. auch S. 6: an dieser Eigenschaft würden sich entsprechende Unternehmen „nur in begrenzter Weise erfreuen können und dürfen".

[309] Die z.T. alarmistische Rhetorik anläßlich des staatlichen Zugriffs auf die HRE hat insoweit ein fundamentales Mißverständnis offenbart.

[310] Siehe vorstehend sub 1.

stellen. Im Blick auf den Begriff der Systemrelevanz[311] hat die *Deutsche Bundesbank* vorgeschlagen, den Tatbestand nach dem Prinzip der hilfreichen Zweideutigkeit zu formulieren: Eine „exakte öffentlich zugängliche Definition der systemrelevanten Unternehmen" solle unterbleiben, um so moral hazard zu vermeiden.[312] Doch *constructive ambiguity ist kein rechtsstaatliches Bauprinzip.* Grundrechtsbeschränkungen, insbesondere eigentumsentziehende Maßnahmen, bedürfen einer hinreichend bestimmten gesetzlichen Grundlage.[313] Die Notwendigkeit genauerer Umschreibung der „Systemrelevanz" als einer – im Krisenfall – die Finanzmarktstabilität bedrohenden Eigenschaft ergibt sich auch schon aus dem Umstand, daß nach der *Risikoklassifizierung der BaFin* 2008 1,8% der Banken und Finanzdienstleistungsinstitute als hoch, 8,2% als mittel und 90,1% als niedrig systemrelevant eingestuft[314] wurden. Danach hat jedes Institut irgendeine Systemrelevanz; in dieser Unspezifität aber vermag der Terminus sicherlich nicht als Eingriffstitel zu fungieren.

Der im August 2009 vorgelegte BMJ-Diskussionsentwurf eines „*good bank-Modells*" enthält in einem § 48b KWG (neu) in den Absätzen 2 und 3 eine im *Grundsatz bedenkenswerte Konstruktion,* die auf eine Kombination von weit gefaßter Generalklausel, konkretisierender Beispieltechnik sowie prozeduraler Sicherungsklauseln (Anhörung der Bundesbank und Dokumentationspflichten) setzt, um den Begriff der „Systemgefährdung" (als Folge einer Bestandsgefährdung eines systemrelevanten Instituts) zu konturieren.[315]

Nachdrücklich zu unterstützen ist die zusätzliche Verfahrensdimension: Die Einbeziehung des Sachverstandes der Deutschen Bundesbank ist naheliegend; sie könnte noch gestärkt und in eine „Benehmens-Mitwirkung" umgestaltet werden. Wichtig ist ferner eine ausführlich Dokumentation des komplexen „faktengesättigten"[316] Evaluations- und Entscheidungsfindungsprozesses. Sie ermöglicht – und strukturiert in gewisser Weise auch – eine angemessene *gerichtliche Kontrolle* und sichert damit zusätzlich die Rechtsstaatlichkeit der Intervention.

---

[311] Bei reaktiven bzw. protektiven Interventionen ist daneben auch noch das Tatbestandsmerkmal der besonderen Gefährdungssituation des betroffenen Unternehmens zu beachten.

[312] *Deutsche Bundesbank*, Finanzstabilitätsbericht 2009, S. 83.

[313] Zweifelnd im Blick auf § 1 Abs. 1 und Abs. 4 RettungsG *Möllers*, ZBB 2009, 142 (150).

[314] Siehe *BaFin*, Jahresbericht 2008, 2009, S. 125f.

[315] Problematisch erscheint hier allerdings die in der generalklauselartigen Umschreibung enthaltene Variante einer erheblichen negativen Auswirkung des bestandsgefährdeten Instituts auf andere Unternehmen des Finanzsektors (Art. 2 S. 1 1. Alt.).

[316] *Möllers*, ZBB 2009, 142 (150).

d) Zentrale Regelungsanforderungen: Effektive und rechtssichere Zugriffsmöglichkeit; verfassungs- und europarechtskonforme Ausgestaltung

Vier Aspekte seien hervorgehoben, die eine konkrete Umsetzung eines finanzmarktregulatorischen Modells für den Umgang mit bestandsgefährdeten systemrelevanten Finanzakteuren zu beachten hat:

(1) Elementar ist zunächst eine rasche und effektive Zugriffsmöglichkeit auf das betreffende Institut. Dieser Zugriff sollte sowohl die Aktionärsverwaltungsrechte als auch die Gesellschaftsanteile umfassen. Die Beschränkung auf die Verwaltungsrechte[317] wäre für die Aktionäre problematisch, weil diese während der Suspensionszeit keine Befugnisse, aber das ökonomische Risiko zu tragen hätten. Bei einem Anteilsentzug stünde den Aktionären im übrigen ein etwaiger Restwert als Kompensation zu.[318]

(2) Im übrigen kommt es darauf an, daß Art und Weise des staatlichen Zugriffs *moral hazard* entgegenwirkt. Mit anderen Worten: Es muß verhindert werden, daß die betroffenen Institute nach einer kurzen „Rettungsphase" zur Tagesordnung übergehen können in der sicheren Erwartung einer erneuten staatlichen Hilfsintervention.

(3) Das Risiko einer Kollision mit europarechtlichen Vorgaben, insbesondere der Zweiten Gesellschaftsrechtlichen Richtlinie, sollte vermieden werden. Möglich ist dies – wegen Art. 345 AEUV (Art. 295 EGV) – jedenfalls bei einer Enteignung der Altaktionäre.[319] Unabhängig davon könnte ein Verstoß gegen die Kapitalrichtlinie wohl auch dadurch vermieden werden daß das Verfahren an eine materielle Insolvenzsituation anknüpft und die Aktionäre sowie die satzungsmäßigen Organe der Gesellschaft dauerhaft ihrer Rechte enthoben werden.[320]

(4) Schließlich ist auf eine Vorstufe „weicher" Regulierung, die auf die Eigeninitiative des betroffenen Instituts setzt,[321] zu verzichten. Das Verfahren sollte einfach und dadurch rechtssicher ausgestaltet sein.[322]

---

[317] Wie im BMWi-Modell.

[318] Zu Recht in diesem Sinne *Eidenmüller* (Fn. 301), S. 61 f.; *Amend*, ZIP 2009, 589 (598); eher kritisch *Ohler* (Fn. 57), S. 47 (60). – Zur Problematik dadurch bewirkter Mehrfachkontrolle von Finanzinstituten siehe *F. Kirchhof* (Fn. 46), S. 412 (424).

[319] Siehe auch *Hopt/Schleckner/Kumpan/Steffek*, WM 2009, 821 (830) mit weit. Nachw.; die Enteignung gegenüber einer sondergesellschaftsrechtlichen Konzeption bevorzugend auch *Möllers*, ZBB 2009, 142 (152).

[320] *Eidenmüller* (Fn. 302), S. 49 f. mit Fn. 126 unter Bezugnahme auf die Pafitis-Entscheidung des EuGH, Slg. 1996, I-1347, Rn. 57 ff.; vgl. ferner *Köndgen*, ZBB 2009, 142 (147).

[321] In diesem Sinne die erste Stufe des BMJ-Modells.

[322] Ähnlich *Eidenmüller* (Fn. 302), S. 60 f.; *Ohler* (Fn. 57), S. 47 (60).

F. Schlussbemerkungen

Die freiheitliche Wirtschaftsordnung – und ihre Regulierung – stehen vor großen Herausforderungen. Ihr droht allerdings – anderslautenden Kassandrarufen zum Trotz – nicht die Gefahr der Sozialisierung, sondern der Verantwortungsmarginalisierung.[323] Das Finanzmarktregulierungsrecht muß deshalb insgesamt stärker auf seine Verfassungsstrukturkompatibilität hin ausgerichtet werden. Dazu bedarf es weder einer Krisendogmatik noch einer wirtschaftlichen Notstandsverfassung.[324] Sinnvoll sind vielmehr komplexitätsreduzierende Regelungen, die der Gewährleistungsverantwortung des Staates für die Finanzmarktstabilität effektiv Geltung verschaffen.

---

[323] Ähnlich *P. Kirchhof*, Die internationale Finanzkrise – Ein Weg zur Erneuerung von Verfassungsstaat und Marktwirtschaft, Manuskript 2009, S. 8.

[324] Siehe auch *Leisner*, DVBl. 2009, 1409ff.

Thesen

1. *Die Gewährleistung von Finanzmarktstabilität ist eine elementare Staatsaufgabe* im Mehrebenensystem. Die Wahrnehmung der *Gewährleistungsverantwortung* erfolgt über die Finanzmarktregulierung (i.w.S.). Das Finanzmarktregulierungsrecht ist weder darauf beschränkt, die „Eigengesetzlichkeit" des Finanzmarkts zu stützen noch ist es gar bloßes Abbild ordnungsbildender Sachgesetzlichkeit des Finanzmarktes. Vielmehr gilt: Zwingendes Korrelat der staatlichen Gewährleistungsverantwortung für die Stabilität des Finanzmarktes ist eine angemessene regulatorische Kontrolle.

2. Der Staat als Verpflichtungssubjekt regulatorischer Finanzmarktverantwortung kommt dieser in einer dreifachen Funktion nach:
   (1) Zunächst konstituiert der Staat in Gestalt der Zentralbank den Finanzmarkt mit und erbringt eine permanente Infrastrukturleistung von zentraler Bedeutung.
   (2) Zum zweiten agiert der Staat als unmittelbarer Finanzmarktakteur und kann in strikter Orientierung an einem öffentlichen Zweck auch insoweit finanzmarktregulierend tätig sein.
   (3) Schließlich verfügt der Staat über ein breit gefächertes Arsenal marktsteuernder, marktbeaufsichtigender und marktinterveniernder Einflußnahme.

3. Die Finanzmarktrechtsordnung ist – wie alle Teilrechtsordnungen – eingebettet in die europäische und deutsche Verfassungsordnung. Das regulatorische Gesamtkonzept muß deshalb verpflichtet sein auf eine strukturelle Homogenität mit der Verfassungsrechtsordnung *(„Verfassungsstrukturkompatiblität" der Finanzmarktordnung).* Wichtige Impulse ergeben sich dabei aus dem finanzverfassungsrechtlichen Risikobegrenzungs- und Nachhaltigkeitsgebot sowie dem Prinzip rechtsstaatlicher Demokratie.

4. Den *Zentralbanken bzw. dem ESZB kommt eine wichtige kriseninterventionistische Stabilisierungsaufgabe* zu. Sie betrifft die Liquiditätsversorgung. Ihre Lender of Last Resort-Funktion (LOLR-Funktion) wirft allerdings – abgesehen von der beihilferechtlichen Problematik – einige Fragen auf. Angesichts einer

parallelen LOLR-Kompetenz des ESZB und der nationalen Zentralbanken bedarf es einer genaueren Kompetenzabgrenzung für den Konfliktfall unterschiedlicher Einschätzungen über die Unabweisbarkeit einer Liquiditätsintervention.

5. Eine rechtpolitisch motivierte Befassung mit dem Finanzmarkt muß in Deutschland auch den öffentlichen Sektor in den Blick nehmen. Insoweit bedarf es der nachdrücklichen Feststellung, daß der *Staat als unmittelbarer Finanzmarktakteur* nur dann eine legitime Rolle spielt, wenn er einen normativ präzisierten öffentlichen Zweck verfolgt. Eine erwerbswirtschaftliche Motivation bzw. eine *Gewinnerzielungsabsicht des Staates als solche entfaltet keinerlei legitimatorische Wirkung.*

6. Eine grundsätzlich anzuerkennende institutionelle Legitimation von Sparkassen und Landesbanken erlaubt keinen Schluss auf eine umfassende tätigkeitsbezogene Legitimation. Vielmehr muss die jeweilige Marktaktivität aus einem eigenen öffentlichen Zweck heraus gerechtfertigt werden können. Vor diesem Hintergrund ergeben sich insbesondere für die *Landesbanken* weitgehende *Restrukturierungszwänge.* Der Einsatz von Steuererträgen als Wagniskapital mit der Konsequenz des Einsatzes weiterer Steuermittel zur Verlustdeckung erweist sich als eklatante Gemeinwohldemontage.

7. Erheblichen *Legitimationszweifeln* ist auch ein bedeutender Teil der *finanzmarktregulierenden Standardsetzung* ausgesetzt. Sie ist heute international und im wesentlichen ein hoheitlich-privates Verbundprojekt; der Entstehungsprozess ist geprägt durch ein hohes Maß an Informalität und die Prädominanz professioneller Standardsetter.

8. Hier besteht – etwa im Blick auf die Standardsetzung durch den Baseler Ausschuß für Bankenaufsicht – Reformbedarf. Völkerrechtlich „freischwebende“ exekutive Standardsetzung muss verstärkt rückgebunden werden an sachgesetzliche Steuerungsnormen, die zugleich die *Einbindung in einen demokratischen Legitimationszusammenhang* sicherstellen. Darüber hinaus bedarf es einer steuernden Rezeption von professionellen Standards.

9. Aus verfassungsrechtlicher Perspektive inakzeptabel ist der Umstand, daß den *Rating-Agenturen* faktisch ein Teil der Finanzaufsicht überlassen worden ist. Die – explizit eingestandene – *Selbstauslieferung der Finanzmarktaufsicht wird Minimalanforderungen gewährleistungsstaatlicher Aufsicht nicht mehr gerecht.*

10. Auch nach einer weiteren Überführung der finanzmarktregulatorischen Kontrolle in Verbundstrukturen wird in Zukunft der nationalen Finanzmarktaufsichtsorganisation eine bedeutsame Funktion verbleiben. Dies ist verfassungsrechtlich angezeigt, weil Finanzmarktaufsicht und *Finanzmarktregulierung* Gebiete betreffen, die den *Kernbereich staatlicher Souveränität* berühren.
11. Die *Reformüberlegungen* in Deutschland, die *Bankenaufsicht bei der Deutschen Bundesbank* zu bündeln, stoßen auf hohe verwaltungskompetentielle Hürden. Deshalb ist eine *Verfassungsänderung angezeigt,* um die Übertragung der Bankenaufsicht auf eine sichere Grundlage zu stellen. Die Option einer legislativen Übertragung der Bankenaufsicht auf die Deutsche Bundesbank steht darüber hinaus vor der Herausforderung, einerseits den durch höherrangiges Recht gesicherten Unabhängigkeitsstatus im Kernbereich der Währungssicherung zu gewährleisten, andererseits aber zugleich die Bankenaufsicht in die hierarchischen Strukturen der Fach- und Rechtsaufsicht einzubinden.
12. Wesentliche Funktionsbedingung von Gewährleistungsstaatlichkeit ist die *Existenz effektiver Zugriffsmechanismen.* Vor diesem Hintergrund sind auch rigide finanzmarktregulatorische Interventionen erforderlich. In seiner Eigenschaft als spezifisches Risikoverwaltungsrecht muss das Finanzmarktregulierungsrecht eine angemessene Antwort auf die Herausforderungen der „wilden Wahrscheinlichkeiten" des Finanzmarktes finden. Der Staat muß in seiner Rechtsordnung reflektieren, daß die Ökonomik „keine zweite Physik" ist.
13. Vor diesem Hintergrund würde aus verfassungsrechtlicher Perspektive ein *Verbot von komplexen Weiterverbriefungen keinen Bedenken* begegnen. Mit einer solchen komplexitäts- und risikominimierenden Intervention könnten ein hohes Maß an Transparenz erzeugt und klare Verantwortungsstrukturen geschaffen werden.
14. Zu den besonderen Herausforderungen, vor denen die Finanzmarktregulierung steht, zählen die sog. systemrelevanten Finanzmarktakteure. Nach Maßgabe der grundgesetzlichen Eigentumsgarantie hat der *Gesetzgeber systemrelevantes Eigentum als eine spezifische Eigentumskategorie auszugestalten,* wobei das systemdestabilisierende Gefährdungspotential eine intensive regulatorische Einbindung verlangt. Staatliche Interventionen zur Abwendung von Systemgefahren erfordern ein Regulierungsmodell, das effektive und rechtssichere Zugriffsmöglichkeiten bei Wahrung der verfassungs- und europarechtlichen Anforderungen garantiert.

Gutachten E, F und G
zum 68. Deutschen Juristentag
Berlin 2010

Verhandlungen des 68. Deutschen Juristentages

Berlin 2010

Herausgegeben von der
Ständigen Deputation
des Deutschen Juristentages

Band I

Gutachten

Teil G

Finanzmarktregulierung – Welche Regelungen empfehlen sich für den deutschen und europäischen Finanzsektor?

Gutachten G

zum 68. Deutschen Juristentag

Erstattet von

Prof. Dr. Daniel Zimmer, LL.M.

Direktor des Center for Advanced Studies in Law and Economics (CASTLE) an der Rheinischen Friedrich-Wilhelms-Universität Bonn

Mitglied der Monopolkommission

Verlag C. H. Beck München 2010

Inhaltsverzeichnis

A. Standortbestimmung und Themenabgrenzung

I. Aufgabenstellung und Prämissen

Die öffentliche Diskussion um die Ursachen der noch im Jahr 2010 anhaltenden Finanz- und Wirtschaftskrise hat vielfach die Frage berührt, ob vom Fall eines Markt- oder von einem solchen eines Staatsversagens auszugehen sei. Das vorliegende Gutachten hat nicht zum Ziel, diese – in ihrer Zuspitzung wohl zu einfach gestellte – Frage einer abschließenden Antwort zuzuführen.[1] Der Verfasser versteht es als seine Aufgabe, zukunftsgerichtete Aussagen zum Verhältnis von Markt und Staat im Finanzmarktwesen zu entwickeln. Hierbei liegt es nahe, im Interesse einer Vermeidung künftiger Fehlentwicklungen auch Erkenntnisse über die Entstehungsgründe der derzeitigen Krise einzubeziehen. Das Gutachten soll aber bei der – in der Diskussion der jüngsten Vergangenheit ganz im Vordergrund befindlichen und bereits mit vielen Einzelmaßnahmen adressierten – Aufgabe der Krisenprävention nicht stehen bleiben. Es geht in einem weiterführenden Sinn der Frage nach, wie ein Finanzmarktrecht auf den Ebenen des europäischen Gemeinschaftsrechts und des nationalen Rechts künftig verfasst sein könnte. Der Aufgabenverteilung unter den drei Gutachtern entsprechend konzentriert der Verfasser sich auf diejenigen Felder des Wirtschaftsrechts, die herkömmlicherweise von Fachvertretern des privaten Wirtschaftsrechts behandelt werden.[2]

Ausgehend von einer grundsätzlichen Entscheidung für eine marktwirtschaftlich-wettbewerbliche Wirtschaftsordnung[3] wendet

---

[1] Zur Analyse der Ursachen der Krise eingehend das Gutachten von *Hellwig* (in diesem Band); darüber hinaus beispielsweise *Hopt*, NZG 2009, 1401 ff.

[2] Aus dem Blickwinkel des Verfassers spricht viel dafür, im Bereich des Wirtschaftsrechts die Unterscheidung zwischen Privatrecht und öffentlichem Recht aufzugeben.

[3] Aus Platzgründen muss auf eine eingehende Begründung verzichtet werden. Dazu, dass die wirtschaftsrelevanten Grundrechte des GG in der Sache den Schutz einer Ordnung verbürgen, die marktwirtschaftlich-wettbewerblich geprägt ist, *di Fabio*, Zeitschrift für Wettbewerbsrecht (ZWeR) 2007, 266, 270, Fußnote 26; *ders.* in Maunz/Dürig, Kommentar zum Grundgesetz, Art. 2 Rn. 76–78. Zur Interpretation von einschlägigen Normen des europäischen Primärrechts, die – bei veränderter Artikelzählung – auch nach dem Vertrag von Lissabon fortbestehen, *Wittelsberger* in Groeben/Schwarze, EU/EG-Vertrag, 6. Aufl. 2003, Art. 4 EG Rn. 9 und Art. 98 EG Rn. 6 ff.

das Gutachten sich den Funktionsbedingungen einer solchen Ordnung im Bereich der Finanzmärkte zu. Die Rechtsordnung hat schon bisher grundlegende Bedingungen des Marktprozesses im Finanzwesen durch Sonderregeln zu schützen gesucht. Besondere Prominenz haben hierbei Bestimmungen erlangt, die eine Gefährdung des Bankensystems, welche vom wirtschaftlichen Zusammenbruch einzelner Institute ausgehen könnte, zu vermeiden versuchen. Ihren Geltungsgrund haben die hiermit angesprochenen Spezialbestimmungen zur *Bankenregulierung* in der zentralen Bedeutung des Bankwesens sowohl für den Zahlungsverkehr als auch für die Kreditgewährung in einer Volkswirtschaft. Normen des *Kapitalmarktrechts* adressieren demgegenüber Funktionsvoraussetzungen des Marktprozesses. Sie sind darauf gerichtet, für Kapitalmärkte charakteristische Informationsasymmetrien abzubauen (etwa durch besondere Publizitätsgebote) sowie in einem allgemeinen Sinne das Vertrauen von Anlegern zu stärken, nicht durch unseriöses oder als unfair empfundenes Marktgebaren (z.B. Insidertransaktionen oder Marktmanipulation) übervorteilt zu werden.

In beiden Bereichen – Bankenregulierung wie Kapitalmarktrecht – besteht kein Anlass dazu, die dem geltenden Recht zugrunde liegenden Bewertungen in prinzipieller Weise in Frage zu stellen: Die zentrale volkswirtschaftliche Bedeutung eines funktionsfähigen Bankwesens ist in der jüngsten Finanzkrise auch für eine breite Öffentlichkeit fassbar geworden, und die aus einem hohen Fremdkapitaleinsatz und erheblichen wirtschaftlichen Verflechtungen herrührende Anfälligkeit des Banken-*Systems* erscheint als triftiger Beleg für die Erforderlichkeit einer klugen Regulierung in diesem Bereich. Auch am Wert anlegerschützender Regelungen im Bereich der Kapitalmärkte – mit denen zugleich und, wie vielfach angenommen wird, vornehmlich – die Funktionsfähigkeit des Kapitalmarktes im Ganzen gefördert werden soll,[4] kann kaum ernstlich gezweifelt werden. Jedenfalls darf angenommen werden, dass die Bereitschaft von Menschen zum wirtschaftlichen Engagement am Kapitalmarkt geringer und damit auch die Finanzierungsmöglichkeit kapitalbedürftiger Unternehmen weniger ausgeprägt wären, wenn Investoren gewärti-

---

[4] Zum Verhältnis von Anlegerschutz und Markteffizienz exemplarisch Erwägungsgrund 10 der Prospektrichtlinie (Richtlinie 2003/71/EG des Europäischen Parlaments und des Rates vom 4. 11. 2003 betreffend den Prospekt, der beim öffentlichen Angebot von Wertpapieren oder bei deren Zulassung zum Handel zu veröffentlichen ist, und zur Änderung der Richtlinie 2001/34/EG, ABl. EU Nr. L 345 vom 31. 12. 2003, S. 64 (Prospektrichtlinie): „Anlegerschutz und … Markteffizienz"; aus dem deutschen Recht die Regierungsbegründung zum 2. Finanzmarktförderungsgesetz: BT-Drucks. 12/6679, S. 33: „Für die Funktionsfähigkeit der Finanzmärkte ist das Vertrauen der Anleger von entscheidender Bedeutung."

gen müssten, beispielsweise durch manipulative Praktiken um ihre Gewinnchancen gebracht zu werden.[5]

In der Zwischenzeit sind aber Entwicklungen eingetreten, die eine teilweise Neubewertung und eine Veränderung in der rechtspolitischen Schwerpunktsetzung nahe legen. Diese Entwicklungen sind zu einem Teil tatsächlicher Natur und betreffen die wirtschaftlichen Verhältnisse auf den Finanzmärkten. Zum anderen sind neuere Ergebnisse der wirtschaftwissenschaftlichen Forschung in Rechnung zu stellen.

II. Analyse neuerer Entwicklungen und erste Lösungsansätze

1. Außerkraftsetzung von Marktmechanismen durch staatliche Einflussnahme auf und staatliche Beteiligung an Banken

Die jüngste Finanzkrise hat zu staatlichen Interventionen in die Bankwirtschaft in einem Ausmaß geführt, wie es noch vor wenigen Jahren kaum vorstellbar erschien. Dies- wie jenseits des Atlantiks kam es zur staatlichen Übernahme von Finanzinstituten und zu Stützungsmaßnahmen unterschiedlichster Art. In Deutschland erscheinen die „Rettung“ der Hypo-Real-Estate (HRE) mit Garantien des Bundes im Umfang von mehr als 100 Milliarden € und die Beteiligung des Bundes als Aktionär der Commerzbank als besonders weit reichende Interventionen. Stützungsmaßnahmen des Bundes schlossen darüber hinaus die Übernahme stiller Beteiligungen an Banken, die Besicherung von von Banken begebenen Anleihen, die Ermöglichung der Auslagerung von Risikoaktiva an sog. Bad Banks unter staatlicher Besicherung der hieraus zugunsten der Banken resultierenden Forderungen sowie anderweitige Sicherungen im Interbankengeschäft ein.

Die skizzierten Maßnahmen widersprechen Grundsätzen einer marktwirtschaftlich-wettbewerblichen Ordnung. Sie führen zu Wettbewerbsverzerrungen und schädigen, soweit sie einzelne Insti-

[5] Zu diesen Zusammenhängen im Kontext des europäischen Rechts *Cesarini*, Economics of Securities Markets Regulation: Some Current Issues, in European Securities Markets, 2000, S. 65ff.; *Moloney*, E.C. Securities Regulation, 2. Aufl. 2008, S. 53; aus dem deutschen Schrifttum grundlegend *Hopt*, Der Kapitalanlegerschutz im Recht der Banken, 1975, S. 336f.; aus neuer Zeit *Hellgardt*, Europäisches Kapitalmarktrecht und Corporate Governance, in: Baum/Fleckner/Hellgardt (Hrsg.), Perspektiven des Wirtschaftsrechts, S. 397ff.; *Köndgen* in Fleischer/Zimmer (Hrsg.), Effizienz als Regelungsziel im Handels- und Wirtschaftsrecht, S. 100, 108–111 mit eingehenden Nachweisen.

tute begünstigen, andere. Einen Hinweis auf diese verzerrenden Effekte geben Unterschiede bei den Risikoprämien für Kreditausfallrisiken einerseits bei staatlich gestützten und andererseits bei nicht gestützten Banken: Zeitungsberichten zufolge sanken die Kosten für die Absicherung von gegen die Commerzbank gerichteten Forderungen nach dem Einstieg des Bundes unter den Wert, der für die Absicherung von gegen die Deutsche Bank gerichteten Forderungen aufzuwenden war. Vor dem Staatseinstieg hatte die Commerzbank als insolvenzgefährdet gegolten, und auch nach der Staatsbeteiligung arbeitete sie hochgradig verlustreich, während die Deutsche Bank Milliardengewinne erwirtschaftete.[6]

Neben der beschriebenen wettbewerbsverzerrenden Wirkung besteht auch die Besorgnis einer zunehmenden staatlichen Einflussnahme auf die Geschäftspolitik von Kreditinstituten. Zwar hat die Bundesregierung im Zusammenhang der Staatsbeteiligung an der Commerzbank betont, keinen Einfluss auf das Tagesgeschäft nehmen zu wollen, und von der Möglichkeit einer Repräsentation im Aufsichtsrat der Bank durch eigene Staatssekretäre hat sie bisher abgesehen. Von führenden Politkern wurden aber Erwartungen geäußert, gerettete Banken könnten künftig verstärkt Kredite an mittelständische Unternehmen vergeben. Dass eine solche Einflussnahme möglich erscheint, ergibt sich aus der wirtschaftlichen Abhängigkeit der Institute von staatlichen Hilfen.

Abhängigkeiten sind schließlich auch in umgekehrter Richtung zu beobachten: Regierungen können es nicht zulassen – oder meinen es nicht zulassen zu können –, dass große Kreditinstitute insolvent werden. Das Dilemma, in dem die Politik sich befindet, ist beim Zusammenbruch der US-amerikanischen Bank Lehman Brothers im September 2008 greifbar geworden: Die Regierung der Vereinigten Staaten, die zuvor andere große Institute (Bears Stearns, Fannie Mae, Freddie Mac) gestützt hatte, versagte der Bank eine Rettung vor der Insolvenz, was von Marktbefürwortern umgehend als ein richtiges Signal angesehen wurde: Bankmanager sollten sich nicht auf eine Rettung durch den Staat verlassen können, ein ‚moral hazard' (namentlich durch gefahrlose Spekulation zu Lasten der notfalls einspringenden Steuerzahler) dürfe sich für sie nicht lohnen. Im Rückblick wird das Fehlen einer Staatsintervention zu Gunsten der Bank aber von vielen als der schwerwiegendste Fehler der US-Regierung im Zusammenhang der Finanzkrise betrachtet: Der Zusammenbruch dieser Bank, mit dem viele Marktbeobachter nicht gerechnet hatten, löste weltweit panikartige Reaktionen aus und führte in zahlreichen Ländern zu der Sorge, ein Zusammenbruch des Bankensystems stehe

[6] „Für Banken verlieren Garantien an Bedeutung", FAZ vom 7. 8. 2009, S. 19.

bevor. Diese Zuspitzung der Krise führte in Deutschland in kürzester Zeit zum Erlass des Finanzmarktstabilisierungsgesetzes,[7] auf dem die eingangs geschilderten staatlichen Stützungsmaßnahmen wesentlich beruhen.

Im Ganzen ergibt sich das Bild einer aus marktwirtschaftlich-wettbewerblicher Perspektive unguten beiderseitigen Abhängigkeit: Zahlreiche Banken sind ohne staatliche Unterstützungsleistungen nicht lebensfähig; umgekehrt haben sie, soweit sie als systemrelevant betrachtet werden, Zugriff auf Vorteile, die Unternehmen in funktionierenden Märkten nicht zukommen. Dass der Wettbewerb unter solchen Voraussetzungen seine Auslese- und Allokationsfunktionen nicht erbringen kann, ist offensichtlich: Unternehmen, die schlecht wirtschaften, werden durch Wettbewerbskräfte nicht mehr zum Marktaustritt bewegt, und wirtschaftliche Ressourcen werden nicht mehr durch Marktkräfte ihrer besten Verwendung zugeführt, wenn staatliche Stellen durch Hilfsbewilligungen über die Rentabilität von Unternehmen entscheiden. Der Markt vermag danach seine wohlfahrtfördernden Funktionen nicht mehr zu entfalten.

Die geschilderte Entwicklung gibt Anlass dazu, das Problem der beiderseitigen Abhängigkeit von Staat und als „systemrelevant" angesehenen Banken in grundsätzlicher Weise anzugehen. Eine Ausgangsüberlegung hierzu muss wie folgt lauten: Das Problem wäre behoben, wenn es nicht zu Bankenzusammenbrüchen kommen könnte, die – über das einzelne Institut hinausgehend – bedrohliche Wirkungen für das für Zahlungsverkehr und Kreditwesen einer Volkswirtschaft zentral bedeutsame Bankensystem als solches entfalten. In diesem Fall – in dem von der Insolvenz eines einzelnen Instituts keine bedrohliche „systemische" Wirkung ausgehen kann – hätten staatliche Stellen keinen weitergehenden Anlass zu rettenden Interventionen als in anderen Branchen.[8] *Ansätze zu einer Lösung* könnten in folgendem Bestehen:

- *Sonder-Zusammenschlusskontrolle für den Bankensektor* mit dem Ziel der Sicherung einer Marktstruktur, bei der vom Zusammenbruch einzelner Institute keine systembedrohenden Effekte ausgehen

---

[7] Gesetz zur Umsetzung eines Maßnahmenpakets zur Stabilisierung des Finanzmarktes (Finanzmarktstabilisierungsgesetz – FMStG) vom 17. 10. 2008, BGBl. I 2008, 1982; zuletzt geändert durch Art. 1 des Gesetzes zur Erleichterung der Sanierung von Unternehmen vom 24. 9. 2009, BGBl. I 2009, 3151.

[8] Dies soll in keiner Weise bedeuten, dass staatliche Rettungsmaßnahmen für Unternehmen außerhalb des Bankensektors vom hier eingenommenen Standpunkt aus unbedenklich erschienen. Im Gegenteil: Die im Text angeführten Bedenken bestehen auch hier. Das vorgelegte Gutachten hat aber den besonderen Fall des Finanzsektors zum Gegenstand und konzentriert sich daher auf das Sonderproblem der Behandlung „systemrelevanter" Banken.

- *Entflechtungsregelungen für den Bankensektor* mit dem Ziel der Herstellung einer Marktstruktur, bei der vom Zusammenbruch einzelner Institute keine systembedrohenden Effekte ausgehen
- *Nach Größenklassen differenzierende Sonderregeln etwa zu Eigenkapitalanforderungen* an Kreditinstitute, die der Entstehung *„systemrelevanter" Institute* in der Tendenz *entgegenwirken* bzw. die die von solchen Banken für Dritte und die Allgemeinheit ausgehenden *Risiken internalisieren,* d.h. den betroffenen Instituten zuweisen
- *Sonderregelungen zur Bankensanierung und -insolvenz,* die ein Übergreifen von Insolvenzwirkungen auf andere Banken vermeiden und damit einen *„systemischen" Effekt* der Insolvenz eines Instituts *verhindern.*

2. Bedrohung der Finanzmarktstabilität durch Mängel der Informationsverarbeitung und bestehende Fehlanreize auf Kapitalmärkten

Ein funktionierender Kapitalmarkt ist für die Entfaltung wirtschaftlicher Produktivkräfte von zentraler Bedeutung: Am Kapitalmarkt wird privates Geld zu Investitionskapital, hier entscheidet sich, ob es einer volkswirtschaftlich sinnvollen und damit wohlfahrtsteigernden Verwendung zugeführt wird.[9] Dass in diesem Informationsprozess Informationen eine entscheidende Rolle spielen, ist offensichtlich. Ein Anleger benötigt beispielsweise Informationen über die Bonität verschiedener Kapitalnehmer, wenn er eine abgewogene Investitionsentscheidung treffen möchte. Eine unter optimaler Information erfolgende Anlegerentscheidung kommt nicht nur dem einzelnen Investor, sondern auch der Volkswirtschaft im Ganzen zu Gute, da sie den Fluss des knappen Kapitals zum Ort seiner besten Verwendung begünstigt.

Seit langem ist freilich bekannt, dass auf Kapitalmärkten Informationsprobleme besonderer Art bestehen. Offensichtlich ist dies zunächst für das Verhältnis von Kapitalnehmern zu Kapitalgebern: Unternehmen haben über ihre eigenen Verhältnisse in der Regel sehr viel bessere Kenntnisse als die ihnen gegenüberstehenden anlagewil-

---

[9] Zu diesen Zusammenhängen *Engels*, Das Trilemma der Finanzmärkte, in: Anlegerschutz und Vertrauensbildung an Finanzmärkten, 1992, S. 11, 22; *Koch/Schmidt*, Ziele und Instrumente des Anlegerschutzes, BFuP 1981, 231, 235; siehe auch bereits *Hopt*, Inwieweit empfiehlt sich eine allgemeine gesetzliche Regelung des Anlegerschutzes, Gutachten für den Einundfünfzigsten Deutschen Juristentag, 1976, S. G 47f.

ligen Investoren. Moderne Kapitalmarktrechte adressieren dieses Problem der Informationsasymmetrie in erster Linie durch Publizitätsregelungen, die insbesondere Emittenten von Wertpapieren zu einer weit reichenden Offenlegung ihrer wirtschaftlichen Verhältnisse verpflichten.

Die jüngste Finanzkrise lässt die auf Kapitalmärkten bestehenden Informationsprobleme in einem veränderten Licht erscheinen. Massenhafte Fehlbewertungen von Investitionstiteln, die zunächst zur Bildung sog. spekulativer Blasen und anschließend zum Vermögensverlust bei weiten Teilen der Anlegerschaft führen, waren in der Vergangenheit vornehmlich privaten Anlegern unterlaufen.[10] An der Finanzkrise der Jahre 2007ff vermag zu verblüffen, dass es in erster Linie professionelle Anleger waren, die in großer Zahl Papiere erwarben, welche sich später als drastisch überbewertet erwiesen: Vor allem Banken auf beiden Seiten des Atlantik erwarben in großem Umfang verbriefte Kreditforderungen, die sich hernach als wenig werthaltig erwiesen. Damit wurde ein Wirtschaftszweig getroffen, bei dem man bezüglich der Bewertung von Wertpapieren und – insbesondere – der Einschätzung von Kreditrisiken besondere Expertise vermutet hätte.

Die gegenwärtige Krise scheint damit eine in den Wirtschaftswissenschaften über lange Zeit einflussreiche These zu widerlegen: Während Privatanleger, so lautet die These, aufgrund eines oft wenig rationalen Anlageverhaltens Kursentwicklungen auslösten, die mit den Fundamentalwerten der gehandelten Anlagen wenig zu tun hätten, würden professionelle Anleger („smart money") korrigierend eingreifen und so die Informationseffizienz am Kapitalmarkt wieder herstellen: Das besser informierte „kluge Geld" würde sich im Wege der Arbitrage die Differenz zwischen herrschendem Kurs und langfristigem Wert einer Anlage zu nutze machen und im Fall einer Unterbewertung kaufen, im Fall einer Überbewertung – nötigenfalls durch sog. Leergeschäfte – verkaufen.[11]

Freilich hat auch in der Wissenschaft die These, die Effizienz der Kapitalmärkte werde durch das Investitionsverhalten professioneller Anleger gefördert, Widerspruch erfahren. So gehen in jüngerer Zeit vorgelegte Untersuchungen davon aus, dass auch professionelle Akteure oft kein Interesse daran haben, sich Diskrepanzen zwischen einem „inneren Wert" von Vermögensanlagen und ihrem Kurs kurzfristig durch Arbitragegeschäfte zu nutze zu machen und so zu einer

[10] Als Beispiel kann das Platzen der sog. Dotcom-Blase um die Jahrtausendwende angeführt werden, das in Deutschland zum Zusammenbruch des Neuen Marktes – eines Segments der Deutschen Börse – führte.

[11] Vgl. zu dieser These *Posner*, 50 Stanford Law Review 1551, 1553f. (1998); ferner schon *Gilson/Kraakman*, 70 Virginia Law Review 549, 581ff. (1984).

„realistischeren" Preisbildung beizutragen. Zum einen kann „Arbitrage" im beschriebenen Sinn als eine risikoreiche Strategie erscheinen: Möglicherweise nutzt dem Arbitrageur sein überlegenes Wissen über den „inneren Wert" eines Anlagetitels nichts, weil der Kurs aufgrund des Handelns anderer – weniger gut informierter oder aus anderen Gründen abweichend handelnder[12] – Marktteilnehmer sich weiterhin nicht in Richtung auf eine „realitätsnähere" Bewertung bewegt.[13] Zum anderen ist Arbitrage mitunter kostenträchtig,[14] und sie kann auf rechtliche Hindernisse stoßen. So sind der Möglichkeit, einer angenommenen Überbewertung durch Vornahme von Leerverkäufen (Verkäufe von Finanzinstrumenten, die der Verkäufer nicht in Eigentum hat) zu begegnen, in zahlreichen Rechtsordnungen Grenzen gesetzt.[15]

Neuere Untersuchungen weisen darauf hin, dass es – auch vor dem Hintergrund der zuletzt beschriebenen Risiken und Grenzen von Arbitragestrategien – für professionelle Anleger sogar rational erscheinen kann, nicht kurskorrigierend tätig zu werden, sondern Ineffizienzen des Marktes in anderer Weise für sich auszunutzen. So kann es für Investoren gewinnbringend sein, im Fall einer nicht durch Änderungen der Fundamentalwerte begründeten, sondern auf der Euphorie anderer Anleger beruhenden Kurssteigerung die betreffenden Papiere zu *erwerben*, um sie nach einer weiteren Kurssteigerung mit Gewinn zu veräußern. Solche nicht am „inneren Wert" der Anlagetitel, sondern am spekulativen Verhalten anderer Marktteilnehmer orientierte – und möglicherweise deren beschränkt rationale Handlungsweise noch ausnutzende – Verhaltensweise mag einem außenstehenden Betrachter zynisch erscheinen. Aus der individuellen Sicht eines kühl kalkulierenden Marktteilnehmers kann es

---

[12] Vgl. für eine Darstellung vielfältiger Grenzen rationalen Anlegerverhaltens, die den Forschungsgegenstand des Wissenschaftszweiges der „Behavioral Finance" bilden, einführend *Shiller*, 17 Journal of Economic Perspectives 83ff. (2003); guter Überblick bei *Prentice*, 40 American Business Law Journal 417ff. (2003).

[13] Zu den Gründen eingehend *De Long/Shleifer/Summers/Waldmann*, 98 Journal of Political Economy 703, 705 (1990); aus neuerer Zeit *Abreu/Brunnermeier*, 66 Journal of Financial Economics 341f. (2002); gute Zusammenfassung bei *Klöhn*, Kapitalmarkt, Spekulation und Behavioral Finance, 2006, S. 126f.

[14] Dies gilt etwa, wenn bei einer durch sog. Leerverkäufe (hierzu sogleich im Text und unten Teil F) erfolgende Arbitrage Finanzierungskosten für eine erforderliche Wertpapierleihe entstehen; hierzu *Shiller* (Fußnote 12), S. 97; aus dem deutschen Schrifttum *von Hein*, Die Rezeption US-amerikanischen Gesellschaftsrechts in Deutschland, 2008, S. 647.

[15] Im September 2008 wurden in zahlreichen Staaten, darunter die USA, Großbritannien und die Bundesrepublik Deutschland, Leerverkäufe in Aktien bestimmter Unternehmen des Finanzwesens zeitlich befristeten Restriktionen unterworfen; vgl. für Deutschland die Allgemeinverfügung der BaFin vom 19. 9. 2008. Zur Regelung von Leerverkäufen eingehend unten Teil F.

sich aber als durchaus rational darstellen, an der Entstehung und Ausweitung einer Spekulationsblase mitzuwirken.[16] Tatsächlich gehört eine solche „trend-following-speculation“ spätestens seit den 1990er Jahren zum festen Repertoire professioneller Handelsstrategien. Diese Technik – zum Teil als „momentum investment“ bezeichnet – wurde sogar in auflagenstarken Anlageratgebern dem breiten Anlegerpublikum als optimale Handelsstrategie angepriesen.[17]

Die zuletzt beschriebene Strategie erscheint selbstverständlich ihrerseits riskant: Auch sie ist der Gefahr einer andersartigen als der angenommenen Kursentwicklung ausgesetzt. Zwar mögen professionelle Investoren und Händler sich zutrauen, die Verhältnisse besser als der Durchschnitt der Anleger einzuschätzen und daher den rechten Moment für einen Ausstieg nicht zu verpassen; sie mögen mithin ihrerseits einem „overconfidence bias“, einer Selbstüberschätzung und damit einem der zahlreichen Rationalitätsdefizite unterliegen, die die Disziplin der Behavioral Finance zur Erklärung von Mängeln der Kapitalmarkteffizienz anführt.[18] Gleichwohl werden auch sie, wenn sie keine Hasardeure sind, das Risiko einer von den eigenen Annahmen abweichenden Entwicklung – bis hin zum „vorzeitigen“ Platzen einer Spekulationsblase – nicht vollkommen ausblenden.

Neuere Forschungen geben aber Hinweise darauf, wann professionelle Händler gleichwohl geneigt sein können, mit der Bewegung des Marktes zu gehen, auch wenn sie Anhaltspunkte für eine deutliche Abweichung des Trends von Fundamentalwerten und langfristigen Kursaussichten haben. Eine Schlüsselrolle spielt hierbei die Erkenntnis, dass professionelle Akteure meist nicht für eigene, sondern – beispielsweise als Fonds- oder Portfoliomanager – für fremde Rechnung handeln. Ihre persönliche Motivationslage kann einerseits durch positive Erfolgsanreize – etwa Prämien im Fall einer positiven Wertentwicklung –, andererseits dadurch bestimmt sein, inwieweit sie im Fall eines Misserfolgs persönlich zur Verantwortung gezogen werden (können). Ein „Herdenverhalten“ institutioneller Investoren wird in neueren Untersuchungen damit erklärt, dass beispielsweise Portfolio-Manager danach bewertet werden, wie die Werte der von

---

[16] Hierauf weist *von Hein* (oben Fußnote 14), S. 648 hin.

[17] Das prominenteste Beispiel dürfte *P. O'Shaughnessy's* Werk „What works on Wall Street“, 1996, sein. Vgl. für eine eindrucksvolle Darstellung der Wirkungen, die „momentum trading“ in jüngerer Zeit auf Devisen- und Wertpapiermärkten gehabt hat, *E. Chancellor*, Devil Take the Hindmost: A History of Financial Speculation, 1999, S. 330ff.

[18] Zum overconfidence bias zusammenfassend *Griffin/Varey*, 65 Organizational Behavior and Human Decision Processes 227ff. (1996); eingehende Darstellung des Forschungsstandes zu Urteilsverzerrungen bei Anlegern bei *Klöhn* (oben Fußnote 13), S. 94, 126.

ihnen verwalteten Fonds sich *im Vergleich mit denen ihrer Konkurrenten* entwickeln. Hiernach kann es für den einzelnen Portfolio-Manager höchst nachteilig sein, ein von ihm für überbewertet gehaltenes Finanzinstrument zu veräußern, während konkurrierende Fonds daran festhalten. Entwickelt sich der Wert aufgrund des Verhaltens der Anderen positiv, so kann dies zu einer negativen Beurteilung des Managers führen, der das Anlageinstrument frühzeitig veräußert hat.[19] Demgegenüber kann ein im Einklang mit konkurrierenden Investoren erfolgendes Festhalten an dem Papier – auch entgegen der eigenen Einschätzung bezüglich dessen „innerer" Qualität – für den Manager die weniger riskante Strategie sein: Behält oder verbessert das Papier seinen Wert, hat er keinen Fehler begangen, kommt es dagegen – etwa aufgrund einer Verhaltensänderung bei nicht professionellen Anlegern – zu einem Kursverfall, so kann er sich darauf berufen, andere professionelle Investoren hätten die Einschätzung geteilt, der Verlust sei daher nicht vorhersehbar gewesen.[20]

Das Zustandekommen der jüngsten Finanzkrise kann zum Teil mit Mechanismen der beschriebenen Art erklärt werden: Professionelle Anleger erwarben in großer Zahl verbriefte Kreditforderungen amerikanischer Provenienz, deren wirklicher Wert nicht leicht einzuschätzen war. Immerhin hatten Branchenkenner schon Jahre vor dem 2007 erfolgten Zusammenbruch des US-amerikanischen Immobilienmarktes eine zunehmende Überbewertung diagnostiziert und damit auf das Entstehen einer Spekulationsblase hingewiesen. Dass gleichwohl zahlreiche Banken – auch und gerade in Deutschland – Subprime-Kreditverbriefungen erwarben, wird vielfach mit der Koinzidenz zweier Umstände erklärt: Zum einen versprachen die Papiere eine höhere Rendite als viele Anlagen anderer Art, zum anderen waren sie von den führenden Rating-Agenturen mit dem Spitzenrating AAA ausgestattet worden. Dass beides bei einem funktionierenden Kapitalmarkt nicht zusammenpasste, musste professionellen Marktteilnehmern auffallen: Bei funktionierendem Markt werfen Anlagetitel gleicher Sicherheit vergleichbare Renditen ab; wenn bei den Subprime-Papieren deutlich höhere Renditen in Aussicht gestellt wurden, sprach dies für das Bestehen höherer Risiken. Dies im Verein mit der schon in der Öffentlichkeit geäußerten Sorge um eine Überhitzung des US-amerikanischen Immobilienmarktes hätte Anlegern Anlass gegeben, sich um die Sicherheit der Investition in Subprime-Kreditverbriefungen zu sorgen. Die in den

---

[19] Vgl. zu dieser Erklärung des Festhaltens von Investoren an überbewerteten Enron-Aktien *Coffee*, 89 Cornell Law Review 269, 299 (2004); ähnlich schon *Healy/Palepu*, 17/2 Journal of Economic Perspectives, 3 ff. (2003).

[20] Vgl. *Coffee* (vorige Fußnote) und *Healy/Palepu* (vorige Fußnote).

betroffenen Banken handelnden Personen standen aber ihrerseits unter dem Druck, hohe Renditen zu erwirtschaften; bei einigen deutschen Landesbanken auch vor dem Hintergrund, dass es an einem anderen renditeträchtigen Geschäftsmodell fehlte. Die Entscheidungsträger konnten zur Unterstützung ihrer Investitionsentscheidung darauf hinweisen, dass ihre Einschätzung der Kreditverbriefungen vom Markt, d.h. von konkurrierenden Instituten geteilt wurde und dass die Papiere ein exzellentes Rating – AAA – erhalten hatten. Die in diesen Banken handelnden Personen konnten somit einerseits eine renditeträchtige Anlagepolitik verfolgen und hatten andererseits für den Fall eines Fehlschlagens gute Argumente zu ihrer eigenen Entlastung auf der Hand.

Die bis hier angestellte Betrachtung muss alarmieren: Sie gibt Hinweise auf das Bestehen von Mechanismen, die in ihrem Zusammenwirken eine destabilisierende Wirkung für das Finanzwesen im Ganzen entfalten können: Professionelle Akteure verstärken mitunter bestehende Markttrends erheblich, und in extremen Situationen kann dies – wie 2008 geschehen – zu Verwerfungen führen, welche die Stabilität der internationalen Finanzmärkte bedrohen. Wer Lösungen für dieses Problem zu entwickeln sucht, mag gut beraten sein, die Analyse mit dem Instrumentarium der neueren wirtschaftswissenschaftlichen Forschung anzugehen. Eine zentrale Bedeutung kommt in den modernen Wirtschaftswissenschaften zunächst der Analyse von Prinzipal-Agent-Problemen zu. Mit diesem Begriff werden Schwierigkeiten bezeichnet, die aus der Einschaltung von Beauftragten (Agenten) resultieren.[21] Da ein Beauftragter oft nicht die gleichen Interessen hat wie sein Auftraggeber (der Prinzipal), besteht die Gefahr einer für diesen suboptimalen Handlungsweise des Beauftragten.[22] Zu den zahlreichen Anwendungsfällen der Prinzipal-Agent-Analyse zählen das Verhältnis eines Einzelarbeitgebers zu seinen Arbeitnehmern sowie dasjenige zwischen Aktionären einer Gesellschaft und deren Aufsichtsrats- und Vorstandsmitgliedern. Eine Analyse von Interessendivergenzen in verschiedenen nachfolgend genannten Prinzipal-Agent-Beziehungen kann zum Verständnis der Entstehung der aktuellen Krise beitragen. Zugleich mag die Betrachtung aus diesem Blickwinkel *erste Ansätze zu Lösungen* aufzeigen, die zum Teil an späterer Stelle vertieft zu erörtern sind. Die Betrachtung erfolgt an dieser Stelle entlang der „Wertschöpfungskette" derjenigen Finanzinstrumente, die die Krise maßgeblich ausge-

---

[21] Eingehende Darstellung bei *Richter/Furubotn*, Neue Institutionenökonomik, 3. Aufl. 2003, IV.4.1.

[22] Die Begriffe werden hier nicht i.S.d. Auftragsrechts des BGB gebraucht, schließen vielmehr vielfältige Verhältnisse wie z.B. entgeltliche Arbeitsverhältnisse mit ein.

löst haben, d.h. der Verbriefung von in den USA begründeten „Subprime"-Kreditforderungen.

- Die Überhitzung des amerikanischen Häusermarktes wird nicht nur auf eine Politik des „billigen Geldes" durch die US-amerikanische Zentralbank, sondern in gleichem Maße auf eine im Rückblick unverantwortlich generöse, d.h. nicht hinreichend risikobewusste Kreditvergabepraxis einer großen Zahl von Banken zurückgeführt. Die „Großzügigkeit" der Kreditinstitute bei der Darlehensgewährung ist im wesentlichen damit zu erklären, dass die daran beteiligten *Banken* vielfach *in der Lage* waren, die eingegangenen *Kreditrisiken in verbriefter Form an Investoren weiterzureichen.* Die Kredit gebenden Banken hatten daher *keinen hinreichenden Anreiz zu einer realistischen Prüfung der Bonität der Kreditnehmer.* Die kreditgewährenden Banken können im Hinblick auf die Prüfung der Bonität der Kreditnehmer als Agenten derjenigen Investoren betrachtet werden, die Kreditverbriefungen später erwerben. Sie sind ihrer Aufgabe, die Kreditwürdigkeit ihrer Darlehensnehmer zu beurteilen, nicht gerecht geworden. Bei einem funktionierenden Kapitalmarkt wäre ein solches Ergebnis nicht möglich: Investoren wären nicht bereit, Kreditforderungen zu erwerben, die ohne tragfähige Bonitätsprüfung begründet wurden. Der Markt versagt hier aufgrund einer zwischen den ursprünglichen Veräußerern der Forderung (den Kredit gebenden Banken) einerseits und den erwerbenden Investoren andererseits bestehenden starken Informationsasymmetrie. Rating-Agenturen haben ihre Funktion, diese Asymmetrie aufzuheben, nicht erfüllt (hierzu sogleich). Ein Ansatz zur Auflösung des Anreizproblems besteht darin, kreditgebenden Banken einen starken Anreiz zu einer effektiven Bonitätsprüfung zu geben. Eine EU-Richtlinie von 2009 sieht bei der Verbriefung von Kreditrisiken einen zwingenden „Selbstbehalt" eines ursprünglichen Kreditgebers, Sponsors oder Originators in Höhe von 5 Prozent der Risikoposition vor.[23]
- Die bereits angesprochenen *Rating-Agenturen* haben nach allgemein verbreiteter Einschätzung für Subprime-Kreditverbriefungen zu günstige Bonitätsbewertungen erteilt und diese zu spät herabgesetzt.[24] Hier ist die Frage zu stellen, ob Rating-Agenturen ihrer

[23] Vgl. die hier vereinfachend wiedergegebene Regelung des Art. 122a Abs. 1 der Richtlinie 2006/48/EG i.d.F. der Richtlinie 2009/111/EG des Europäischen Parlaments und des Rates zur Änderung der Richtlinien 2006/48/EG, 2006/49/EG und 2007/64/EG hinsichtlich Zentralorganisationen zugeordneter Banken, bestimmter Eigenmittelbestandteile, Großkredite, Aufsichtsregelungen und Krisenmanagement, ABl. EU 2009 Nr. L 302/97ff.

[24] Vgl. etwa „Scharfe Kritik an Rating-Agenturen", Neue Zürcher Zeitung vom 12. 7. 2007.

Aufgabe zur Abgabe von Bonitätsurteilen sachgerecht nachkommen können, wenn sie von den Emittenten der betroffenen Anlagetitel bestellt und bezahlt werden. Ihrer Funktion nach können Rating-Agenturen demgegenüber als Agenten der Investoren, die sich auf ihr Urteil verlassen, erscheinen. Dies gibt Anlass zu der Frage, wie ihre stärkere *Rückbindung an die Interessen der Investoren* erreicht werden könnte. Das Gutachten beleuchtet aus dieser Perspektive auch die europäische Verordnung von 2009 über Ratingagenturen und den Entwurf eines deutschen Ausführungsgesetzes hierzu.[25]

- Viel spricht für die Analyse, dass in dem Verhältnis zahlreicher Banken zu ihren für die Anlagepolitik verantwortlichen Mitarbeitern *Anreize so gesetzt* waren, dass eine *übermäßige Risikoneigung* bestand. Die Entscheidungsträger konnten aber, auch wenn sie angesichts der sich abzeichnenden Krise am amerikanischen Häusermarkt und der hohen Renditen für verbriefte Kreditforderungen Zweifel haben mussten, auf die entsprechende Anlagepolitik anderer Institute und auf das exzellente Rating der Anlagetitel verweisen.
- Die Funktionsfähigkeit der Kapitalmärkte ist weiterhin bei dem Thema der sog. *Leerverkäufe* auf zwei ganz unterschiedliche Weisen berührt: Die Möglichkeit, durch Eingehung einer Verpflichtung zur Lieferung von Finanzinstrumenten, die der sich Verpflichtende nicht in Eigentum hat, auf fallende Kurse zu spekulieren, wird aus dem Blickwinkel der Finanzmarkttheorie im Ausgangspunkt positiv beurteilt: Ein Verkäufer, der sich das von ihm verkaufte Instrument noch beschaffen muss,[26] bringt mit dem Leerverkauf seine Einschätzung zum Ausdruck, dass der Kaufgegenstand überbewertet sei. Dies ist – bei Annahme grundsätzlich

[25] Vgl. Verordnung (EG) des Europäische Parlaments und des Rates vom 16. 9. 2009 über Ratingagenturen, ABl. EU 2009 Nr. L302/1 ff. und Entwurf für ein Ausführungsgesetz zur Verordnung (EG) Nr. 1060/2009 des Europäischen Parlaments und des Rates vom 16. September 2009 über Ratingagenturen (Ausführungsgesetz zur EU-Ratingverordnung); hierzu. auch Pressemitteilung des Bundesministeriums der Finanzen vom 13. 1. 2010, abrufbar unter http://www.bundesfinanzministerium.de/nn_54/DE/Wirtschaft__und__Verwaltung/Geld__und__Kredit/100113__Ratingagenturen.html?__nnn=true.

[26] Im Fall eines sog. ungedeckten Leerverkaufs muss der Verkäufer sich das Finanzinstrument beschaffen, um seiner aus dem Verkauf resultierenden Lieferverpflichtung nachzukommen. Im Fall eines sog. gedeckten Leerverkaufs beschafft der Verkäufer sich das Finanzinstrument zunächst regelmäßig im Wege eines Wertpapierdarlehens, muss aber später von anderer Seite einen Deckungskauf tätigen, um seine Verpflichtung gegenüber dem Darlehensgeber auf Rückgewähr erfüllen zu können. Auch Fälle, in denen der Verkäufer schon im Zeitpunkt der Transaktion einen anderweitigen Anspruch auf Übereignung des Finanzinstruments hat, werden mitunter als gedeckte Leerverkäufe bezeichnet. Vgl. auch Teil F des Gutachtens sub I.

bestehender Informationseffizienz der Kapitalmärkte[27] – eine Information, die dem Markt nicht vorenthalten bleiben sollte. Auf der anderen Seite können Leerverkäufe aber auch ungünstige Wirkungen für die Funktionsfähigkeit der Kapitalmärkte entfalten: Ihr Einsatz kann zur Beschleunigung einer Abwärtsbewegung von Kursen führen; Leerverkäufe können sogar gezielt eingesetzt werden, um die Preise bestimmter Papiere unter Druck zu setzen. So gehört die Tätigung von Leerverkäufen, insbesondere im Zusammenwirken mit einem „Streuen" schlechter Nachrichten über das betroffene Unternehmen, zum Repertoire der Kursmanipulation. Bei (anderen) Anlegern kann der durch die Leerverkäufe getriebene Kursverfall zu dem Eindruck führen, an den – tatsächlich vom Manipulateur gezielt verbreiteten – schlechten Nachrichten sei „etwas dran". So können sich diese anderen Anleger ihrerseits zum Verkauf veranlasst sehen, was den Kursverfall weiter beschleunigt. Die Rechnung kann für den Leerverkäufer aufgehen, wenn er sich nun zu den solcherart gedrückten Kursen mit den Papieren eindecken kann, die er zur Erfüllung seiner Lieferpflicht benötigt.[28] Können Leerverkäufe in der zuletzt geschilderten Weise ganz allgemein zum Verfall von Kursen führen, so können sie im besonderen Bereich des Bankwesens eine Wirkung entfalten, die das Finanzsystem schließlich im Ganzen destabilisiert.

III. Themen des Gutachtens

Das Gutachten macht die folgenden in Abschnitt II identifizierten Themen zu seinem Gegenstand:

- Empfiehlt sich die Einführung einer besonderen Zusammenschlusskontrolle oder Entflechtungsregelung für Banken?
- Empfiehlt sich die Einführung einer anreizorientierten Sonderregulierung für Banken?

[27] Die Informationseffizienz bezeichnet die Fähigkeit eines Marktes zur Verarbeitung von Informationen. Das geltende Recht ist an der Vorstellung orientiert, dass Kapitalmärkte jedenfalls öffentlich bekannte Informationen weitgehend effizient zu verarbeiten vermögen und bringt dies in vielfältigen Publizitätspflichten zum Ausdruck.

[28] Beim ungedeckten Leerverkauf schuldet der Leerverkäufer seinem Käufer die Lieferung. Zum – weiter verbreiteten – „gedeckten" Leerverkauf vgl. Fußnote 26: Hier schuldet der Leerverkäufer ggf. aus einem Wertpapierdarlehen dem Darlehensgeber die Verschaffung entsprechender Papiere.

- Empfehlen sich Sonderregelungen zur Bankensanierung und -insolvenz?
- Empfiehlt sich – über die europäische Verordnung von 2009 und den deutschen Gesetzentwurf von 2010 hinaus – eine Neuregelung des Rechts der Rating-Agenturen?
- Empfiehlt sich eine Neuregelung des Rechts der Leerverkäufe?

Dagegen wird im Gutachten die angesprochene Problematik der für Kreditinstitute bei der Darlehensvergabe bestehenden *Anreize zu einer tragfähigen Prüfung der Bonität von Kreditnehmern* im Gutachten aus Platzgründen[29] *nicht vertiefend behandelt.* Hier muss der Hinweis genügen, dass die Richtlinie 2009/111/EG mit der Einführung eines zwingenden „Selbstbehalts" eines ursprünglichen Kreditgebers, Sponsors oder Originators in Höhe von 5 Prozent der Risikoposition zur Verbesserung der Anreizsituation grundsätzlich geeignet ist. Mit einem derartigen Selbstbehalt wäre eine Beteiligung der darlehensgewährenden Bank oder eines an der Verbriefung beteiligten Instituts an den begründeten Kreditrisiken erreicht. Allerdings können hinsichtlich der Wirkungsweise der Regelung Zweifel bestehen: Während der ursprüngliche Kommissionsvorschlag noch forderte, dass ein Kreditinstitut entsprechende Risiken nur im Fall einer ihm gegenüber ausdrücklich erfolgten Verpflichtung etwa des ursprünglichen Kreditgebers zur Aufrechterhaltung eines entsprechenden Eigenanteils halten dürfe, verlangt die Richtlinie nur noch eine ausdrückliche „Erklärung" dieses Inhalts.[30] Auch können Zweifel daran bestehen, dass die Höhe des zwingenden Selbstbehalts von (nur) 5 Prozent für eine nachhaltige Anreizsetzung ausreicht. Hier sind – früheren Vorschlägen entsprechend – für die Zukunft höhere Anteile in Betracht zu ziehen.[31]

Auch das Thema der für Vorstandsmitglieder und andere Mitarbeiter von Banken bestehenden Anreize zur Risikovermeidung wird im Gutachten aus Platzgründen nicht vertieft. Dass vertragliche Regelungen – insbesondere solche zur Vergütung – in der Vergangenheit mitunter einseitig eine Risikoneigung begünstigten, ist in der Krise offenbar geworden.[32] Das Thema der Corporate Governance bei Banken wird von *Bachmann* im Referat zu diesem Gutachten

---

[29] Den Gutachtern steht nur eine begrenzte Zahl von Druckseiten zur Verfügung.

[30] Vgl. zur Richtlinie oben bei und in Fußnote 23.

[31] Die Bundesregierung hatte ursprünglich einen Selbstbehalt von zwanzig Prozent für erforderlich gehalten; vgl Presserklärung des damaligen Bundesministers der Finanzen *Peer Steinbrück* vom 24. 9. 2009, abrufbar unter http://www.bundesregierung.de/nn_1516/Content/DE/Mitschrift/Pressekonferenzen/2009/09/2009-09-24-pressestatement-merkel-steinbrueck-g20.html.

[32] Vgl. für eine eingehende Analyse des Themas aus rechtsökonomischer Sicht *Mülbert*, 10 European Business Organization Review (EBOR), 411 ff.

vertieft. Für Fragen des Aufsichtsrechts wird – soweit sie nicht wegen eines Sachzusammenhangs mit Themen dieses Gutachtens hier angesprochen werden – auf das von *Höfling* vorgelegte öffentlichrechtliche Gutachten verwiesen.

B. Empfiehlt sich die Einführung einer besonderen Zusammenschlusskontrolle oder Entflechtungsregelung für Banken?

I. Einleitung[33]

In Teil A des Gutachtens wurde die schwierige Lage skizziert, in der sich die Politik bei Krisen „systemrelevanter" Banken befindet:[34] Staaten sehen sich in Durchbrechung marktwirtschaftlich-wettbewerblicher Prinzipien zur Rettung solcher Banken gezwungen, deren Insolvenz die Stabilität des Finanzsystems gefährden würde. Die hiermit angesprochene „Systemrelevanz" verschafft gewissen Banken Wettbewerbsvorteile und ermöglicht risikoreiche Geschäftsstrategien. Abgesehen davon, dass diese Praxis erhebliche finanzielle Lasten für Staatshaushalte mit sich bringt, begünstigt sie die Verdrängung kleinerer, effizienter Banken und kann durch die von ihr ausgehenden Anreize zu risikoträchtigen Bankaktivitäten sogar zur Destabilisierung der Finanzmärkte beitragen. Solange die genannten Vorteile für „systemrelevante" Institute bestehen, besteht sogar ein *Anreiz für Banken,* durch internes oder externes[35] Wachstum *in die Kategorie der Systemrelevanz zu gelangen.* Angesichts der gravierenden negativen Auswirkungen einer impliziten Bestandsgarantie für als systemrelevant betrachtete Banken muss es der Rechtsordnung darum gehen, die fehlgehenden Anreize zu korrigieren. Ein Mittel hierfür könnte im Einsatz von Instrumenten bestehen, die vornehmlich aus dem Wettbewerbsrecht bekannt sind: Wenn heute Anreize bestehen, sich zu systemrelevanten Instituten zusammenzuschließen, könnte es künftig Aufgabe einer *Fusionskontrolle* sein, Grenzen zu setzen. Eine noch höhere Eingriffsintensität würde eine zur Zeit in den USA erwogene *Entflechtung* systemrelevanter Banken aufweisen. Ein dahingehender Gesetzesentwurf hat bereits das

[33] Vgl. für eine ausführliche Diskussion des Themas – die hier aus Platzgründen nicht geleistet werden kann – einen Aufsatz, der in Vorbereitung des Gutachtens erstellt wurde: *Zimmer/Rengier*, Entflechtung, Fusionskontrolle oder Sonderregulierung für systemrelevante Banken? Ansätze zur Lösung des „Too-big-to-fail"-Problems, Zeitschrift für Wettbewerbsrecht (ZWeR) 2010, Heft 2.

[34] Vgl. hierzu Teil A sub II.1.

[35] D.h. durch Zusammenschlüsse.

Repräsentantenhaus passiert.[36] Der Entwurf enthält ein Instrument zur Entflechtung von Banken, deren Insolvenz die Stabilität des Systems gefährden könnte.[37] Angesichts dieser Entwicklung könnte eine Entflechtung bald auch in Europa zur Diskussion stehen.[38] Hier sind es bislang in erster Linie die Notenbanken von Großbritannien und der Schweiz, die Entflechtungsmaßnahmen befürworten.[39]

II. Verhältnis zur wettbewerbsrechtlichen Zusammenschlusskontrolle und Entflechtung

Wettbewerbsrecht richtet sich gegen Beschränkungen des Wettbewerbs auf Märkten. Dementsprechend knüpft das herkömmliche Instrument der wettbewerbsrechtlichen Strukturkontrolle, die Zusammenschlusskontrolle, an die Stellung der involvierten Unternehmen auf Märkten an: Das deutsche Recht ist auf die Verhinderung der Entstehung oder Verstärkung marktbeherrschender Stellungen gerichtet.[40] Auch das Vorhaben der Regierungskoalition, eine wettbewerbsrechtliche Entflechtungsregelung zu schaffen, setzt bei der Marktstellung der betroffenen Unternehmen an: Eine Entflechtung soll hiernach nur zur Auflösung einer marktbeherrschenden Stellung auf einem Markt von gesamtwirtschaftlicher Bedeutung möglich sein.[41] In ähnlicher Weise stellt die EU-Fusionskontrolle für eine Untersagungsentscheidung auf die Marktstellung der beteiligten Unternehmen ab: Nach der von 2004 datierenden Fusionskontrollverordnung ist ein Zusammenschluss zu untersagen, durch den wirksamer Wettbewerb im Gemeinsamen Markt oder in einem wesentlichen Teil desselben erheblich behindert würde; die Begründung oder Verstärkung einer marktbeherrschenden Stellung gilt als Regelbeispiel einer solchen Wettbewerbsbehinderung.[42]

---

[36] „The Wall Street Reform and Consumer Protection Act of 2009", abrufbar unter http://financialservices.house.gov/Key_Issues/Financial_Regulatory_Reform/FinancialRegulatoryReform/Bills_as_reported/hr4173.pdf.

[37] Sec. 1105 (d)(1)(F).

[38] Vgl. die Einschätzung von *Landgraf*, Handelsblatt vom 17. 11. 2009, S. 1.

[39] FAZ vom 22. 10. 2009, S. 21; Handelsblatt vom 23. 10. 2009, S. 21; Schweizer Nationalbank, Bericht zur Finanzstabilität 2009, S. 8.

[40] § 36 Abs. 1 GWB.

[41] Hierzu ist im Bundesministerium für Wirtschaft und Technologie der Entwurf eines Gesetzes zur Einführung einer Entflechtungsbefugnis und eines Stellungnahmerechts des Bundeskartellamts in Gesetzgebungsverfahren in das Gesetz gegen Wettbewerbsbeschränkungen erarbeitet worden.

[42] Art. 2 Abs. 3 der Fusionskontrollverordnung (Verordnung Nr. 139/2004), ABl. EU 2004 Nr. L 24/1 ff.

Nach den im Wettbewerbsrecht maßgebenden Kriterien ist ein Unternehmen marktbeherrschend, wenn es in einer Gesamtschau verschiedener Gesichtspunkte, insbesondere der Marktanteile und der Finanzkraft, einen besonders großen, vom Wettbewerb nicht mehr hinreichend kontrollierten Verhaltensspielraum hat.[43] Die Praxis hat klargestellt, dass dabei nicht die absolute Unternehmensgröße maßgeblich ist, sondern stets die durch einzelne Wettbewerbsparameter vermittelte Macht bezogen auf einen relevanten Markt.[44] In der wettbewerbsrechtlichen Fusionskontrollpraxis werden in aller Regel Marktanteile von mindestens 20 bis 30% für die Feststellung einer marktbeherrschenden Stellung gefordert; zumeist müssen höhere Werte erreicht werden, um eine marktbeherrschende Stellung zu belegen.[45] Diese Schwellen werden im fragmentierten deutschen Bankenmarkt – anders als etwa in Großbritannien – von keinem Institut erreicht.[46] Bislang sprechen daher die Strukturen des deutschen Bankensektors im Verein mit weiteren Marktgegebenheiten wie dem Bestehen niedriger Marktzutrittsschranken gegen die Annahme einer bestehenden oder auch nur drohenden Marktbeherrschung.[47] Die *absolute Größe* einzelner Institute als solche vermag unter der Geltung des Marktbeherrschungskriteriums die Untersagung eines Zusammenschlusses nicht zu rechtfertigen. Auch eine wettbewerbsrechtlich ausgerichtete Entflechtungsregelung, wie sie von der Regierungskoalition angestrebt wird, vermag bei Anlegung dieser Kriterien eine Entflechtung von Banken unter dem „Too-big-to-fail"-Gesichtspunkt nicht zu begründen.

---

[43] *Möschel* in: Immenga/Mestmäcker, Wettbewerbsrecht, Bd. 2. GWB, 4. Aufl., 2007, § 19 Rn. 53f.; *ders.* in: Immenga/Mestmäcker, Wettbewerbsrecht, Bd. 1/1: EG, 4. Aufl. 2007, EGV Art. 82 Rn. 63f.; *Emmerich*, Kartellrecht, 11. Aufl. 2008, § 34 Rn. 13 und § 16 Rn. 27.

[44] EuGH, Urt. v. 13. 2. 1979, Rs. 85/76, Slg. 1979, 461, 523 – Hoffmann/LaRoche; BGH, Urt. v. 21. 2. 1978, WuW/E BGH 1501, 1507 – GKN/Sachs; Bundeskartellamt, WuW 1987, 1001, 1002.

[45] Europäische Kommission, Entsch. v. 11. 3. 1997, IV/M.873 – Bank Austria/ Creditanstalt, Rn. 46 und 52ff.; *Schwalbe/Zimmer*, Kartellrecht und Ökonomie, 2006, S. 150; *Weck*, Zusammenschlusskontrolle bei Banken, 2006, S. 133 m.w.N.; *Möschel* (Fußnote 43), § 19 Rn. 59.

[46] Selbst die größten Banken Deutschlands erreichen meist nur 10–12% Marktanteil, Bundeskartellamt, Fallbericht Großfusionen im Bankensektor, 2009, Tz. 11.

[47] Bundeskartellamt (Fußnote 46), Tz. 17.

III. Mögliche Ausgestaltung einer besonderen Fusionskontrolle und Entflechtung

1. Erste Möglichkeit: Abstrakt-generelle Bestimmung von Größenschwellen

Bei einem Abstellen auf Größenschwellen stünde der Gesetzgeber vor der schwierigen Aufgabe, Systemrelevanz etwa anhand von konkreten Bilanzsummen festlegen zu müssen. Da die negativen Auswirkungen des „Too-big-to-fail"-Status davon abhängen, welche Banken der Markt als „too big to fail" *wahrnimmt*, müsste der Gesetzgeber diese Erwartung ermitteln. Da die Erwartung aber vom voraussichtlichen Ausmaß staatlicher Rettungsmaßnahmen abhängt, spielt die gesetzgeberische Festlegung wiederum in die Erwartungen hinein. Um den Anwendungsbereich der Doktrin und damit das Ausmaß der Fehlanreize nicht zu vergrößern, sollte er die Schwelle einerseits nicht zu niedrig ansetzen. Andererseits verbietet eine nachhaltige Beseitigung der Problematik auch zu hohe Schwellen.

Empirische Untersuchungen zu den negativen Auswirkungen des „Too-big-to-fail"-Status gehen überwiegend davon aus, dass Banken von einer Bilanzsumme von rund 100 Mrd. US-Dollar an als systemrelevant angesehen werden.[48] Erfahrungen in der aktuellen Finanzmarktkrise könnten eine leichte Senkung dieser Schwelle nahe legen: Aufschluss könnte zum einen die kleinste gerettete Bank geben. In den großen Industrieländern[49] war dies die IKB mit einer Bilanzsumme von umgerechnet etwa 70 Mrd. US-Dollar. Andererseits könnte man auf die größte ohne Systemschaden nicht gerettete Bank – die CIT mit einer Bilanzsumme von 75 Mrd. US-Dollar – abstellen. Hiernach lässt sich vermuten, dass der Markt eine Rettung künftig ab der Schwelle von 70–75 Mrd. US-Dollar Bilanzsumme erwartet. Legt man der Bestimmung der Kategorie die Betrachtung individueller Rettungsmaßnahmen zugrunde, muss man allerdings auch berücksichtigen, ob jeweils Sonderumstände eine Rolle gespielt ha-

---

[48] Vgl. *Brewer/Jagtiani*, How Much Would Banks Be Willing to Pay to Become ‚Too-Big-to-Fail' and to Capture Other Benefits, 2007, abrufbar unter www.ssrn.com, S. 13; *Penas/Unal*, Gains in bank mergers: Evidence from the bond market, Journal of Financial Economics 74 (2004), S. 149; *Kane*, Incentives for Banking Megamergers: What Motives Might Regulators Infer from Event-Study Evidence?, 2000, abrufbar unter www.ssrn.com.

[49] Da Rettungsmaßnahmen auf nationaler Ebene getroffen werden, dürften nur die Erfahrungen in Ländern mit vergleichbarer Größe und Wirtschaftskraft Aufschluss geben.

ben. So war im Falle der IKB auch die Mittelstandsförderung maßgeblich, sodass eine andere Bank derselben Größe möglicherweise nicht gerettet worden wäre. Sicher kann der Markt daher von einer Rettung vermutlich auch weiterhin nicht unter der Grenze von 100 Mrd. US-Dollar Bilanzsumme ausgehen.

Selbst wenn die Bestimmung eines geeigneten Größenkriteriums gelänge, würde es doch den Aspekt vernachlässigen, dass Systemrelevanz nicht nur durch Größe, sondern auch durch Verflechtungen mit anderen Banken oder Korrelationen innerhalb des Portfolios erlangt werden kann. Zwar impliziert Größe zumeist ein Mehr an Verflechtungen und Komplexität, oft erlangen jedoch auch mittelgroße Institute allein durch diese sekundären Aspekte Systemrelevanz. Dies wird in der aktuellen Diskussion oft betont[50] und legt die flexiblere zweite Möglichkeit einer Gestaltung des Systemrelevanz-Tests nahe.

2. Zweite Möglichkeit: Individueller Systemrelevanz-Test

Die alternative Bestimmung eines Entflechtungskriteriums der individuellen „Systemrelevanz“ überlässt es dem Rechtsanwender, Systemrelevanz *im Einzelfall* festzustellen.[51] Ein derartiger individueller Test liegt auch dem neuen US-amerikanischen Entwurf für eine Entflechtungsregelung zugrunde.[52] Für die Aufsichtsbehörden wäre er keine Neuheit: Nach den sog. Basel II-Regelungen soll die laufende Überwachung einer Bank an ihrer Systemrelevanz ausgerichtet sein.[53] Aus diesem Grunde erstellt die Aufsicht in Deutschland für jede Bank ein Risikoprofil, das ihr niedrige, mittlere oder hohe Systemrelevanz attestiert.[54] Die Ermittlung der jeweiligen Stufe erfolgt anhand der in der Legaldefinition der Systemrelevanz in Art. 6 Abs. 3 Aufsichtsrichtlinie[55] genannten Kriterien Größe, Intensität

---

[50] *Stern/Feldman* Too Big to Fail, 2009, S. 10; *Rajan* vor dem U.S. Senate Committee on Banking, Housing and Urban Affairs am 6. 5. 2009, S. 1f.; *Stiglitz* vor dem Joint Economic Committee of Congress am 21. 4. 2009, S. 9; The Warwick Commission on International Financial Reform, In Praise of Unlevel Playing Fields, 2009, S. 34; Handelsblatt vom 22. 10. 2009, S. 18.

[51] In diese Richtung *Foer* vor dem U.S. House of Representatives Judiciary Committee am 17. 3. 2009, S. 7; *Ramirez*, Prudential Bank Divestitures, Eintrag vom 27. 7. 2009 auf corporatejusticeblog.blogspot.com.

[52] „The Wall Street Reform and Consumer Protection Act of 2009“ (Fußnote 36), Sec. 1105 (c).

[53] Umgesetzt in Art. 124 Abs. 4 der Richtlinie 2006/48/EG (Bankenrichtlinie).

[54] Siehe Deutsche Bundesbank/BaFin, Bankaufsichtliches Risikoprofil, S. 4, abrufbar unter http://www.bundesbank.de/download/bankenaufsicht/pdf/risikoprofil.pdf.

[55] Richtlinie zur Durchführung und Qualitätssicherung der laufenden Überwachung der Kredit- und Finanzdienstleistungsinstitute durch die Deutsche Bundesbank.

der Interbankbeziehungen und Verflechtungen mit dem Ausland. Daran anknüpfend könnte eine Entflechtungsregelung derart gestaltet sein, dass das Erreichen der höchsten Stufe – eventuell in zwei oder drei Bewertungsperioden aufeinander – eine Entflechtung auslöst.

Gesetzestechnisch könnte es sich auf europäischer Ebene anbieten, die Entflechtungsregelung in den Kontext der bestehenden Elemente einer bankenspezifischen Strukturkontrolle in den Art. 19–21 Bankenrichtlinie[56] einzufügen. Diese Artikel sind in § 2c KWG umgesetzt. Sollte man sich für eine Lösung allein auf nationaler Ebene entscheiden, empfiehlt sich – um klarzustellen, dass es sich nicht um umgesetztes Recht handelt – eine von § 2c KWG gesonderte Einfügung. Die Regelungszwecke der Bankenrichtlinie stünden einer rein nationalen Regelung jedenfalls nicht entgegen: Nach ihrem Anwendungsbereich soll sie nur Vorschriften im Bereich des Erwerbs von Beteiligungen und der laufenden Aufsicht vereinheitlichen.[57]

Vorteile bietet der individuelle Systemrelevanz-Test gegenüber Größenschwellen auch bezüglich seiner Anreizwirkungen. Sollte das Erreichen einer bestimmten Größe eine Entflechtung auslösen, so können für eine Bank, die sich dieser Schwelle nähert, Anreize entstehen, ihr Wachstum aufzuhalten, indem sie ineffizient wirtschaftet oder sich im Wettbewerb zurückhält.[58] Der Systemrelevanz-Test hingegen stellt auf eine Bewertung mehrerer Kriterien ab. Dies könnte Umgehungsmöglichkeiten der Bank erschweren und vielmehr Anreize setzen, im Rahmen eines Zusammenschluss- oder Entflechtungsverfahrens Informationen offen zu legen, um auf diese Bewertung Einfluss zu nehmen. So könnte die Bank einen Abwicklungsplan („Testament") vorlegen, der im Falle ihrer Insolvenz Kettenreaktionen vermeiden würde.[59] Sofern sich die Kartellbehörde von der Plausibilität des Planes überzeugen kann, wäre eine Entflechtung abgewendet. Zugleich könnte der Staat im Falle der Insolvenz des Institutes auf den Plan zurückgreifen, sodass kein Zwang zu Rettungsmaßnahmen bestünde. Insgesamt ist der Systemrelevanz-Test daher vorzugswürdig. Er ist nicht nur treffsicherer mit Blick auf die Erfassung aller systemrelevanten Banken, sondern vermeidet auch bedenkliche Anreizwirkungen formaler Größenschwellen.

---

[56] Richtlinie 2006/48/EG in der Fassung der Richtlinie 2007/44/EG (Beteiligungsrichtlinie).

[57] Vgl. ihr Erwägungsgrund 8.

[58] *Elzinga/Breit*, The Antitrust Penalties: A Study in Law and Economics, 1976, S. 109f.

[59] Hierzu *Hank/Meck*, FAS vom 27. 9. 2009, S. 31; The Economist vom 3. 10. 2009, S. 83: „living will" von Banken.

3. Entflechtungsobjekte und Trennlinien

Im Rahmen eines Entflechtungsverfahrens wäre zu entscheiden, welche Objekte einer Bank für eine Entflechtung in Betracht kommen. Ähnlich muss in Fusionskontrollverfahren festgelegt werden, durch welche Strukturmaßnahmen – etwa Veräußerungen – gegenüber dem Zuammenschluss bestehende Bedenken ausgeräumt werden können. Es gibt umfangreiche Darstellungen zu möglichen Entflechtungsobjekten und Trennlinien.[60] Anschauungsmaterial bietet auch die aktuelle beihilfenrechtliche Praxis der Kommission: Als Ausgleich für die von den Mitgliedstaaten geleisteten Hilfsmaßnahmen fordert sie von den begünstigten Banken Abspaltungen. In Großbritannien nimmt dies aufgrund der umfangreichen staatlichen Hilfen Ausmaße einer Neuordnung des Bankensektors an.[61]

Im Grundsatz lassen sich zwei Arten der Entflechtung unterscheiden. Die *umgestaltende Entflechtung*[62] beschränkt sich darauf, das Unternehmen auf Konzern- oder Gesellschaftsebene neu zu ordnen. Die Anteile an der/den von der Entflechtung betroffenen Gesellschaft/en werden aus- oder neugegründeten Gesellschaften zugeordnet, bleiben den Anteilsinhabern aber in der Summe erhalten. Technisch wird diese Umgestaltung bewirkt, indem die neugeschaffenen Anteile an den abgespaltenen oder neugegründeten Gesellschaften pro rata an die Anteilsinhaber der entflochtenen Gesellschaft verteilt werden. Die *entziehende Entflechtung*[63] hingegen zwingt einzelne oder alle Anteilsinhaber, ihre Anteile abzugeben. Es findet nicht bloß eine interne Umverteilung statt, vielmehr verlieren die Anteils-

---

[60] *Herrmann*, Die Entflechtung als Instrument der Wettbewerbspolitik, 1981, S. 102ff.; *Möschel*, Entflechtungen im Recht der Wettbewerbsbeschränkungen, 1979, S. 114ff.; *Schulte-Braucks*, Die Auflösung marktbeherrschender Stellungen, 1980, S. 85ff.; *Scholz*, Entflechtung und Verfassung, 1981, S. 59ff.; *Oehler*, Entflechtung und Kontrahierungszwang, 1976, S. 93ff.; Monopolkommission, Hauptgutachten III, 1980, Tz. 746ff. Zu den hier nicht behandelten – aber überwindbaren – praktisch-technischen Schwierigkeiten einer Entflechtung *Möschel* (a.a.O.), S. 114; *Oehler* (a.a.O.), S. 100 und 126; *Engel*, Die verfassungsrechtliche Zulässigkeit eines Entflechtungstatbestandes im Gesetz gegen Wettbewerbsbeschränkungen als ultima ratio zur Beseitigung eines Wettbewerbsversagens, 2007, S. 44.

[61] Darstellung der beihilferechtlichen Praxis der Kommission im Finanzsektor bei *Zimmer/Blaschczok,* WuW 2009, S. 142ff.; vgl. ferner FAZ vom 2. 11. 2009, S. 13; Handelsblatt vom 2. 11. 2009, S. 44.

[62] Dazu *Herrmann* (Fußnote 60), S. 65; Monopolkommission (Fußnote 60), Tz. 754ff.; *Engel* (Fußnote 60), S. 50; *Möschel* (Fußnote 60), S. 117ff.; *Oehler* (Fußnote 60), S. 62; *Scholz* (Fußnote 60), S. 63f.

[63] Dazu *Möschel* (Fußnote 60), S. 115f.; *Oehler* (Fußnote 60), S. 96; *Scholz* (Fußnote 60), S. 63f.; *Schulte-Braucks* (Fußnote 60), S. 90ff.

inhaber ihre Stellung an Dritte. Diese Variante wird über den Verkauf der Anteile realisiert.

In den USA wird derzeit die Rückkehr zum Trennbankensystem diskutiert.[64] Hierfür wird angeführt, in diesem Falle wären Rettungsmaßnahmen zugunsten einer insolvenzbedrohten Bank, die das für die Volkswirtschaft relevante Kerngeschäft betreibt, vertretbar, während eine gefährdete reine Investmentbank insolvent gehen könnte. Dem ist jedoch entgegenzuhalten, dass auch die Insolvenz einer reinen Investmentbank – wie im Fall der Lehman-Insolvenz gesehen – das System gefährdet. Zudem sollte das „Too-big-to-fail"-Problem auch nicht auf reine Geschäftsbanken begrenzt, sondern ganz beseitigt werden. Eine grundsätzliche Entscheidung für ein Trennbankensystem kann daher keinen Beitrag zur Bewältigung des „Too-big-to-fail"-Problems insgesamt leisten.[65] Dies spricht nicht dagegen, im Einzelfall tatsächlich eine Trennung zwischen Geschäfts- und Investmentbank vorzunehmen, um systemrelevante Strukturen zu vermeiden. Weiterhin ist auch eine Abgrenzung nach regionalen Aktivitäten denkbar.[66]

IV. Mögliche Einwände gegen Größenbeschränkungen

1. Wirtschaftliche Einwände: Vorteile wirtschaftlicher Größe?

a) Produktive Effizienz

In der ökonomischen Theorie bilden Größenvorteile den Oberbegriff für Skalen- und Verbundvorteile. Skalenvorteile bestehen solange, als die durchschnittlichen Kosten bei steigender Ausbringungsmenge abnehmen.[67] Im Bankensektor besteht hier Potenzial insbesondere aufgrund der hohen Fixkosten von Computer- und Telekommunikationsanlagen sowie Filialnetzen.[68] Allerdings sind

---

[64] *Volcker*, vgl. nur The New York Times v. 22. 10. 2009, Volcker Fails to Sell a Bank Strategy; *King*, Handelsblatt vom 22. 10. 2009, S. 18. So auch die Gesetzesentwürfe der US-Senatoren *Hinchey, Kaptur* und *McCain/Cantwell*, jeweils vom 16. 12. 2009, abrufbar unter http://thomas.loc.gov.

[65] *Maisch*, Handelsblatt vom 22. 10. 2009, S. 18; *Turner* und *Brown*, Handelsblatt vom 23. 10. 2009, S. 21.

[66] Die aktuell im Zuge der Staatshilfen erzwungenen Entflechtungen machen teils Fusionen rückgängig (Eurohypo, TSB), teils wird nach Geschäftszweigen getrennt (ING Gruppe), teils nach regionalen Aspekten (Lloyds, RBS).

[67] *Neuberger*, Mikroökonomik der Bank, 1998, S. 148.

[68] *Neuberger* (Fußnote 57), S. 151; *Schulz*, Großfusionen im europäischen Bankenmarkt, 2000, abrufbar unter www.dsgv.org/DSGV/Presseex.nsf, S. 6f.

mit steigender Komplexität der Aufgaben und Koordinationsmechanismen auch Skalennachteile denkbar. In wirtschaftswissenschaftlichen Untersuchungen[69] ist daher eine Durchschnittskostenkurve in U-Form festgestellt worden, die in ihrem Tiefpunkt ein Minimum an Durchschnittskosten aufweist. Dieser Tiefpunkt bildet die optimale Betriebsgröße der Bank ab. Unterhalb dieser Größe kann sie noch Skalenvorteile ausschöpfen, oberhalb entstehen leichte Nachteile.[70]

Zur Klärung der Frage, ob eine Entflechtungsregelung dazu führt, dass eine Bank nicht alle Größenvorteile ausschöpfen kann, ist dieser kostenminimale Tiefpunkt der Größe der systemrelevanten Banken gegenüberzustellen. Bei der empirischen Festlegung des Tiefpunktes besteht weitgehend Einigkeit. Zwar haben Untersuchungen zunächst einen Tiefpunkt bei einer Bilanzsumme von 100 Mio., später bei 10 Mrd. und zuletzt bei 25 Mrd. US-Dollar ergeben. Dabei wurden aber jeweils aktualisierte Daten zugrunde gelegt, welche die technologische Entwicklung und Aufhebung geografischer Restriktionen berücksichtigten, ferner wurden die Modelle zuletzt um Diversifizierungsvorteile ergänzt.[71] Geht man von den in der Literatur zuletzt ermittelten 25 Mrd. US-Dollar als der Schwelle aus, bis zu der Größenvorteile bestehen, und stellt ihnen die 100 Mrd. US-Dollar gegenüber, die – wie gezeigt – die Schwelle zur Systemrelevanz verkörpern, so wird ersichtlich, dass eine Entflechtung voraussichtlich keine Größenvorteile abschneiden würde.[72] Dies gilt auch für die zweite Kategorie der Verbundvorteile, die im Bankensektor meist gar nicht, vereinzelt jedenfalls nur bis zu einer Bilanzsumme von 25 Mrd. US-Dollar festgestellt werden.[73]

---

[69] *Mester* in: Thakor/Simon (Hrsg.), Handbook of Financial Intermediation and Banking, 2008, S. 153 ff.; *Berger/Humphrey*, Bank Scale Economies, Mergers, Concentration, and Efficiency: The U.S. Experience, 1999, abrufbar unter www.ssrn.com, S. 6 ff; *Berger/Demsetz/Strahan*, The Consolidation of the Financial Services Industry: Causes, Consequences, and Implications for the Future, 1999, abrufbar unter www.ssrn.com, S. 19 ff.; *Hartmann/Pfingsten/Weber*, *Hartmann-Wendels/Pfingsten/Weber*, Bankbetriebslehre, 2007, S. 54; *Neuberger* (Fußnote 67), S. 154. Dies gilt auch für den deutschen Bankenmarkt: *Lang/Welzel*, Zeitschrift für Betriebswirtschaft 67 (1997), 269, 276.

[70] Vereinzelt ergeben Untersuchungen eine L-Form, so etwa *McAllister/McManus*, Resolving the scale efficiency puzzle in banking, Journal of Banking and Finance 17 (1993), S. 389; eine L-Form negiert zwar Größennachteile, ändert aber nichts daran, dass nur bis zu einer bestimmten, optimalen Betriebsgröße Größenvorteile bestehen.

[71] *Mester* (Fußnote 69), S. 153 ff.

[72] Vgl. *Buiter*, Handelsblatt vom 23. 10. 2009, S. 21; *International Monetary Fund*, Global Financial Stability Report, 2009, S. 45 Fn. 47; *Steden*, Marktorientierte Bankenregulierung: eine ökonomische Analyse unter besonderer Berücksichtigung der Einlagensicherung, 2002, S. 22; *Bair* vor dem U.S. Senate Committee on Banking, Housing and Urban Affairs am 6. 5. 2009, S. 3, S. 4; *Stiglitz* (Fußnote 50), S. 5.

[73] *Tröger*, Mergers & Acquisitions im deutschen Bankensektor. Eine Analyse der Bestimmungsfaktoren, 2003, S. 208 ff.; *Mester* (Fußnote 69), S. 157; Europäische Zent-

Zu keinem anderen Ergebnis führen die Untersuchungen über die von Größenvorteilen zu trennende Kosten- oder X-Effizienz. Sie ist solange nicht erreicht, wie Abweichungen vom effizienten Produktionsplan, etwa infolge mangelnder Motivation der Mitarbeiter oder mangels Wettbewerbsdruck, bestehen. Die Erreichung der X-Effizienz setzt damit keine bestimmte Größe voraus, Untersuchungen zeigen vielmehr, dass Banken aller Größen ihre X-Effizienz steigern können.[74]

b) Fähigkeit zur Betreuung von Großkunden

Der vorstehend referierte Befund zu Größenvorteilen erstaunt, finden doch zahlreiche Großfusionen auch jenseits der 25 Mrd. US-Dollar-Grenze statt. Dies muss freilich keine Zweifel an den empirischen Befunden wecken. Vielmehr können Großfusionen im Bankwesen auch in anderer Weise als durch die Erzielung von Kostenvorteilen erklärt werden. Eine Erklärung kann zunächst in der Ermöglichung der Erzielung von pekuniären Größenvorteilen, d.h. von auf Marktmacht beruhenden Gewinnen bestehen.[75] Daneben sind Erklärungsmodelle wie die empire building policy populär, die Unternehmensgröße auf die persönlichen Interessen der Entscheidungsträger zurückführen.[76] Schließlich spielt für Großbanken die Präsenz auf dem Weltmarkt eine Rolle, um Großkunden betreuen zu können.[77] In der Abwägung kann nur der letztgenannte Aspekt schützenswert sein. Allerdings gibt es auch andere – zugegeben mit höheren Transaktionskosten behaftete – Möglichkeiten, den Bedürfnissen von Großkunden gerecht zu werden:[78] Konsortien, längerfristige vertragliche Zusammenarbeit oder Gemeinschaftsunternehmen sind schon heute üblich, um Risiken nicht auf eine Bank zu konzentrieren.

---

ralbank, Mergers and Acquisitions Involving the EU Banking Industry. Facts and Implications, 2000, S. 20; *Lang/Welzel* (Fußnote 69), S. 279.

[74] *Mester* (Fußnote 69), S. 158; *Berger/Demsetz/Strahan* (Fußnote 69), S. 25; *Neuberger* (Fußnote 67), S. 155 f.; *Lang/Welzel* (Fußnote 69), S. 279.

[75] *Tröger* (Fußnote 73), S. 163 ff.; *Hartmann/Pfingsten/Weber* (Fußnote 69), S. 55; *Berger/Demsetz/Strahan* (Fußnote 69), S. 5.

[76] *Berger/Demsetz/Strahan* (Fußnote 69), S. 7 ff.; Europäische Zentralbank (Fußnote 73), S. 23; *Tröger* (Fußnote 73), S. 220 ff.; *Schmidt*, Wettbewerbspolitik und Kartellrecht, 8. Aufl., 2005, S. 107.

[77] Europäische Zentralbank (Fußnote 73), S. 21; zu den künstlichen Wachstumsanreizen der „Too-big-to-fail"-Doktrin siehe sub C.

[78] *Röller/Stennek/Verboven*, Efficiency Gains from Mergers, The Research Institute of Industrial Economics Working Paper No. 543, 2000, S. 117; *Lindorff*, ‚Too Big to Fail' Has an Easy Answer, 2008, abrufbar unter www.opednews.com, S. 1.

c) Effiziente Risikoallokation

Gesamtwirtschaftlich kann Größe schließlich eine effiziente Risikoallokation bewirken, da Großbanken ihr Portfolio diversifizieren.[79] Dieser Gewinn an Stabilität wird jedoch durch zwei Aspekte aufgewogen: Ist die Bank so groß, dass sie Systemrelevanz erlangt, unterliegt sie den Fehlanreizen der „Too-big-to-fail"-Doktrin. Somit neigt sie dazu, übermäßige Risiken einzugehen.[80] Des weiteren bedeutet Diversifizierung, dass die Bank mit vielen Geschäftspartnern Verflechtungen aufweist. Durch diese Verflechtungen werden die Kettenreaktionen im Markt wahrscheinlicher, sodass Diversifizierung im Ergebnis das systemische Risiko sogar erhöhen kann.[81]

d) Zwischenergebnis zum Bestehen wirtschaftlicher Einwände

Vorbehaltlich einer noch eingehenderen Untersuchung und weiterer Fortschritte in der wirtschaftswissenschaftlichen Beurteilung[82] sprechen gute Gründe für die Annahme, dass systemrelevante Banken keine Größenvorteile mehr ausschöpfen können. Auch Aspekte der Finanzmarktstabilität verlangen nach dem Gesagten keine Banken dieser Größenkategorie. Mit Blick auf die Bedürfnisse multinationaler Kunden könnte eine Entflechtung allerdings die Wettbewerbsfähigkeit der deutschen Großbanken schmälern. Hier erscheint internationale Abstimmung erforderlich.

2. Rechtliche Einwände: Verstoß gegen höherrangiges Recht?

Sowohl eine besondere Zusammenschlusskontrolle – die die Veräußerung einer Bankbeteiligung erschweren oder in einer gegebenen Situation unmöglich machen kann – als auch eine Entflechtungsregelung werfen die Frage nach ihrer Vereinbarkeit mit höherrangigem Recht auf. Dabei liegt auf der Hand, dass die Anordnung einer Entflechtung als der weiterreichende Eingriff in die Rechte der Betroffenen den größeren Bedenken begegnet. Dieser Eingriffsform – der Entflechtung – wird daher im Folgenden gesteigerte Aufmerksamkeit gewidmet.

---

[79] Schweizer Nationalbank (Fußnote 39), S. 10; Institute of International Finance, Restoring Confidence, Creating Resilience, 2009, S. 58f.

[80] *Berger/Demsetz/Strahan* (Fußnote 69), S. 38.

[81] *Bair* (Fußnote 72), S. 5.

[82] Vgl. zum derzeitigen Forschungsstand auch *Zimmer/Rengier* (Fußnote 33).

Untersuchungen zur verfassungsrechtlichen Zulässigkeit einer Entflechtungsregelung kommen überwiegend zur Verfassungsmäßigkeit einer solchen Lösung.[83] Im Folgenden wird geprüft, ob eine aufsichtsrechtlich begründete Entflechtungsregelung mit dem Eigentumsgrundrecht aus Art. 14 Grundgesetz (GG) vereinbar ist. Andere möglicherweise einschlägige Grundrechte gewährleisten jedenfalls keinen weitergehenden Schutz.[84] Auch europäisches Recht dürfte keine über Art. 14 GG hinausgehenden Anforderungen an eine Entflechtungsregelung stellen: Gemäß Art. 6 EUV i.V.m. Art. 17 Abs. 1 Satz 2 der Grundrechte-Charta der EU darf Eigentum nur aus Gründen des öffentlichen Interesses und unter gesetzlich bestimmten Bedingungen gegen eine angemessene Entschädigung entzogen werden.[85] Der Vertrag über die Arbeitsweise der Europäischen Union (AEUV) lässt nach seinem Art. 345 (ex-Art. 295 EGV) die Eigentumsordnung in den Mitgliedstaaten unberührt.[86]

a) Das Eigentumsgrundrecht: Schutzbereich und Eingriff

Die Entflechtung könnte zwei Grundrechtspositionen berühren: Das Eigentum der Gesellschafter an ihren Gesellschaftsanteilen und das Eigentum der Gesellschaft wiederum am Unternehmen (Art. 19 Abs. 3 GG).[87] Die entziehende Entflechtung[88] stellt ohne Zweifel einen Eingriff dar, denn Gesellschafter und – soweit diese zur Veräußerung von Vermögenswerten verpflichtet wird – Gesellschaft verlieren ihre Eigentumspositionen. Fraglich hingegen erscheint der Eingriff in den Fällen der umgestaltenden Entflechtung.[89] Hier kann man einen Eingriff nicht schon daraus herleiten, dass der Gesellschaft als Grundrechtsträger Unternehmensteile entzogen werden. Denn diese Eigentumsbestandteile werden gerade an die Anteilsin-

---

[83] Die Literatur ist freilich zu einer wettbewerbspolitisch motivierten Regelung entstanden. Zudem beruht die Mehrzahl der Untersuchungen auf einer überholten Dogmatik zum Enteignungsbegriff. Vgl. im einzelnen Monopolkommission (Fußnote 60), Tz. 779; *Duden* in: Coing/Kronstein/Mestmäcker (Hrsg.), Wirtschaftsordnung und Rechtsordnung. Festschrift für F. Böhm, 1965, S. 3; *Möschel* (Fußnote 60) S. 131 ff.; *Scholz* (Fußnote 60); *Schulte-Braucks* (Fußnote 60); Gesetzesentwurf der FDP-Fraktion, BT-Drucks. 16/8405, S. 6 f.; a. A. *Selmer*, Unternehmensentflechtung und Grundgesetz, 1981; *Müller*, Entflechtung und Deregulierung, 2004, S. 191 ff.

[84] *Engel* (Fußnote 60), S. 6 f.

[85] Art. 6 EUV gilt auch nach dem Inkrafttreten des Vertrags von Lissabon unverändert fort. Vgl. Übereinstimmungstabelle nach Art. 5 des Vertrags von Lissabon, ABl. EU 2007, Nr. C 306/202 ff.

[86] Dazu *Engels*, BKR 2009, S. 365, 367; *Stewing*, EWS 2009, S. 303, 307.

[87] Dazu BVerfGE 50, 290, 341 ff. – Mitbestimmung.

[88] Zum Begriff oben B. III.3.

[89] Zum Begriff oben B. III.3.

haber als wirtschaftliche Eigentümer des Unternehmens übertragen.[90] Dennoch ist auch das Eigentum der Anteilsinhaber berührt: Die geschützte Eigentumsposition ist der konkret gehaltene Anteil. Dieser aber ist betroffen, sobald er mittels Tausch oder Abspaltung ganz oder teilweise einer neuen Gesellschaft zugeordnet wird.[91]

Eine Enteignung setzt zunächst den Entzug einer konkreten Eigentumsposition voraus.[92] Dieser wäre zumindest bei der entziehenden Entflechtung gegeben.[93] In der Baulandumlegungs-Entscheidung hat das Bundesverfassungsgericht jedoch ausgeführt, dass für eine Enteignung ein zweites Element hinzutreten müsse. Konstitutiv für eine Enteignung sei neben dem Entzug des Gegenstandes, dass er beschafft werde, um damit eine öffentliche Aufgabe zu erfüllen.[94] Bei der Entflechtung ist dies nicht anzunehmen: Sie dient zwar einem öffentlichen Interesse, nämlich der Finanzmarktstabilität. Sie soll aber weder den Staat noch private Dritte in den Stand setzen, mit ihrem Gegenstand, den entflochtenen Unternehmensteilen, öffentliche Aufgaben zu erfüllen. Danach stellt die Entflechtung keine Enteignung dar.[95] Im Folgenden wird davon ausgegangen, dass es sich bei der Entflechtung nicht um eine Enteignung, sondern um eine Inhalts- und Schrankenbestimmung handelt.

b) Rechtfertigung

Eine Inhalts- und Schrankenbestimmung ist gerechtfertigt, wenn sie einem legitimen Ziel dient, geeignet und erforderlich ist, und den Adressaten nicht in unverhältnismäßiger Weise trifft. Als legitimes Ziel kann der Gesetzgeber die Finanzmarktstabilität heranziehen.[96]

---

[90] *Möschel* (Fußnote 60), S. 139; *Scholz* (Fußnote 60), S. 152 und 176.

[91] *Müller* (Fußnote 83), S. 196; *Scholz* (Fußnote 60), S. 171.

[92] BVerfGE 58, 300, 330f. – Nassauskiesung; 70, 191, 199f. – Fischereibezirke; 74, 264, 280 – Boxberg; 79, 174, 191 – Straßenverkehrslärm; *Papier* in: Maunz/Dürig, Grundgesetz. Kommentar, 2002, Art. 14 Rn. 527 m.w.N.

[93] Für die umgestaltende Enteignung hingegen wird dies zumeist verneint: *Scholz* (Fußnote 60), S. 172; *Duden* (Fußnote 83), S. 17; a.A. *Müller* (Fußnote 83), S. 196.

[94] BVerfGE 104, 1, 9f. – Baulandumlegung.

[95] Ebenso *Engel* (Fußnote 60), S. 21; FDP (Fußnote 83), S. 6. Mitunter wird die Entscheidung allerdings anders verstanden: Das Gericht habe mittels des zweiten Elementes nur Fälle aus dem Kreis der Enteignungen ausklammern wollen, die sich auf den Ausgleich privater Interessen beschränken würden. I.d.S. *Wieland* in: Dreier, Grundgesetz. Kommentar, 2. Aufl., 2004, Art. 14 Rn. 77. Gegen diese abweichende Einordnung der Entscheidung sprechen jedoch die Erläuterungen der urteilenden Verfassungsrichterin *Haas*: Sie setzt das neue Verständnis des Enteignungsbegriffes auch in den Kontext von Fällen, die über den Ausgleich privater Interessen hinausgehen: *Haas,* NVwZ 2002, S. 272, 274; so auch *Papier* (Fußnote 92), Art. 14 Rn. 361 und 527.

[96] *Appel/Rossi*, Finanzmarktkrise und Enteignung, 2009, S. 29.

Die Entflechtung ist zur Lösung der „Too-big-to-fail"-Problematik – nachhaltig allerdings nur im Zusammenspiel mit der Fusionskontrolle – auch geeignet. Mit Blick auf die *Erforderlichkeit* könnten Ansätze eines Sonderinsolvenzrechts oder eine gesonderte Regulierung der Großbanken gleich effektive, aber mildere Mittel zur Lösung der „Too-big-to-fail"-Problematik darstellen. Die Erforderlichkeit kann daher abschließend nur unter Berücksichtigung aller Lösungswege bestimmt werden.

c) Ausgleichspflichtige Inhalts- und Schrankenbestimmung

Die Verhältnismäßigkeit eines Eingriffs bestimmt sich nach seiner Intensität und Tragweite, daneben aber auch nach der Eigenart der jeweiligen Eigentumsposition.[97] Da die Entflechtung empfindlich in das Eigentum eingreift, könnte es sich um den Fall einer ausgleichspflichtigen Inhalts- und Schrankenbestimmung handeln.[98] Die Fälle der *umgestaltenden Entflechtung* erhalten den Bestand des Anteilseigentums – zumindest vermögensmäßig – aufrecht. Zwar kann die Neuordnung im Einzelfall Kursverluste mit sich bringen, weil die Aussichten der alten Einheit am Markt besser sind als die der neugeschaffenen kleineren Unternehmensteile. Diese Vorteile sind jedoch nicht Teil der verfassungsrechtlich geschützten Substanz, sondern bloß zukünftige Erwerbschancen.[99] Eine umgestaltende Entflechtung erscheint daher auch ohne finanziellen Ausgleich zumutbar.[100]

Anders stellt sich die Lage in den Fällen der *entziehenden Entflechtung* dar. Hier führt die Entflechtung dazu, dass dem Eigentümer seine Position entzogen wird, ohne dass er eine wertgleiche Position erhält. Ein kompletter Entzug wiegt in Schwere und Tragweite derart, dass er ohne finanziellen Ausgleich unzumutbar wäre.

---

[97] *Axer* in: Epping/Hillgruber, Grundgesetz. Kommentar, 2009, Art. 14 Rn. 92; *Dietlein* in: Stern, Das Staatsrecht der Bundesrepublik Deutschland, 2006, Bd. IV/1, S. 2247 ff.; *Wieland* (Fußnote 95), Art. 14 Rn. 86 ff.

[98] Dieses Institut wurde bald nach der Kehrtwende der Enteignungsrechtsprechung in der Pflichtexemplar-Entscheidung geschaffen. Vgl. im Einzelnen BVerfGE 58, 137, 144 – Pflichtexemplar; 100, 226, 241 – Denkmalschutz; *Papier* (Fußnote 92), Art. 14 Rn. 362 und 528 m. w. N.; *Bryde* in: v. Münch/Kunig, Grundgesetz-Kommentar, 5. Aufl., 2000, Art. 14 Rn. 100 a; *Axer* (Fußnote 97), Art. 14 Rn. 104; *Dietlein* (Fußnote 97), S. 2253.

[99] *Scholz* (Fußnote 60), S. 176; *Kimminich* in: Dolzer/Waldhoff/Graßhof (Hrsg.), Bonner Kommentar zum Grundgesetz, Stand 143. EL, 2009, Art. 14 Rn. 467 f.; *Wendt* in: Sachs, Grundgesetz. Kommentar, 5. Aufl., 2009, Art. 14 Rn. 170.

[100] *Schulte-Braucks* (Fußnote 60), S. 264; *Engel* (Fußnote 60), S. 29; Monopolkommission (Fußnote 60), Tz. 795; *Scholz* (Fußnote 60), S. 143 und 175 ff.; *Möschel* (Fußnote 60), S. 137; FDP (Fußnote 83), S. 8.

In Entsprechung zu Stellungnahmen zur früheren Eigentumsdogmatik ist daher für die entziehende Entflechtung eine Entschädigung zu fordern.[101] Der Entschädigung des Eigentümers dient zunächst der konkret erzielte Verkaufserlös.[102] Es fragt sich aber, ob die Entziehung nur zumutbar ist, wenn der Staat eine Entschädigung in Höhe des Verkehrswertes gewährleistet. In diesem Falle müsste er die beim Verkauf möglicherweise verbleibende Wertdifferenz ersetzen. Zur Konkretisierung der Zumutbarkeitserwägungen können im Rahmen der Bemessung des finanziellen Ausgleiches insbesondere die Kriterien der Sozialbindung und der Leistungsäquivalenz der Eigentumsposition herangezogen werden.[103] Die hohe Sozialbindung des Anteilseigentums könnte man gegen eine volle Entschädigung in Höhe des Verkehrswertes anführen.[104] Wie gesehen gefährdet das Unternehmenseigentum aufgrund der „Too-big-to-fail"-Doktrin den Wettbewerb und die Stabilität der Finanzmärkte und belastet den Staatshaushalt erheblich. Andererseits ist gerade im Rahmen unternehmerischen Eigentums der Gedanke der Leistungsäquivalenz besonders wichtig.[105] Das Anteilseigentum beruht in vollem Umfange auf eigener Leistung. Entwertet der Staat diese Investition durch umfassenden Entzug der Anteile, sollte er zumindest finanziellen Ausgleich leisten, um der Entflechtung nicht „strafenden" Charakter zu geben.[106] Auch im Rahmen der Höhe der Entschädigung ist zudem die besondere Schwere der entziehenden Entflechtung zu berücksichtigen.[107] Das sollte den Ausschlag für einen finanziellen Ausgleich in Höhe des Verkehrswertes geben.[108]

---

[101] *Duden* (Fußnote 83), S. 19; Monopolkommission (Fußnote 60), Tz. 795; *Möschel* (Fußnote 60), S. 137; *Scholz* (Fußnote 60), S. 172; *Engel* (Fußnote 60), S. 56.

[102] Monopolkommission (Fußnote 60), Tz. 795; *Engel* (Fußnote 60), S. 56; *Möschel* (Fußnote 60), S. 137; *Scholz* (Fußnote 60), S. 173f.; a.A. nur *Papier* (Fußnote 92), Art. 14 Rn. 508: Vorteilsausgleichung.

[103] Vgl. nur *Papier* (Fußnote 92), Art. 14 Rn. 613.

[104] So FDP (Fußnote 83), S. 7; *Möschel* (Fußnote 60), S. 137; *Schulte-Braucks* (Fußnote 60), S. 266.

[105] *Papier* (Fußnote 92), Art. 14 Rn. 635; *Bryde* (Fußnote 98), Art. 14 Rn. 95.

[106] Vgl. *Duden* (Fußnote 83), S. 17; *Haus*, FAZ v. 16. 12. 2009, S. 12; *Scholz* (Fußnote 60), S. 174: „ein dem Verkehrswert annähernd gleichkommender Ersatz"; *Engel* (Fußnote 60), S. 62: „nicht weit unter dem Verkehrswert".

[107] Dazu *Depenheuer* (Fußnote 98), Art. 14 Rn. 249.

[108] Hiergegen lässt sich – entgegen anderslautenden Stellungnahmen (*Möschel* (Fußnote 60), S. 137; *Schulte-Braucks* (Fußnote 60), S. 268f.) – eine Äußerung des Bundesgerichtshofs im Zusammenschlussverfahren GKN/Sachs nicht heranziehen. Der BGH stellte für den Fall, dass der Verkauf eines Unternehmensteils in Folge der Untersagung einer Fusion scheitere und ein anderweitiger Verkauf geringeren Erlös bringe, fest, dass diese Einbuße im Rahmen der Sozialbindung des Eigentums hinzunehmen sei: BGH, Urt. v. 21. 2. 1978, WuW/E BGH 1501, 1512 – Kfz-Kupplungen. Gegen eine Übertragung dieser Äußerung auf den Fall der Entflechtung spricht jedoch, dass

3. Zwischenergebnis zum Bestehen rechtlicher Einwände gegen Größenbeschränkungen

Im Ergebnis ist eine Entflechtungsregelung – falls sich nicht Sonderregulierung oder Sonderinsolvenzrecht als mildere, gleich effektive Mittel erweisen – mit Art. 14 GG vereinbar. Geringe Bedenken weisen umgestaltende Entflechtungen auf. Für die Fälle der entziehenden Entflechtung hingegen muss gesetzlich eine Entschädigung vorgesehen sein, die – auch über einen Verkaufserlös hinaus – Kompensation bis zur Höhe des Verkehrswertes gewährleistet.

V. Ergebnisse zu Sonder-Fusionskontrolle und -Entflechtung bei Banken

In Krisenzeiten kann es sich als unausweichlich erweisen, systemrelevante Banken zu retten. Diese Praxis hat aber weitreichende negative Folgen für Staatshaushalt, wirksamen Wettbewerb und Stabilität der Finanzmärkte. Zudem bestehen für Banken weiterhin Anreize, in die Kategorie der Systemrelevanz mit den einhergehenden Wettbewerbsvorteilen und Gewinnmöglichkeiten hineinzuwachsen.

Für eine Lösung des Problems sind präventive Ansätze in Betracht zu ziehen, die der Entstehung von „Too-big-to-fail"-Situationen entgegenwirken. Die hier untersuchten Ansätze können dieser Aufgabe gerecht werden. Verfassungsrechtliche Bedenken schlagen, soweit keine milderen, gleich wirksamen Mittel zur Verfügung stehen, im Ergebnis nicht durch.

Angesichts der Eingriffsintensität einer Sonder-Fusionskontrolle oder –Entflechtung für Banken ist die Schaffung dieser Instrumente aber erst zu empfehlen, wenn mildere Mittel zur Lösung der „Too-big-to-fail"-Problematik nicht zum Erfolg geführt haben. Konkret sind als mildere Mittel mit Vorrang die Einführung einer anreizorientierten Sonderregulierung (Teil C des Gutachtens) und besondere Vorschriften zu Sanierung und Insolvenz von Banken (Teil D des Gutachtens) in Betracht zu ziehen.

---

es sich bei Fusionskontrolle und Entflechtung um unterschiedliche Eingriffsintensitäten bezüglich des Eigentums handelt. Vgl. zur Begründung näher *Zimmer/Rengier* (Fußnote 33) Sub B.IV. 1.3.

C. Anreizorientierte Sonderregulierung für Banken

I. Einleitung[109]

Im Unterschied zum invasiven Charakter einer Sonder-Fusionskontrolle oder -Entflechtung könnte eine Sonderregulierung die Lösung der „Too-big-to-fail"-Problematik im Wege der Anreizsetzung verfolgen: Die Regulierung könnte eine Vermeidung systemrelevanter Strukturen prämieren. Die Idee einer anreizorientierten Sonderregulierung basiert auf dem Konzept der Internalisierung externer Effekte.

Von externen Effekten wird gesprochen, wenn die Aktivitäten einer Partei den Nutzen einer anderen Partei direkt beeinflussen, ohne dass für diese Effekte ein Marktpreis erhoben wird.[110] Für den Urheber externer Effekten bestehen grundsätzlich keine Anreize, diese in sein Entscheidungskalkül miteinzubeziehen. Der Urheber entscheidet nach seinen privaten, nicht nach den volkswirtschaftlichen Kosten seines Tuns. Ohne diese Kosten tragen zu müssen, dehnt der Urheber im Falle negativer externer Effekte seine Aktivität aus volkswirtschaftlicher Sicht also zu weit aus.

Im Finanzmarkt bestehen negative externe Effekte in Form der systemischen Risiken der Tätigkeit einer Großbank.[111] Ihre Insolvenz kann Kettenreaktionen auslösen, welche Verluste weiterer Banken bewirken, sogar deren Insolvenz nach sich ziehen und so mittelbar die Realwirtschaft beeinträchtigen können. Zugleich aber spielen diese Kettenreaktionen für die Großbank selber keine Rolle. Sie wird die volkswirtschaftlichen Kosten ihrer Insolvenz daher nicht in ihren Entscheidungen berücksichtigen und somit ein aus volkswirt-

---

[109] Vgl. hierzu ausführlich *Zimmer/Rengier* (Fußnote 33).

[110] Vgl. nur *Donges/Freytag*, Allgemeine Wirtschaftspolitik, 3. Aufl., 2009, S. 172ff.; *Lohr*, Öffentliche Güter und externe Effekte, 1989, S. 405f.

[111] *Acharya/Richardson*, Restoring Financial Stability. How to Repair a Failed System, 2009 S. 286f.; *Beville*, Financial Pollution: Systemic Risk and Market Stability, Florida State University Law Review 36 (2009), S. 245, 246; *Burghof/Rudolph*, Bankenaufsicht, 1996, S. 31; *Rieger*, Die Regulierung des Bankensektors – Grundlagen, Ziele und Folgen, 1998, S. 95f.; *Schwarcz*, Systemic Risk, The Georgetown Law Journal 97 (2008), S. 198ff.; *Steden* (Fußnote 72), S. 23; *Atwell*, Systemic Risk: Tax Is Best Way to Minimize TBTF Risk, Northwestern Financial Review v. 1. 5. 2009.

schaftlicher Sicht übermäßiges Niveau an systemischen Risiken hervorbringen. In der aktuellen Finanzmarktkrise ist das mittlerweile gravierende Ausmaß an systemischen Risiken deutlich zu Tage getreten. Diese Erfahrung legt nahe, die Anreizstruktur der Bankenaufsicht zu überarbeiten und systemische Risiken in die Regulierung stärker einzubeziehen.

II. Grundkonzept: Internalisierung über einen staatlich fixierten Risikopreis

Darauf zielt das Konzept der Internalisierung externer Effekte. Dem Urheber werden auch die volkswirtschaftlichen Kosten seiner Aktivität auferlegt, sodass er sie in sein Entscheidungskalkül miteinbezieht. Das führt dazu, dass er dasjenige Ausmaß an Aktivität wählt, welches aus volkswirtschaftlicher Sicht optimal ist.[112] Für die Gestaltung dieser Internalisierung sind – meist für den Bereich der Umweltpolitik – verschiedene Varianten des Konzeptes entwickelt worden.[113] Speziell für die Internalisierung systemischer Risiken im Finanzmarkt kommen zwei Gestaltungen in Betracht. Zum einen wäre eine Zertifikatelösung als Unterfall der von *Ronald Coase* entwickelten Verhandlungslösung denkbar. Hierbei würde der Staat die aus seiner Sicht optimale Menge an „Emissionen" systemischer Risiken definieren und jeder Bank proportional zu ihren aktuellen Emissionswerten Zertifikate zuteilen. Jede Emission würde ein entsprechendes Zertifikat voraussetzen, sodass die Banken entweder Zertifikate erwerben oder – je nach Preis der Zertifikate vorteilhafter – ihre Emission an systemischen Risiken reduzieren müssten.[114] Diese Variante kann konzeptionell an den schon heute bestehenden Handel mit Risiken etwa in der Form von Derivaten anknüpfen. Andererseits müsste der Staat bei Umsetzung der Variante die individuelle Emission an systemischen Risiken entsprechend den jeweiligen Zertifikaten überwachen – eine am Finanzmarkt faktisch nicht durchführbare Aufgabe.

Aussichtsreicher erscheint daher die andere, von *Arthur Pigou* entwickelte Variante der Internalisierung über einen politisch fixierten Preis[115] auf die mit externen Effekten einhergehenden Aktivitä-

[112] Allgemein dazu *Donges/Freytag* (Fußnote 110), S. 192 ff.

[113] *Feess*, Umweltökonomie und Umweltpolitik, 3. Aufl., 2007, S. 71 ff.; *Donges/Freytag* (Fußnote 110), S. 192 ff.

[114] *Beville* (Fußnote 111), S. 268 f.

[115] In der Terminologie von *Pigou* handelt es sich um eine „Steuer". Nicht alle Formen einer *Pigou*-„Steuer" stellen aber im juristischen Sinne eine Steuer dar, so dass hier allgemeiner von Preis gesprochen werden soll.

ten. Am Finanzmarkt müsste der Staat danach alle Aktivitäten, die systemische Risiken auslösen, mit einem den Kosten dieser Risiken entsprechenden Preis belegen, sodass der Anreiz entstünde, die Aktivitäten auf das volkswirtschaftlich optimale Ausmaß zu reduzieren. Ein derartiger Risikopreis ließe sich durch die Verschärfung bestehender Regulierungsmaßnahmen umsetzen. Der Anreiz bestünde dann darin, deren zusätzlichen Belastungen durch Reduzierung der systemischen Risiken zu entgehen.[116]

III. Ausgestaltung der Regulierungsmaßnahmen

1. Berücksichtigung von Systemrisiken bei Eigenkapitalanforderungen und Prämien für die Einlagensicherung

Eigenkapitalanforderungen sollen einerseits einen Verlustpuffer schaffen, der die Wahrscheinlichkeit einer Insolvenz verringert.[117] Andererseits dienen sie dazu, den aus der Einlagensicherung herrührenden Anreiz zu risikoträchtigem Verhalten (‚moral hazard') durch Sicherstellung einer Haftung des Kapitals der Anteilseigner zu korrigieren.[118] Damit sind sie prädestiniert für eine Steuerung systemischer Risiken:[119] Gesteigerte Eigenkapitalanforderungen für systemrelevante Banken würden durch den verbreiterten Verlustpuffer das Risiko einer Insolvenz verringern. Zudem lässt die „Too-big-to-fail"-Garantie wie gesehen[120] eine Sicherung aller Einlagen der Bank erwarten. Dem dadurch verschärften Fehlanreiz für ‚moral hazard' könnte eine Erhöhung des haftenden Kapitals der Anteilseigner begegnen.

---

116 *Acharya/Richardson* (Fußnote 111), S. 289; International Monetary Fund, Global Financial Stability Report, 2009, S. 43; *Glaeser*, Taxing Banks to Pay for, and Prevent, Future Bailouts, 2009, abrufbar unter economix.blogs.nytimes.com.

117 *Burghof/Rudolph* (Fußnote 111), S. 128; *Homölle*, Eigenkapitalregulierung und Risikoübernahme von Kreditinstituten, 1998, S. 11; *Acharya/Richardson* (Fußnote 111), S. 293.

118 *Fischer* in: Boos/Fischer/Schulte-Mattler, Kreditwesengesetz. Kommentar, 3. Aufl. 2008, Einf KWG Rn. 74; *Burghof/Rudolph* (Fußnote 111), S. 40 und 130; *Neuberger* (Fußnote 67), S. 183.

119 *Masciandaro*, Supervising the credit giants with progressive capital ratios, 2009, abrufbar unter www.voxeu.org; *Acharya/Richardson* (Fußnote 111), S. 293; Bank of England, Financial Stability Report 2009, S. 47; IMF (Fußnote 116), S. 43; *Wallison* vor dem U.S. Senate Committee on Banking, Housing and Urban Affairs am 6. 5. 2009, S. 7.

120 Oben unter A. II.2.

In Frage kommt aber auch eine Modifizierung der *Einlagensicherung*. Denn selbst im Falle erhöhter Eigenkapitalanforderungen besteht eine Lücke: Da solche gesteigerten Anforderungen zwar Insolvenzrisiken verringern, nie aber gänzlich ausschließen, kann es zum Entschädigungsfall kommen. Je geringer die Reserven der Einlagensicherung sind, desto eher wird der Staat versucht sein, die Bank zu retten. Aus diesem Grund gehen Überlegungen dahin, einen Finanzkrisenfonds zu schaffen, der die zusätzlichen Kosten einer Rettung oder Abwicklung übernimmt.[121] Während in der Konzeption *Josef Ackermanns* alle Banken und der Staat Beiträge zu diesem Fonds leisten, könnte die konsequente Umsetzung der Internalisierung lauten, sie allein den Urhebern systemischer Risiken aufzuerlegen. Die externen Effekte ließen sich dann über gesteigerte Prämien zur Einlagensicherung internalisieren.[122]

Die Gesamtkosten systemischer Risiken lassen sich über eine *Verschärfung beider Institute* abdecken. Die Gesamtbelastung beider Maßnahmen – Modifizierung der Eigenkapitalanforderungen und der Prämien zur Einlagensicherung – sollte dann bei Inrechnungstellung auch systemischer Risiken den optimalen Risikopreis abbilden.

2. *Die Anreizoptimierung im Einzelnen*

Optimale Anreize setzen allerdings keine exakte Messung der systemischen Risiken voraus. Schon ein in Stufen angenäherter Preis beispielsweise würde den Anreiz geben, in eine niedrigere „Preisklasse“ zu gelangen. So wird konzeptionell der reine *Pigou*-Ansatz kaum mehr vertreten; vielmehr sind praktikablere Varianten entwickelt worden, bei denen eine Ermittlung des volkswirtschaftlich optimalen Niveaus der Aktivität und eine Monetarisierung der externen Effekte nicht erforderlich sind. Als Vorbild für einen Risikopreis könnte damit der Preis-Standard-Ansatz von *Baumol/Oates*[123] herangezogen werden. Er definiert einen gewünschten Standard und

[121] *Ackermann*, Handelsblatt vom 17. 11. 2009, S. 1.

[122] *Acharya/Richardson* (Fußnote 111), S. 294; *Cloutier* vor dem U.S. House of Representatives Judiciary Committee am 17. 3. 2009, S. 10; *Cooley*, If a firm is „too big to fail“, it is ... too big, 2009, abrufbar unter www.forbes.com; IMF (Fußnote 116), S. 43; *Pennacchi*, Deposit Insurance, abrufbar unter www.voxeu.org, S. 18; *Stern/Feldman*, Addressing TBTF by Shrinking Financial Institutions: An Initial Assessment, The Region, Federal Reserve Bank of Minneapolis, 6/2009, S. 11 f.

[123] *Baumol/Oates*, The Use of Standards and Prices for Protection of the Environment, The Swedish Journal of Economics 73 (1971), S. 42; dazu *von Oettingen*, Externe Effekte und Wirtschaftsordnungspolitik, 1972, S. 144 ff.; *Sacksofsky*, Umweltschutz durch nicht-steuerliche Abgaben, 2000, S. 14 f.

belegt alle diesbezüglich kritischen Aktivitäten mit einem Ausgangspreis. Damit strebt er nicht das volkswirtschaftlich optimale Niveau, sondern nur eine Verbesserung an. Je nach der Entwicklung der „Emissionswerte" kann der Ausgangspreis angepasst werden, um weitere Verbesserungen bis hin zum gewünschten Niveau zu bewirken.[124]

Zur Umsetzung dieses Konzeptes könnte wiederum der Systemrelevanz-Test fruchtbar gemacht werden.[125] Da er ohnehin bereits für die Zwecke der laufenden Überwachung durchgeführt wird, wäre der zusätzliche Aufwand der Sonderregulierung gering. Der Systemrelevanz-Test attestiert den Banken wie oben dargestellt niedrige, mittlere oder hohe Systemrelevanz. Der Risikopreis bestünde also in einer Erhöhung des üblichen Multiplikators jeweils für die mittlere und hohe Stufe. Für die *Eigenkapitalanforderungen* könnte das bedeuten, den für die Berechung des zu haltenden Eigenkapitals üblichen Multiplikator von 0,08 der Risikopositionen um jeweils einen Preis für die mittlere und die hohe Stufe anzuheben. Bezogen auf die *Prämie für die Einlagensicherung* würde sich der Prämiensatz von 0,016 der „Verbindlichkeiten gegenüber Kunden" jeweils für die mittlere und hohe Stufe erhöhen. Zur besseren Differenzierung und Anreizsetzung ließe sich der Systemrelevanz-Test auch um weitere Stufen ergänzen. Abschließend sollte dann untersucht werden, ob die ermittelte Belastung den Banken genügend Freiraum für einen organischen Abbau der Systemrelevanz belässt. Denn sind die Anforderungen so hoch, dass eine Bank nicht mehr rentabel wirtschaften kann, erzwingt man faktisch eine sofortige Entflechtung, ohne deren rechtliche Garantien, insbesondere den finanziellen Ausgleich, vorzusehen.[126]

IV. Einwände

1. Zementierung der „Too-big-to-fail"-Kategorie?

Eine Sonderregulierung scheint vor einem Dilemma zu stehen: Einerseits soll sie genau diejenigen Institute mit einer Belastung belegen, die die Vorteile der Systemrelevanz genießen. Andererseits würde der Staat, wie bereits bemerkt, durch explizite Erfassung dieser Institute offen legen, dass er sie vor einer Insolvenz retten müss-

124 Diesen Weg befürwortet auch der IMF (Fußnote 116), S. 45.

125 Vgl. hierzu schon Teil B. III. 2 des Gutachtens.

126 Handelsblatt vom 23. 10. 2009, S. 21.

te. Anreizeffekte und Wettbewerbsverzerrungen der „Too-big-to-fail"-Doktrin würden also noch verschärft.[127] Diesem Dilemma einer Sonderregulierung kann man nur entgehen, wenn man die Grenze zu der besonderen Belastung fließend oder zumindest gestuft ausgestaltet. Konzeptionell muss Sonderregulierung daher Regulierung systemischer Risiken, nicht lediglich *einer* Kategorie systemrelevanter Banken bedeuten.[128] Unterstützend sollte die Aufsichtsbehörde die Institute wie heute schon darauf hinweisen, dass die institutsindividuelle Bewertung der Aufsicht nicht publiziert werden darf.[129]

2. Wettbewerbsneutralität?

Zu bedenken ist schließlich, dass ein staatlich gesetzter Risikopreis in die Wettbewerbsverhältnisse eingreift: Systemrelevante Banken werden mit höheren Eigenkapitalanforderungen und Prämien zur Einlagensicherung belastet als ihre Wettbewerber. In der Regel gilt die Wettbewerbsneutralität staatlicher Eingriffe als ein zentrales wirtschaftspolitisches Postulat. [130] Bei einer näheren Betrachtung zeigt sich, dass „Wettbewerbsneutralität" unterschiedliche Interpretationen erfahren kann. Fordert man Wettbewerbsneutralität im Sinne von Bedingungsgleichheit,[131] wirft eine Sonderregulierung solange keine Bedenken auf, als sie potenziell auf alle Marktteilnehmer anwendbar ist.[132] Dies ist für die Regulierung systemischer Risiken der Fall: Jede Bank kann in diese Kategorie gelangen und sie durch Reduzierung ihrer Risiken auch wieder verlassen. Eine andere Interpretation versteht Wettbewerbsneutralität als Ergebnisgleichheit. Danach sollen aufsichtsrechtliche Normen auch bestehende Wettbewerbsnachteile egalisieren dürfen.[133] Dies kann einer Sonderregulierung gelingen, wenn sie diejenigen Wettbewerbsvorteile kompensiert, die systemrelevante Banken bislang gegenüber kleineren Banken genießen. Dabei handelt es sich insbesondere um die gezeigten Vorteile bei der Refinanzierung.[134] Die Eigenkapitalanforderungen herkömmlicher Konzeption können diese Vorteile aber nicht

---

[127] Vgl. *Ackermann*, Handelsblatt vom 5. 10. 2009, S. 22.

[128] Siehe oben unter C. III. 2.

[129] Vgl. Deutsche Bundesbank/BaFin (Fußnote 54), S. 4.

[130] *Seifert*, Privilegierung und Regulierung im Bankwesen, 1984, S. 111; *Regnery*, Bankenaufsicht, Bankeneigenkapital und Wettbewerb, 1994, S. 39f.

[131] *Seifert* (Fußnote 130), S. 117; *Stützel*, Bankpolitik heute und morgen, 2. Aufl. 1964, Rn. 163; *Welcker*, Neuordnung der Bankenaufsicht, 1978, S. 77.

[132] *Fest*, Zwecke, Ansätze und Effizienz der Regulierung von Banken, 2008, S. 201 f.

[133] *Regnery* (Fußnote 130), S. 42; *Fest* (Fußnote 132), S. 201.

[134] Hierzu schon in Teil A sub II.1.

berücksichtigen, da diese sich allein an der Mittelverwendung und nicht an der Mittelbeschaffung ausrichten. Besondere Eigenkapitalanforderungen für systemrelevante Banken würden genau dieses Manko beseitigen und damit Ergebnisgleichheit herstellen.[135]

Legt man Teile des Risikopreises auf eine erhöhte Prämie zur Einlagensicherung um, ist auch sie Teil dieser Kompensation. Bei der Prämie zur Einlagensicherung besteht allerdings die Besonderheit, dass nur die privaten und öffentlichen Banken die Prämie leisten müssen, nicht jedoch die Genossenschaftsbanken und Sparkassen, die eigene Sicherungssysteme betreiben. Auch das könnte einen Wettbewerbsnachteil bedeuten. Der Einwand verkennt jedoch, dass die Sicherungssysteme der Genossenschaftsbanken und Sparkassen nicht nur eine Einlagen-, sondern sogar eine Institutssicherung vorsehen. Danach sind es die Mitglieder des Sicherungssystems, die für den Bestand der Institute garantieren, nicht jedoch wie im Falle systemrelevanter privater oder öffentlicher Banken der Staat. Es besteht also kein Bedürfnis, auch Genossenschaftsbanken und Sparkassen mit einer Prämie zu belegen. Eine Differenzierung würde den verfassungsrechtlichen Vorgaben an die Prämie als Sonderabgabe sogar besser gerecht.[136]

V. Ergebnis zur anreizorientierten Sonderregulierung

Eine anreizorientierte Regulierung systemrelevanter Banken lässt sich mit vergleichsweise geringem Aufwand implementieren und bietet eine aus dynamischer Sicht vorzugswürdige Lösung, da sie weniger invasiv wirkt als eine Sonder-Fusionskontrolle oder -Entflechtung. Über die differenzierende Bemessung von Eigenkapitalanforderungen sowie Prämien für die Einlagensicherung können systemische Risiken internalisiert (d.h. ihren Verursachern zugewiesen) und damit Anreize zu deren Abbau und Vermeidung gesetzt werden. Für die *Eigenkapitalanforderungen* könnte das bedeuten, den für die Berechung des zu haltenden Eigenkapitals üblichen Multiplikator um jeweils einen Preis für die mittlere und die hohe Stufe anzuheben. Bezogen auf die *Prämie für die Einlagensicherung* würde sich der Prämiensatz jeweils für die mittlere und hohe Stufe erhöhen. Mit

[135] Bank of England (Fußnote 119), S. 41.

[136] *Bigus/Leyens*, ZBB 2008, S. 277, 287; zur verfassungsrechtlichen Zulässigkeit paralleler Sicherungssysteme BVerfG, Beschl. v. 1. 12. 2009 (Az: 2 BvR 1387/04); im Übrigen steht auch die Schaffung einer einheitlichen Einlagensicherung zur Debatte, vgl. Handelsblatt vom 27. 8. 2009, S. 18.

dieser auf die Gedanken der Verbesserung der Anreizsetzung und der Internalisierung systemischer Risiken zurückgehenden differenzierenden Belastung unterscheidet sich das hier befürwortete Konzept von Vorschlägen zur Schaffung eines sog. Finanzkrisenfonds, zu dem der Staat und alle Banken – auch die nicht systemrelevanten Institute – beitrügen. Zur besseren Differenzierung und Anreizsetzung ließe sich der Systemrelevanz-Test auch um weitere Stufen ergänzen. Eine Sonderregulierung der beschriebenen Art sollte möglichst im internationalen Konsens geschaffen werden, um ein ‚level playing field' zu schaffen.

D. Sonderregeln für Sanierung und Insolvenz von Banken

I. Einleitung[137]

In diesem Gutachten wurde bereits gezeigt, dass staatliche Rettungsmaßnahmen für „systemrelevante" Banken zwar in einer gegebenen Krisensituation unausweichlich erscheinen können, dass eine solche Praxis aber weitreichende negative Folgen für Staatshaushalte, wirksamen Wettbewerb und – wegen der von ihr ausgehenden negativen Anreizeffekte – die Stabilität der Finanzmärkte haben kann.[138] Besonders bedenklich muss anmuten, dass die staatliche Verfolgung einer derartigen „Too-big-to-fail"-Politik sogar Anreize für Banken setzt, in die Kategorie der Systemrelevanz mit den einhergehenden Wettbewerbsvorteilen und Gewinnmöglichkeiten hineinzuwachsen.[139] Für eine Lösung des Problems sind präventive Ansätze in Betracht zu ziehen, die der Entstehung eines solchen Zwangs zu staatlichen Rettungsaktivitäten entgegenwirken. Neben den bereits diskutierten Lösungsmodellen einer Sonder-Fusionskontrolle oder -Entflechtung bei Banken und einer anreizorientierten Sonderregulierung, die etwa bei Eigenkapitalanforderungen ansetzt, sind weiterhin Maßnahmen in den Bereichen Sanierung und Insolvenz von Banken in Betracht zu ziehen. Ziel solcher Regelungen könnte es einerseits sein, Bankinsolvenzen, die Systemrisiken begründen, von vornherein zu vermeiden. Andererseits könnten Regelungen darauf zielen, Bankinsolvenzen ihre „systemische" Wirkung zu nehmen, d.h. negative Auswirkungen auf die Stabilität des Finanzsystems zu unterbinden. In beiden Fällen könnten staatliche Rettungsmaßnahmen vermieden werden.

In diesem Teil des Gutachtens werden zwei Arten von Instrumenten auf ihre Tauglichkeit zur Ausräumung oder Minderung „systemischer" Risiken untersucht: zum einen sog. „Bankentestamente", Reorganisationspläne und andere Erleichterungen für die Durchfüh-

---

[137] Vgl. für eine ausführliche Diskussion des Themas – die hier aus Platzgründen nicht geleistet werden kann – einen Aufsatz, der in Vorbereitung des Gutachtens erstellt wurde: *Zimmer/Fuchs*, Die Bank in Krise und Insolvenz: Ansätze zur Minderung des systemischen Risikos, ZGR 2010, Heft 4.

[138] Hierzu Teil B sub I.

[139] Siehe auch hierzu näher Teil B sub I.

rung von Reorganisationsmaßnahmen; und zum anderen die Schaffung von Sonderregeln zur Verrechnung (insbes. zum sog. „Close-out-Netting") bei Derivatgeschäften und zu anderen vertraglichen Lösungsklauseln (Beendigungsklauseln).

II. „Bankentestamente", Reorganisationspläne und andere Erleichterungen für Reorganisationsmaßnahmen

1. Erläuterung der Konzepte

a) Bankentestamente

In einem verpflichtend aufzustellenden „Bankentestament",[140] „living will"[141] oder „contingency plan"[142] könnten Banken den für sie zuständigen Aufsichtsbehörden ex ante erläutern, wie aus ihrer Sicht eine Insolvenzsituation so reibungslos wie möglich bestritten werden könnte;[143] auf dieser Basis können dann sowohl Rettungs- als auch Abwicklungsstrategien entwickelt werden.[144] Die Aufsichtsbehörden könnten so in die Lage versetzt werden, auch im laufenden operativen Geschäft, also im Stadium *vor* einer möglichen Insolvenz, die Struktur einer Bank daraufhin zu untersuchen, ob auch im Insolvenzfall das Institut seine (systemisch unerlässlichen) Funktionen (zunächst) weiter erfüllen könnte.[145] Dabei wird der Beobachtung der rechtlichen Struktur des Unternehmens entscheidende Bedeutung zukommen. So zeigte der Fall des Lehman-Brothers-Konzerns, der mit einer großen Zahl von unterschiedlichen Rechtsordnungen unterstehenden Tochtergesellschaften weltweit agierte, dass komplexe Strukturen den Umgang mit einer Insolvenzsituation erheblich erschweren können.[146]

---

[140] Vgl. z.B. *Hank/Meck* (Fußnote 59), S. 31.

[141] The Economist vom 3. 10. 2009, S. 83.

[142] So der Basler Ausschuss für Bankenaufsicht: Basel Committee on Banking Supervision (BCBS), Report and Recommendations of the Cross-border Bank Resolution Group, 2009, S. 30f.

[143] *Praet,* FAZ vom 15. 9. 2009, S. 20; BCBS (Fußnote 142), S. 30.

[144] Siehe hierzu das von der FSA veröffentlichte „Turner Review Conference Discussion Paper" (TRCPD), S. 46, A1.3, abrufbar unter http://www.fsa.gov.uk/pubs/discussion/dp09_04.pdf.

[145] *Praet* (Fußnote 143), S. 20.

[146] The Economist vom 3. 10. 2009, S. 83: „(...) no one understood its [Lehman Brothers'] counterparty relations with the rest of Wall Street. Clients and creditors still have cash stranded in the failed firm as administrators in different countries pick over its bones." Vgl. auch BCBS (Fußnote 142), S. 28 Nr. 86.

Die mit dem „Testament" hergestellte Transparenz könnte zwei Zielen dienen: Sie könnte zum einen eine geordnete Krisenbewältigung ermöglichen, bei der staatliche Rettungsmaßnahmen – etwa durch Konzentration auf „systemrelevante" Teile des Bankgeschäfts (hierzu sogleich unter b) – auf das zur Sicherung der Systemstabilität gebotene Maß beschränkt werden. Zum anderen könnten die aus einem „living will" rührenden Erkenntnisse die staatliche Aufsicht aber auch zu einem präventiven Einschreiten befähigen: Gelangt die Behörde anhand des Plans zu dem Schluss, das betreffende Institut sei für einen effizienten Umgang mit einer Krisensituation zu komplex („Verschachtelung"), wird eine entsprechende „Komplexitätsreduktion" durch Hoheitsakt (Verwaltungsakt), namentlich die vorsorgliche Aufspaltung in Betracht gezogen.[147] In dieser Hinsicht berührt sich das hier behandelte Thema mit dem zuvor abgehandelten der Möglichkeit einer vorsorglichen Entflechtung solcher Banken, die „too big to fail" (oder „too interconnected to fail") sind. Eine solche vorsorgliche Entflechtung wird hier, wie in Teil B des Gutachtens ausgeführt, nur für den Fall befürwortet, dass weniger invasive Regulierungsmaßnahmen sich für die Lösung des „Too-big-to-fail"-Problems als untauglich erweisen.

Die Schaffung von „contingency plans" wird vom Basler Ausschuss für Bankenaufsicht empfohlen.[148] Am weitesten gediehen ist der Gedanke in Großbritannien, wo die Financial Services Authority (FSA) schon im Laufe des Jahres 2010 Planentwürfe zur Begutachtung erwartet.[149]

b) Reorganisationspläne

Reorganisationspläne werden – anders als „Bankentestamente" – erst in einer konkreten Krisensituation aufgestellt. Sie regeln detailliert, in welcher Weise die Krise überwunden werden soll und wie hierbei in Rechte von Anteilseignern und Gläubigern eingegriffen wird. Im Sommer 2009 haben sowohl das Bundesministerium für

[147] TRCPD, (Fußnote 144), S. 47, A1.8; *Praet*, (Fußnote 143), S. 20. Diese Lösung kann auf ein Trennbankensystem hinauslaufen, bei dem zur Vermeidung eines „bank run" diejenigen Geschäftsteile, die das risikoärmere Einlagengeschäft betreuen, „gerettet" werden, während die risikoreicheren Investment-Sparten dem Insolvenzrichter überlassen bleiben, FAZ vom 23. 10. 2009, S. 21 f. Eine solche Trennung entspricht dem von 1933–1999 in den USA in Kraft gewesenen Glass-Steagall-Act, vgl. The Economist vom 3. 10. 2009, S. 84. Hierfür auch BCBS (Fußnote 142), S. 35 Nr. 89: „(...) establish clear lines between deposit-taking and other banking operations".

[148] Siehe BCBS (Fußnote 142), S. 2, 30 ff.

[149] TRCPD, a. a. O. (Fußnote 144), S. 48, A1.14.

Wirtschaft und Technologie (BMWi)[150] als auch das Bundesministerium der Justiz (BMJ)[151] Gesetzentwürfe vorgelegt, die unter anderem die Möglichkeit der Schaffung und Durchsetzung von Reorganisationsplänen für Kreditinstitute zum Gegenstand hatten. Am 31. 3. 2010 hat das Bundeskabinett ein sog. Eckpunktepapier beschlossen, das wesentliche Elemente des vom BMJ vorgelegten Entwurfs aufnimmt.

Der Entwurf des BMJ sieht im wesentlichen drei Möglichkeiten für den Umgang mit der *Krisensituation einer systemrelevanten Bank* vor: (1.) Eine sanierungsbedürftige Bank legt der Aufsichtsbehörde einen *Sanierungsplan* vor; auf Antrag der Behörde setzt das zuständige Oberlandesgericht zur Umsetzung des Plans einen „Reorganisationsberater“ ein, der Anweisungen für die Geschäftsführung der Bank erlassen[152] oder auch – auf besondere Anordnung des Gerichts – die Geschäftsführung übernehmen kann.[153] *In Rechte Dritter greifen diese Sanierungsmaßnahmen nicht ein.* (2.) Ist eine Sanierung mit den bisher genannten Mitteln nicht möglich, so ist ein *Reorganisationsverfahren* einzuleiten, das dem Insolvenzplanverfahren der Insolvenzordnung nachgebildet ist. Im Unterschied zu diesem kann das Reorganisationsverfahren bei Banken im Interesse einer zügigen Reorganisation auch ohne vorausgehendes Sanierungsverfahren durchgeführt werden. Im Reorganisationsverfahren kann in die Rechte von Anteilseignern und Gläubigern eingegriffen werden; so kann der Reorganisationsplan namentlich die *Umwandlung von gegen die Bank gerichteten Forderungen in Eigenkapital* (sog. *Debt-Equity-Swap*) sowie eine *Ausgliederung von Unternehmensteilen* vorsehen. Der Reorganisationsplan bedarf zu seiner Wirksamkeit grundsätzlich der Zustimmung aller Gläubigergruppen mit jeweils einfacher Kopf- und Summenmehrheit. Er bedarf zudem der Zustimmung der Hauptversammlung; diese entscheidet grundsätzlich mit einfacher Mehrheit.[154] Die Zustimmung einer Gruppe kann unter bestimmten Voraussetzungen durch das Oberlandesgericht ersetzt werden.[155] (3.) Bei Bestandsgefährdung eines systemrelevanten

---

[150] Entwurf eines Gesetzes zur Änderung des Kreditwesengesetzes, abrufbar unter http://www.bmwi.de/BMWi/Redaktion/PDF/Gesetz/entwurf-gesetz-ergaenzung-des-kreditwesengesetzes,property=pdf,bereich=bmwi,sprache=de,rwb=true.pdf.

[151] Diskussionsentwurf für ein Gesetz zur Einführung eines Reorganisationsplanverfahrens für systemrelevante Kreditinstitute und zur Abwehr von Gefahren für die Stabilität des Finanzsystems, abrufbar unter http://www.bmj.de/files/-/3891/DiskE%20KredReorgG.pdf.

[152] § 4 Abs. 1 Nr. 4 des Diskussionsentwurfs (Fußnote 151).

[153] § 4 Abs. 2 Nr. 3 des Diskussionsentwurfs (Fußnote 151).

[154] Vgl. für Einzelheiten § 17 Abs. 3 des Diskussionsentwurfs (Fußnote 151).

[155] Vgl. zum Vorstehenden §§ 16, 18 und 19 des Diskussionsentwurfs (Fußnote 151).

Instituts soll die Aufsichtsbehörde zudem die Möglichkeit erhalten, die *Ausgliederung des Vermögens und der Verbindlichkeiten* auf einen anderen Rechtsträger – eine sog. *„Good Bank“* – anzuordnen.[156] Dieses Verfahren kann zügiger – insbesondere ohne Beteiligung der Anteilseigner – zu einer Ausgliederung gelangen als das soeben unter (2.) dargestellte Reorganisationsplanverfahren. Es ermöglicht namentlich die isolierte Übertragung systemrelevanter Unternehmensteile und damit die Konzentration staatlicher Rettungsmaßnahmen auf den – bei der „Good Bank“ anzusiedelnden – Teil des Bankgeschäfts, dessen Erhalt für die Sicherung der Systemstabilität erforderlich erscheint. Vermögensrechte der Anteilseigner werden dadurch gewahrt, dass der übertragende Rechtsträger (der bisherige Unternehmensträger) im Gegenzug zur Übertragung Anteilsrechte an der „Good Bank“ erhält, die am Wert der übertragenen Vermögensteile bemessen werden.

2. *Würdigung der Konzepte und rechtspolitische Empfehlungen*

Sowohl das Konzept der – vorsorglich zu erstellenden – „Bankentestamente“ als auch das der im Angesicht konkreter Krisensituationen geschaffenen und mit staatlicher Unterstützung durchgesetzten „Reorganisationspläne“ ist grundsätzlich geeignet, die von der Insolvenz systemrelevanter Banken ausgehenden Gefahren zu mindern. Die Konzepte könnten sich in ihren Wirkungen ergänzen.

Ein Vorzug von *Bankentestamenten* besteht zunächst in einer von einer verbesserten Transparenz der Rechts- und Vermögensverhältnisse von Banken ausgehenden Optimierung der Aufsicht. Während mit Blick auf das eigene Staatsgebiet *Insolvenzrisiken besser verwaltet* werden können, lassen sich durch transparentere Einsicht in die Unternehmensstruktur zugleich die *zwischenstaatliche Zuständigkeit leichter klären* und (nationale) *Aufsichtsstandards besser durchsetzen.*[157] Auf der Grundlage eines solchen „Testaments“ könnten nationale Aufsichtsbehörden rasch und effektiv reagieren, wenn eine Bank in eine Krise gerät. Wird der Planungs- und Überwachungsprozess daneben durch einen wechselseitigen, international koordinierten Informationsfluss unter den zuständigen Heimat-Behörden flankiert,[158] so könnte dem sog. *„funding problem“* abgeholfen wer-

---

[156] Vgl. zur Beschreibung die Pressemitteilung des BMJ vom 26. 8. 2009, abrufbar unter http://www.bmj.de/enid/Pressestelle/Pressemitteilungen_58.html?druck=1&pmc_id=6189.

[157] Zu diesen Vorteilen siehe FAZ vom 19. 9. 2009, S. 21.

[158] Hierfür BCBS (Fußnote 142), S. 31 Nr. 93.

den. Hiermit wird die Schwierigkeit bezeichnet, dass bei der Behandlung einer Krisensituation mehrere nationale Aufsichtsbehörden unwissentlich auf denselben Liquiditätspool einer Bank vertrauen[159] und so dem Trugschluss hinreichender (Krisenbewältigungs-)-Ressourcen unterliegen. Neben diesem Trugschluss selbst kann die Reaktion auf seine Aufdeckung Probleme aufwerfen. In dem Moment nämlich, da die Behörden gewahren, dass die Finanzierungsmöglichkeiten der Bank für die Zwecke aller Beteiligten nicht genügen, besteht die Gefahr eines unkoordinierten „asset-run", um „zu retten, was zu retten" ist.[160] Solche negativen Entwicklungen können durch eine aufgrund des Plans von Beginn an bestehende Klarheit über die Vermögenslage eines Instituts vermieden werden.

Daneben könnte ein „Bankentestament" die *Transparenz mit Blick auf das anwendbare Recht* begünstigen, da auch bei komplexen Unternehmensstrukturen jederzeitige Klarheit darüber bestünde, wo bestimmte Vermögenswerte und Sicherheiten rechtlich verbucht oder gehalten werden, welcher Rechtsordnung sie also unterfallen.[161] Dadurch könnte sich auch ein sog. *„ring-fencing" vermeiden* lassen.[162] Hiermit sind die sich aus Unsicherheiten bezüglich der Verteilung des Gesamtvermögens ergebenden Maßnahmen in Bezug genommen, die auf die Abschirmung in der eigenen Rechtsordnung befindlicher Vermögenswerte vor dem (insolvenzrechtlichen) Zugriff fremder Jurisdiktionen abzielen.[163] Eine solche „Vermögens-Segregation" kann sowohl die Sanierung als auch die Liquidation einer in der Krise befindlichen Bank erheblich erschweren. Soweit aber ein „Bankentestament" bedingt, dass alle involvierten Behörden ständige Gewissheit über das Vermögen des Instituts und dessen rechtliche Behandlung haben, kann es die Abkehr von solchen Praktiken begünstigen.[164]

---

[159] BCBS (Fußnote 142), S. 31 Nr. 93.

[160] Kritisch zu einem solchen „Wettlauf" (allerdings unter Bezugnahme auf die in Teil D.III.2 diskutierten vorinsolvenzlichen Lösungsklauseln) äußert sich auch der Präsident der BaFin, Jochen *Sanio*, im Wortprotokoll der öffentlichen Anhörung zum Finanzmarktstabilisierungsergänzungsgesetz, S. 23 f., abrufbar unter http://www.bundestag.de/bundestag/ausschuesse/a07/anhoerungen/2009/120/120-16_03_09-FMStabErgG.pdf.

[161] BCBS (Fußnote 142), S. 31 Nr. 95.

[162] BCBS (Fußnote 142), S. 31 Nr. 94.

[163] BCBS (Fußnote 142), S. 15 Nr. 54.

[164] Keinesfalls ist der Eintritt dieses Effektes garantiert: Die Gewissheit über die Vermögens- und maßgebliche Rechtslage kann auch dazu führen, dass ring-fencing-Maßnahmen gerade *begünstigt* werden. Auch in der jüngsten Krise kam es zu ring-fencing-Maßnahmen und zwar selbst zwischen Jurisdiktionen, die eine längere Geschichte aufsichtsrechtlicher Zusammenarbeit aufweisen, BCBS (Fußnote 142), S. 18 Nr. 63.

Erforderlich ist freilich ein *international konzertiertes Vorgehen* bei Schaffung und Durchführung des Konzepts der Bankentestamente. Eine gewisse Wirksamkeit könnte ihm zukommen, wenn mindestens EU-weit übereinstimmende Pflichten statuiert und die Aufsicht hinsichtlich der Erfüllung dieser Pflichten und der Ausübung von Eingriffsrechten gemeinschaftsweit koordiniert würden. Volle Wirksamkeit wird dem Konzept des Bankentestaments (wie auch dem eines internationalen Bankeninsolvenzrechts) erst zukommen, wenn es sich in seiner Wirkung nicht auf das Gebiet der Europäischen Union beschränkt, sondern auch darüber hinaus Realisierung erfährt. Die Vorschläge des „Basel Committee on Banking Supervision" der Bank für Internationalen Zahlungsausgleich[165] zur Schaffung entsprechender Pflichten und Aufsichtsstrukturen verdienen daher Unterstützung.

Vorschriften über besondere *Reorganisations-* und nötigenfalls *Restrukturierungsmaßnahmen* können dazu beitragen, die konkret drohende Insolvenz systemrelevanter Institute abzuwenden, ohne dass es hierfür in gleichem Maße wie bisher staatlicher Zuschüsse bedürfte. Der Entwurf des BMJ sieht die Schaffung von Instrumenten vor, die den gezielten Erhalt systemrelevanter Strukturen bei gleichzeitiger Durchführung eines Insolvenzverfahrens über nicht systemrelevante Teile einer Bank erlauben. Die Regelungen des Entwurfs scheinen geeignet, diese Ziele zu erreichen. Mit den drei Stufen des Sanierungsplans, des Reorganisationsplans und der behördlich angeordneten Ausgliederung systemrelevanter Teile bietet der Entwurf die Möglichkeit, je nach Situation angemessen auf Krisensituationen bei Banken zu reagieren. Angesichts der im Finanzwesen mitunter bestehenden besonderen Dringlichkeit der Intervention ist es sachgerecht, dass die Aufsichtsbehörde Maßnahmen auf jeder der drei Stufen ergreifen kann, ohne zuvor ein Verfahren einer anderen Stufe zu durchlaufen. Insbesondere die an rechtsvergleichenden Vorbildern aus dem US-amerikanischen und dem britischen Recht[166] orientierte Ausgliederungslösung erscheint für eine effektive Trennung systemrelevanter Aktivitäten geeignet. Eine behördlich ange-

---

[165] Siehe das vorstehend wiederholt in Bezug genommene Consultative Document: Basel Committee on Banking Supervision, Report and Recommendations of the Cross-border Bank Resolution Group, 2009 (Fußnote 142).

[166] Vgl. für das US-amerikanische Recht die Regelung im Federal Deposit Insurance Act, die die Einlagensicherungsinstitution FDIC mit dem Recht versieht, Vermögenswerte und Verbindlichkeiten von Krisenbanken auf sog. *bridge banks* zu übertragen: 12 U.S.C. § 1821 (n); hierzu *Binder*, ZBB 2009, 19, 25. Für das britische Recht aus neuerer Zeit den Banking Act 2009, welcher in Sections 11–13 im Hinblick auf die Geschäftsaktivitäten einer Bank als „stabilisation options" den behördlichen „transfer to a private sector purchaser", den „transfer to a bridge bank" und den „transfer to temporary public ownership" vorsieht.

ordnete Ausgliederung begegnet im Ergebnis auch keinen verfassungsrechtlichen Bedenken, wenn sie zur Abwendung einer konkret drohenden Gefahr für die Stabilität des Finanzsystems erfolgt. Da das ausgliedernde Institut Anteilsrechte an dem übernehmenden Rechtsträger erhält, ist der Vorgang grundsätzlich als umgestaltende Entflechtung zu qualifizieren, deren Zulässigkeit in Teil B des Gutachtens – dort im Zusammenhang *vorsorglicher* Entflechtungsmaßnahmen bei systemrelevanten Instituten – behandelt wurde. Auch wenn hiervon abweichend im Einzelfall weitere Anteilseigner – sei es der Staat, seien es private Investoren – an dem übernehmenden Rechtsträger beteiligt werden und der Vorgang sich daher mit Bezug auf den ausgegliederten Unternehmensteil als (teilweise) entziehende Enteignung darstellt, bestehen keine verfassungsrechtlichen Bedenken, wenn dem übertragenden Institut in Gestalt der Anteile an dem übernehmenden Rechtsträger ein finanzieller Ausgleich in Höhe des Verkehrswertes der ausgegliederten Unternehmensteile zugute kommt.[167]

III. Sonderregelungen für das Close-out-Netting und für isolierte Beendigungsklauseln

Vertragsbeziehungen zwischen Banken tragen erheblich zur Entstehung systemischer Risiken bei: Der Ausfall eines Instituts als Schuldner kann für andere, mit knappen Eigenmitteln ausgestattete Banken zur Bedrohung werden, was wiederum dritte Banken in Schwierigkeiten bringen kann. Dergestalt kann sich über Vertragsbeziehungen die Insolvenz einer Bank zum Flächenbrand ausweiten. Schon das geltende Recht kennt Mechanismen, die einer derartigen ungehinderten Verbreitung von Insolvenzrisiken entgegenwirken. De lege ferenda sind ergänzende Regelungen vorzuschlagen.

1. Sonderregeln für das Close-out-Netting

a) Systemstabilisierende und -destabilisierende Wirkungen des Netting

Netting ist jede gesetzlich oder vertraglich angeordnete Verrechnung von wechselseitigen Forderungen und Verbindlichkeiten zwi-

[167] Vgl. für die Voraussetzungen einer zulässigen umgestaltenden oder entziehenden Entflechtung Teil B sub IV. 2.

schen zwei Parteien (bilaterales Netting) oder unter mehreren Teilnehmern eines Verrechnungssystems (multilaterales Netting) derart, dass nur eine einzelne Netto-Position als Forderung verbleibt.[168] Der mit Blick auf das systemische Risiko bedeutsamste Effekt liegt in der *Eingrenzung des Adressenausfallrisikos:*[169] in gleichem Maße, wie sich die unter den Parteien bestehenden Brutto-Verbindlichkeiten im Saldierungswege gegenseitig aufheben, sinkt bzgl. jeder dieser Forderungen das Risiko der nicht vertragsgemäßen Erfüllung.[170] Für das Erfüllungshemmnis der Insolvenz lässt sich folgendes Beispiel geben:

Schuldet Bank B der Bank A 100 und Bank A umgekehrt der B 120 und wird B insolvent, so wäre A gezwungen (sofern der Insolvenzverwalter Erfüllung wählt), die 120 zu Händen des Insolvenzverwalters voll zu zahlen, während sie sich für die ihr geschuldeten 100 an die Masse wenden muss. Da diese regelmäßig (trotz der Eigenkapitalanforderungen im Bankensektor) nur einen Bruchteil der eigentlichen Forderung deckt, kann sich für A aus dem Geschäft (trotz der im deutschen Recht vorrangigen Befriedigung nach §§ 53, 55 Abs. 1 Nr. 2 InsO) ein (hoher) Verlust ergeben, der nicht eingeplante Abschreibungen zeitigt. Hierdurch wäre der Grundstein für die das Systemrisiko begründende „rechtsgeschäftliche Ansteckung" gelegt. Bei Nutzung eines *insolvenzfesten Nettingmechanismus* dagegen muss A dem Verwalter nur 20 zahlen und sieht seine Forderung voll befriedigt.

Netting-Vereinbarungen führen zugleich zu einer Verringerung des aufsichtsrechtlich geforderten Eigenkapitals einer Bank, da sie eine Minderung der Adressenausfallrisiken zur Folge haben.[171] Die sich hieraus ergebenden Eigenkapitaleinsparungen werden auf 25–40% geschätzt.[172] Für eine Darstellung verschiedenartiger vertraglicher Gestaltungen eines Netting und der Wiedergabe weiterer Gründe für den Abschluss entsprechender Vereinbarungen ist auf einen vorbereitenden Aufsatz zu diesem Gutachten zu verweisen.[173] Im Folgenden werden nicht die Formen des Payment Netting und

---

[168] Der Begriff selbst leitet sich vom englischen Wort für „netto" („net") ab. Hierzu und zur Definition *Berger*, Der Aufrechnungsvertrag, 1996, S. 19; *Bosch*, WM 1995, 365, 367; *Böhm*, Rechtliche Aspekte grenzüberschreitender Nettingvereinbarungen, 2001, S. 22f. Vgl. auch BT-Drs. 12/7302, S. 168.

[169] *Böhm* (Fußnote 168), S. 25.

[170] *Berger* (Fußnote 168), S. 25; *Böhm* (Fußnote 168), S. 24.

[171] In Deutschland finden sich die Voraussetzungen für die bankaufsichtliche Anerkennung von Nettingvereinbarungen in §§ 15ff. GroMiKV sowie in der SolvV (§§ 12, 207ff.). Dazu *Meyer-Ramloch* in Boos/Fischer/Schulte-Mattler – Kreditwesensgesetz, 3. Aufl., 2008, § 15 Rn. 3. Ein nicht zu unterschätzendes Erfordernis hierbei ist die Erstellung eines Rechtsgutachtens betreffend die Rechtswirksamkeit von Nettingvereinbarungen nach den betroffenen Rechtsordnungen, § 15 Abs. 1 Satz 1 Nr. 2 GroMiKV. Diese Anforderung kann jedoch der internationalen Rechtskonvergenz durchaus förderlich sein, *Bosch* in Kölner Schrift zur Insolvenzordnung, 2. Aufl., 2000, S. 1009, 1041f., Rn. 122.

[172] *Berger* (Fußnote 168), S. 25.

[173] *Zimmer/Fuchs* (Fußnote 137), sub IV.

des Netting by Novation, sondern allein die im Derivategeschäft besonders bedeutsame Gestaltung des Close-out-Netting behandelt.

Beim *Close-out-Netting (Liquidationsnetting)* handelt es sich um ein zweistufiges Verfahren, welches sich zunächst auf die Beendigung (den „close-out") bislang unerfüllter Verträge richtet („Erste Stufe") und erst im Anschluss hieran („Zweite Stufe") zu einer Verrechnung führt.[174] Dabei ergibt sich der Wert der zu verrechnenden Forderungen für jedes der beendeten Geschäfte aus der Differenz von zuvor festgelegtem Vertragswert (Nennwert) und dem Marktwert im Zeitpunkt des „close-out-events".[175] Die so ermittelten Beträge werden im Anschluss saldiert, so dass schließlich nur noch *eine* (Netto-)Forderung zugunsten *einer* Partei besteht.

In seiner konsensualen Form ist das Close-out-Netting über außerbörslich gehandelte Derivate (sog. OTC-Derivate) zumeist in Rahmenverträgen („master agreements") fixiert, häufig im Kontext von Zahlungs- oder Abwicklungssystemen.[176] Ein Rahmenvertrag vereint mehrere zwischen den Vertragspartnern bestehende wechselseitige Geschäfte in der Weise, dass alle geschuldeten Leistungen des einen Teils *zusammen* die Gegenleistung für *alle* vom anderen Vertragspartner zu erbringenden Leistungen darstellen.[177] Neben „vertragsökonomischen" Aspekten (die rechtliche Handhabung jedes Einzelgeschäfts kann schnell und effizient unter bloßer Einbeziehung in den Rahmenvertrag geregelt werden[178]) spielt hierbei vor allem der Wunsch nach einem umfangreichen Close-out-Netting eine Rolle. Die unter *einem* Vertrag zusammengefassten Geschäfte können auch nur *einheitlich* beendet werden, sog. Gesamtbeendigungsklausel; die sich aus dem „close-out" der Einzelabschlüsse ergebenden Ausgleichsforderungen können dann untereinander saldiert und auf einen einheitlichen Gesamtanspruch gebracht werden.[179] Die größte Praxisrelevanz kommt im internationalen Deriva-

---

[174] Diese Stufeneinteilung kann als wesensmäßig für alle Lösungsklauseln (unter die Close-out-Nettingvereinbarungen zu fassen sind) betrachtet werden, vgl. *Wöllner*, Die Wirksamkeit vertraglicher Lösungsklauseln im Insolvenzfall, 2009, S. 34 ff.

[175] *Böhm* (Fußnote 168) S. 70; Eingehend auch *Jahn* in Kirchhof/Lwowski/Stürner – Münchner Kommentar zur Insolvenzordnung (Band II), 2. Aufl., 2008, § 104 Rn. 152 ff.

[176] *Ehricke* in Ekkenga/Hadding/Hammen (Hrsg), Bankrecht und Kapitalmarktrecht in der Entwicklung, Festschrift für Siegfried Kümpel zum 70. Geburtstag, 2003, S. 77 f.; *Ehricke*, ZIP 2003, 273, 278.

[177] *Böhm* (Fußnote 168), S. 171.

[178] *Reiner* in Schütze/Weipert – Münchner Vertragshandbuch Band 4 (Wirtschaftsrecht III), S. 738 zieht hier einen Vergleich zu AGB, da diese wie Rahmenverträge darauf abzielen, rechtlich relevante Punkte „vor die Klammer" zu ziehen. Der Inhalt der Einzelverträge wird so auf ein Minimum reduziert.

[179] *Ehricke*, ZIP 2003, 273, 278; *Reiner* (Fußnote 178), S. 738. Zusätzlich ergibt sich ein Know-How-Transfer, da die Rahmenverträge als Nachfolger alter Einzelvertrags-

tegeschäft dem amerikanischen „ISDA Multicurrency-Cross Border Master Agreement" vom 15. 6. 1992 (kurz: ISDA MA 1992) zu.[180]

Die Wirksamkeit des Netting als Risikominderungsmechanismus hängt davon ab, dass es auch „insolvenzrechtlich unberührt"[181] ist. Maßgebliche Norm des deutschen Rechts ist § 104 Abs. 2, 3 InsO. Wesentliche Folge der Vorschrift ist der Ausschluss des Insolvenzverwalterwahlrechts im Hinblick auf zum Zeitpunkt der Eröffnung des Insolvenzverfahrens noch nicht vollständig erfüllte Verträge über „Finanzleistungen, die einen Markt- oder Börsenpreis haben".[182] Anstelle der Erfüllung kann nur eine saldierte Forderung wegen der Nichterfüllung geltend gemacht werden. Sind Geschäfte über Finanzleistungen in einem Rahmenvertrag zusammengefasst, für den vereinbart ist, dass er bei Vorliegen eines Insolvenzgrundes nur einheitlich beendet werden kann, so gilt die *Gesamtheit* dieser Geschäfte als ein gegenseitiger Vertrag im Sinne der §§ 103, 104. Die Vorschrift räumt in ihrem Anwendungsbereich die mit einer einseitigen Ausübung des Insolvenzverwalterwahlrechts für Gläubiger verbundenen Nachteile[183] aus und mindert durch die Zusammenfassung der von einem Rahmenvertrag erfassten Geschäfte die für Gläubiger und damit für das Finanzsystem aus einer Bankinsolvenz resultierenden Gefahren noch weitergehend.

Ein Close-out-Netting kann aber auch *destabilisierende* Wirkung auf das Finanzsystem haben: Nach „nahezu einmütiger"[184] Auffassung zum deutschen Recht ist ein insolvenzfestes Close-out-Netting auch schon vor der Eröffnung eines Insolvenzverfahrens möglich: es kann vertraglich auch an andere Gründe wie Vermögensverschlechterung, Verzug oder Vertragsverletzung geknüpft werden.[185] System-

---

lösungen großer Banken deren Wissen über die Vertragsgestaltung in sich aufnehmen, *Krämer*, Finanzswaps und Swapderivate in der Bankpraxis, 1999, S. 361.

[180] *Krämer* (Fußnote 179), S. 364. Die ISDA (International Swaps and Derivatives Association) ist eine privatrechtliche Organisation mit Sitz in New York City, welche die führenden Teilnehmer des internationalen OTC-Derivate-Handels vereint; hierzu *Reiner* (Fußnote 178), S. 740. Ein neueres Master Agreement (ISDA MA 2002) hat bisher keine vergleichbare Bedeutung erlangt.

[181] *Ehricke*, ZIP 2003, 273.

[182] Zur Auslegung des Begriffs *Zimmer/Fuchs* (Fußnote 137), sub IV.3.b,c.

[183] Vgl. hierzu das soeben im Text gegebene Beispiel.

[184] *Ehricke*, FS Kümpel (Fußnote 176), S. 84, der auf S. 85 Fn. 47 aber auch auf die Gegenansicht verweist.

[185] *Marotzke* in Heidelberger Kommentar zur InsO, 3. Aufl., 2006, § 119 Rn. 2, 6f; *Bosch* (Fußnote 171), S. 1031ff., Rn. 87ff.; *Ehricke*, FS Kümpel (Fußnote 176), S. 84; *Hess* in Insolvenzrecht Großkommentar Band I, 2007, § 104 Rn. 67a. Dies klarstellende Normen (§ 137 Abs. 2, 3 RegEInsO, vgl. hierzu BT-Drs. 12/2443, S. 152) wurden im späteren Gesetzgebungsverfahren sogar als überflüssig gestrichen, BT-Drs. 12/7302, S. 170. Vgl. für eine eingehende Begründung der Zulässigkeit unter dem geltenden Recht auch *Zimmer/Fuchs*, (Fußnote 137), sub IV.4.

gefährdende Wirkung kann dem „Close-out" zukommen, soweit schwebende Verträge in diesem Stadium vorzeitig fällig gestellt werden. Zwar ist im Ergebnis nur der Saldo zu begleichen. Da jedoch regelmäßig eine Vielzahl von Geschäftsbeziehungen besteht, können von einem Institut zu begleichende Salden gegenüber einer Vielzahl an Gläubigern bestehen. Diese Verbindlichkeiten gegenüber mehreren Kontrahenten sind dann *sämtlich* zu begleichen. Da auch die Nettoverbindlichkeiten eine die augenblickliche Zahlungsfähigkeit der Krisenbank übersteigende Höhe erreichen können, droht im Moment des „close-out" ein weltweites „Windhundrennen" auf die Vermögenswerte der Krisenbank auszubrechen, das die um ihre Rettung bemühten Personen massiv behindern kann.[186] Denn sie wären rechtlich verpflichtet, den Gesuchen der Gläubiger nachzukommen, also Liquidität aus der Hand zu geben. Eben dieser Liquidität kann für die Zwecke systemstabilisierender Maßnahmen in Stress-Zeiten – insbesondere der (im Bankensektor auch über die Maßnahmen der §§ 45–46a KWG angestrebten[187]) Sanierung – grundlegende Bedeutung zukommen. Hierdurch kann es zu der paradoxen Situation kommen, dass die Angst der beendenden Partei vor einer Insolvenz ebenjene herbeiführt.

b) Rechtspolitische Empfehlung

Die Problematik verlangt nach einer differenzierenden Lösung,[188] deren Schlüssel in der Legitimationsgrundlage des Staatseingriffs in die Privatautonomie begründet liegt: der Systemstabilität. Soweit das Close-out-Netting im Grundsatz als effektive Risikominderungstechnik anzuerkennen ist, erscheint der um Systemstabilität bemühte Staat gut beraten, ihm rechtlich zur Durchsetzung zu verhelfen. Dies gilt aber nur, solange seine destabilisierenden Effekte nicht überwiegen. Ein solches Überwiegen ist anzunehmen, je eher ein (rahmen-)vertraglich vereinbartes Close-out-Netting greift: je weitgreifender und schärfer vorinsolvenzliche Beendigungsmöglichkeiten gefasst

---

[186] Vgl. hierzu (mit Bezug auf die Vertragsbeendigung wegen § 46a KWG) *Sanio* (Fußnote 160), S. 24: Es „würde weltweit ein Windhundrennen nach den Assets (...) einsetzen, und man würde überall versuchen, sie sich schleunigst unter den Nagel zu reißen, bzw. dort, wo sie als Sicherheiten verpfändet sind, würde der Sicherungsfall eintreten. Das heißt, Sie können hinterher eine – von mir aus – geordnete Insolvenz mit dem, was dann noch übrig ist, veranstalten. Das würde ich als nicht zielführend bezeichnen."

[187] *Linden*, ZInsO 2008, 583, 586–590.

[188] Eine solche Differenzierung (freilich unter Bezugnahme auf eine dort vertretene „Transfer-Lösung", d.h. den Transfer der betroffenen Vertragsbeziehungen auf „gesunde" Drittinstitute oder (staatliche) Brückenbanken) nimmt auch BCBS (Fußnote 142), S. 40 (Recommendation 9) vor.

sind, desto größer ist das Risiko einer Überreaktion an den Märkten und eines darauf folgenden Domino-Effekts.[189] Unter diesem Aspekt erscheint es sachgerecht, nur dem Close-out-Netting *für* den Insolvenzfall rechtliche Anerkennung zukommen zu lassen. Für diesen Fall überwiegt – auch mit Blick auf die oben genannten Probleme – das Interesse des solventen Teils an privatautonomer Risikovorsorge, also der Lösung von seinem Kontrahenten.[190] Insbesondere der Hauptnachteil, die destabilisierende Vereitelung frühzeitiger und koordinierter Sanierungsbemühungen, erscheint dann weniger beachtlich. In der tatsächlich eingetretenen Insolvenz sind derartige Bemühungen – namentlich durch eine übertragende Sanierung oder ein Planverfahren nach §§ 217ff InsO – nämlich ohnehin oft fruchtlos; dies wird in Zeiten einer angespannten Marktlage noch weit eher gelten. Das Close-out-Netting *vor* dem Insolvenzfall – welches, wie gezeigt, in besonderem Maße Gefahren für die Systemstabilität begründet – ist dagegen einer rechtlichen Neuordnung, namentlich in Form seiner Untersagung, zugänglich. Die sich so ergebende Differenzierung führt zu einem alle Interessenlagen würdigenden Ausgleich zwischen eigenverantwortlicher Tragung *spezifischer* Risiken und im Allgemeininteresse liegender Milderung *systemischer* Risiken.

In Betracht kommt zunächst eine Differenzierung auf der Grundlage einer Einzelfallentscheidung: Das Gesetz könnte der zuständigen Behörde die Kompetenz einräumen, auf Ermessensbasis in die einschlägigen Vertragsabreden einzugreifen.[191] Der Staat behielte sich so vor, flexibel auf die Marktlage zu reagieren und dem Close-out-Netting *vor* der Insolvenz die Rechtswirksamkeit nur dann zu entziehen, wenn bereits eine Systemkrise besteht oder durch die Wirksamkeit solcher Rechte drohen würde.[192] Gegen ein Administrativ-

---

[189] In diesem Sinne: *Jahn*, BKR 2009, 25, 28.

[190] Zu diesem Interesse *Berger* in Kölner Schrift zur Insolvenzordnung, 2. Aufl. 2000, Rn. 1f.

[191] In diese Richtung ging das Anliegen des ehemaligen Finanzministers Peer *Steinbrück*, welcher beim G-20-Treffen von Pittsburgh weltweit das hoheitliche Recht einzufordern gedachte, „die Kündigung von Verträgen mit kriselnden Banken zu untersagen", FAZ vom 27. 8. 2009, S. 11.

Eine grob vergleichbare Befugnis besteht in den USA, wo die Federal Deposit Insurance Corporation (FDIC), sowie sie bzgl. einer Krisenbank die Funktion des „receiver" übernimmt, ein vertraglich vereinbartes Close-out-Netting bis 17.00 Uhr des auf die Übernahme folgenden Geschäftstages suspendieren kann, BCBS (Fußnote 142), S. 39 Nr. 114 Fn. 24.

[192] In diese Richtung gehen auch Überlegungen des BCBS (Fußnote 142), S. 39 Nr. 113 („(...) after carefully considering the circumstances that need to be addressed (i. e. defining systemic crisis), authorities need to have the requisite powers to override termination clauses (...)"), wobei im dortigen Ansatz die Außerkraftsetzung der Lösungsklauseln vor allem die oben in Fußnote 188 skizzierten „Transfer-Lösung" vorbereiten soll.

verbot spricht jedoch, dass seine Effektivität maßgeblich vom *Zeitmoment* abhängt. Reagiert nämlich die Behörde erst *nach* Terminierung der schwebenden Verträge, so ist ihr Einsatz zwecklos. Die Gefahr verzögerter Intervention besteht jedoch in besonders hohem Maße. Denn einerseits kann es sein, dass die Behörde wegen sich überschlagender Marktereignisse oder unzureichender Informationslage schlicht zu spät agiert, andererseits sehen die „master agreements" (wie erwähnt) oft die automatische Beendigung aufgrund bestimmter Ereignisse vor. Diese Gegebenheiten legen den Schluss nahe, dass ein administratives Netting-Verbot in praxi ein „stumpfes Schwert" wäre. Für eine zweckorientierte Anwendung ihrer Befugnis müsste die Behörde zu einem Zeitpunkt einschreiten, zu dem noch keiner der rahmenvertraglich vereinbarten Beendigungsgründe eingreift. Da diese Gründe aber faktisch jeden relevanten Zeitpunkt und Umstand einer (drohenden) Unternehmenskrise abdecken, müsste die Behörde dann zu einer Zeit handeln, zu der die wirtschaftliche Lage der Bank nach allgemeinen Maßstäben als noch solide zu bezeichnen wäre. Dann aber wäre dem Eingreifen der tatbestandliche Anknüpfungspunkt entzogen.[193]

Hiernach verbleibt zur Lösung des Problems nur ein gesetzlicher Ausschluss des vorinsolvenzlichen Close-out-Netting. [194] Dieses Modell erscheint unter mehreren Gesichtspunkten vorzugswürdig. Erstrebenswert ist es zunächst deshalb, weil es die bisherige Praxis nicht weiter anerkennt, sondern eine in Ansehung der (besonders) systemgefährdenden Wirkung des vorinsolvenzlichen „close-out" sinnvolle *grundlegende* Abkehr von dieser bedeutet. Ein solcher Ansatz gewährleistet eine hinreichende Differenzierung zwischen dem Netting *vor* und dem *für* den Insolvenzfall, berücksichtigt die hoheitliche Grundverantwortung für die Systemstabilität durch eine *gesetzliche* Änderung der bisherigen Praxis und begegnet den mit einem Administrativverbot einhergehenden Schwächen und Schwierigkeiten durch eine klare rechtliche Vorgabe, an der sich sowohl Aufsichtsbehörden als auch Banken stets zu orientieren vermögen. Als Stichzeitpunkt für die Wirksamkeit eines vertraglich vereinbarten Close-out-Netting wäre dann die Eröffnung des Insolvenzverfahrens i.S.d. § 27 Abs. 2 Nr. 3, Abs. 3 InsO zu wählen. Diese Lösung erscheint als eine konsequente Umsetzung des hier befürworteten Prinzips der Zulassung des Close-out-Netting nur für, nicht vor dem Insolvenzfall.

---

[193] Hierzu und zu weiteren Nachteilen des Administrativverbots *Zimmer/Fuchs* (Fußnote 137), sub IV.6.a.cc.

[194] Die hier befürwortete Lösung geht auf den Mitautor *Fuchs* des Beitrages *Zimmer/Fuchs* (Fußnote 137) zurück.

Gute Gründe sprechen allerdings dafür, in leichter Abwandlung von dem bisher Gesagten alternativ auch auf die aufsichtsbehördliche Anordnung eines Moratoriums nach § 46a Abs. 1 Satz 1 KWG als Stichzeitpunkt abzustellen: Mit der Anordnung eines Veräußerungs- und Zahlungsverbots durch die Aufsichtsbehörde werden die Wirkungen eines Insolvenzverfahrens zum Teil vorverlegt – insofern ließe sich auch dieser Ansatz noch unter das Konzept eines Ausschlusses des Close-out-Netting „vor der Insolvenz" fassen. Begründen lässt sich eine solche Anknüpfung mit dem Umstand, dass zwischen dem Erlass einer Anordnung nach § 46a Abs. 1 Satz 1 KWG und der Eröffnung des Insolvenzverfahrens auf der Grundlage von § 46b KWG i.V.m. §§ 13ff InsO oft mehrere Wochen vergehen, in denen – gerade in der Situation einer Finanzmarktkrise – derivative Finanzinstrumente einen erheblichen Wertverfall erleiden können. Die Parteien von Derivatverträgen dieser wirtschaftlichen Folge auszusetzen, kann unangemessen erscheinen.

Im Hinblick auf die Formulierung des Tatbestandes empfiehlt sich keine (katalogmäßige) Bezugnahme auf die bisher gewählten Beendigungsgründe, da sonst zu erwarten wäre, dass die Praxis die einschlägigen „master agreements" durch Modifizierung der „close-out events" dem Anwendungsbereich der zu bildenden Verbotsnorm entzieht. Zu wählen wäre vielmehr eine Formulierung wie: „Gründe außerhalb der zeitlich nach § 27 Abs. 2 Nr. 3, Abs. 3 InsO zu bemessenden Eröffnung des Insolvenzverfahrens stellen keinen wichtigen Grund zur Kündigung eines Schuldverhältnisses über Finanzleistungen im Sinne des § 104 Abs. 2 InsO dar und führen auch nicht zur Beendigung solcher Schuldverhältnisse. Entgegenstehende vertragliche Vereinbarungen sind unwirksam."[195] Würde auch auf ein behördlich angeordnetes Moratorium abgestellt, so könnte die Vorschrift entsprechend ergänzt werden: „Andere Gründe als der Erlass von Maßnahmen nach § 46a Abs. 1 Satz 1 KWG oder die zeitlich nach § 27 Abs. 2 Nr. 3, Abs. 3 InsO zu bemessende Eröffnung eines Insolvenzverfahrens ..."

Diese Aussage könnte durch Regelbeispiele ausgeschlossener Beendigungsgründe („insbesondere") ergänzt werden. Insofern käme ein Rekurs auf die Beendigungsgründe der bisherigen Vertragswerke durchaus in Betracht. Eine funktionsfähige gesetzliche Be-

---

[195] Als Beispiele für eine gesetzliche Untersagung vorinsolvenzlicher Beendigungsgründe können die (freilich auf die durch sie angeregten und als Beendigungsgründe in Betracht kommenden Änderungen beschränkten) Entwürfe von BMJ (Fußnote 151, § 12 KredReorgG, S. 7) und BMWi (Fußnote 150, § 48k Abs. 1 KWG-E, S. 10, 11) gesehen werden. Vgl. zu § 19 des Finanzmarktstabilisierungsbeschleunigungsgesetzes (FMStBG) sogleich D. III.2.a.

stimmung (zum Beispiel in Gestalt eines § 104 Abs. 4 InsO[196]) kann also mit den üblichen Regelungsformulierungen gefunden werden.[197]

Zu beachten ist für diese Empfehlung freilich, dass sie sich der rechtlichen und rechtspolitischen Wirklichkeit stellen muss. Schon im Rahmen der „Testaments"-Lösung wurde die Bedeutung global konzertierten Handelns angesprochen. Auch bzgl. dieses Novellierungsvorschlags ist ein globaler Regelungsstandard zur Erlangung hinreichender Effektivität erforderlich. Die Einordnung eines entsprechenden Verbots des nationalen Rechts als international zwingende Vorschrift reicht hierfür nicht aus.[198] Aus deutscher Sicht wäre zunächst ein Hinwirken auf eine Novellierung der entsprechenden europäischen Richtlinien erforderlich,[199] da die Bundesrepublik anderenfalls vertragsbrüchig würde. Auf globaler Ebene ist ein internationales Konkordat anzustreben, das ein Close-out-Netting im Insolvenzfall (weiterhin) zulässt oder anordnet, während einem solchen vor der Eröffnung eines Insolvenzverfahrens (bzw. vor dem Erlass eines aufsichtsbehördlichen Moratoriums) die Wirkung versagt wird.

2. Sonderregeln für isolierte Beendigungsklauseln

a) Wirkung von Beendigungsklauseln

Auch außerhalb des Derivatehandels und unabhängig vom Vorliegen einer Netting-Vereinbarung können vertragliche Beendigungs-

---

196 Diese Einordnung eines künftigen Verbots vorinsolvenzlichen Close-out-Nettings unter allgemeines Insolvenzrecht ist freilich nur eine von mehreren Möglichkeiten. Insbes. beinhaltete sie die durchaus diskussionswürdige Implikation, das Verbot pauschal *allen* mit Finanzleistungen (Derivaten) handelnden Rechtsträgern aufzuerlegen (analog zur de lege lata *allen* Rechtsträgern gewährleisteten Beendigung solcher Verträge im Moment der Insolvenz). Ob diese Lösung legitim wäre, ist einer genaueren Prüfung vorzubehalten. Für die hier diskutierten Zwecke gesteigerter Systemstabilität im Finanzsektor wäre sie wegen der problemlosen Erfassung jeder Art von Bank jedenfalls geeignet. Siehe zum Problem The Economist vom 14. 11. 2009, S. 90.

197 Es ergibt sich so eine weitere Erleichterung gegenüber der schon oben verworfenen Statuierung eines Administrativverbots. Denn ein ex lege wirkendes Verbot muss nur seinen Bezugsgegenstand (hier: die Vertragsklauseln) benennen. Eine hinreichend bestimmte Ermächtigungsgrundlage dagegen muss auch die Bedingungen für ein Einschreiten normieren und begegnet so insbes. dem unter Fußnote 193 in Bezug genommenen Begründungsaufwand.

198 Vgl. zur Begründung auch nachfolgend unter III.2.b (im Zusammenhang des § 19 FMStBG und des § 12 des in Fußnote 151 genannten Diskussionsentwurfs eines Kreditinstitute-Reorganisationsgesetzes).

199 BCBS (Fußnote 142), S. 41 (Recommendation 9). Insbes. RL 2002/47/EG (FinanzsicherheitenRL) wäre betroffen – diese nimmt das Close-out-Netting explizit in Bezug und verlangt in Art. 7 von den Mitgliedstaaten, sicherzustellen, dass „die Aufrechnung in Folge Beendigung vereinbarungsgemäß wirksam werden kann".

klauseln systemische Risiken begründen oder verstärken. So werden beispielsweise bei Finanzierungsverträgen vertragliche Lösungsrechte für eine Partei oder die Rechtsfolge einer automatischen Vertragsbeendigung an Umstände wie eine Vermögensverschlechterung oder einen Verzug geknüpft.[200] Entsprechende Rechtsfolgen werden in der Kautelarpraxis auch für Fälle von Vertragsverletzungen oder eines Wechsels der Kontrolle über einen Vertragspartner vereinbart.[201] Das Eingreifen solcher Vertragsklauseln zu Lasten einer Bank kann in ähnlicher Weise deren Handlungsmöglichkeiten einschränken wie das Close-out-Netting.[202] Zum Schutz der Stabilität des Finanzsystems könnte es daher wünschenswert erscheinen, auch die Wirkung derartiger Vertragsklauseln zu begrenzen.

Den Versuch einer Eingrenzung der Wirkung von Beendigungsklauseln aus Gründen des Systemschutzes hat der Bundesgesetzgeber mit dem Finanzmarktstabilisierungsbeschleunigungsgesetz[203] in der Fassung des Finanzmarktstabilisierungsergänzungsgesetzes[204] unternommen. Nach § 19 Satz 1 des Gesetzes stellt „(d)ie Übernahme einer Beteiligung des Fonds an einem Unternehmen des Finanzsektors ... keinen wichtigen Grund zur Kündigung eines Schuldverhältnisses dar"; sie „führt auch nicht zur automatischen Beendigung von Schuldverhältnissen." Satz 2 der Vorschrift ordnet die Unwirksamkeit entgegenstehender Bestimmungen an.

In ähnlicher Weise sieht der bereits in Bezug genommene *Entwurf* des BMJ eines Gesetzes zur Einführung eines Reorganisationsplanverfahrens für systemrelevante Kreditinstitute und zur Abwehr von Gefahren für die Stabilität des Finanzsystems[205] in § 12 eines Kreditinstitute-Reorganisationsgesetzes vor, dass die Anzeige der Sanierungsbedürftigkeit, der Antrag auf Einleitung eines Reorganisationsverfahrens und die Durchführung eines solchen Verfahrens keinen wichtigen Grund zur Kündigung eines Schuldverhältnisses darstellen und nicht zu einer automatischen Beendigung von Schuldverhältnissen führen. Entgegenstehende vertragliche Bestimmungen sollen unwirksam sein.

---

[200] Vgl. zu solchen Klauseln *Marotzke* (Fußnote 185), § 119 Rn. 2, 6f:

[201] Vgl. für Change-of-Control-Klauseln *Cramer*, Change-of-Control-Klauseln im deutschen Unternehmensrecht, 2009; *Rittwege*, Normen für die rechtssichere Anwendung von Change-of-Control-Klauseln, 2009.

[202] Hierzu schon soeben Teil D. III.1.a.

[203] Gesetz zur Beschleunigung und Vereinfachung des Erwerbs von Anteilen an sowie Risikopositionen von Unternehmen des Finanzsektors durch den Fonds „Finanzmarktstabilisierungsfonds – FMS" vom 17. Oktober 2008 (BGBl. I S. 1982, 1986).

[204] Gesetz zur weiteren Stabilisierung des Finanzmarktes (Finanzmarktstabilisierungsergänzungsgesetz – FMStErgG) vom 7. April 2009 (BGBl I S. 725).

[205] Hierzu oben sub II.1.b.

b) Rechtspolitische Empfehlung

Eine noch weiter reichende Zurückdrängung von Beendigungsklauseln könnte die von diesen ausgehenden Systemgefahren noch effektiver begrenzen. So könnte eine Rechtsordnung – theoretisch – den Ausschluss von Beendigungsklauseln etwa auch für Fälle eines Verzugs, einer Vertragsverletzung oder einer Vermögensverschlechterung vorsehen. Indessen sind hierauf gerichtete Gesetzgebungsinitiativen nicht ohne weiteres zu empfehlen. Zum einen sind Beendigungsklauseln oft Ausdruck eines legitimen Sicherungsinteresses einer Vertragspartei. Ihnen in pauschaler Weise die Wirkung zu nehmen, stellte einen empfindlichen Eingriff in die Privatautonomie dar. Gute Gründe sprechen für die Annahme, dass ein solcher Eingriff auch volkswirtschaftlich nachteilig wäre. Vertragsschlüsse, bei denen ein entsprechendes Sicherungsbedürfnis einer Partei besteht, würden möglicherweise in zahlreichen Fällen unterbleiben; in anderen Fällen könnten sie zur Vereinbarung von Mechanismen führen, die das Sicherungsbedürfnis auf teurere, weniger effiziente Weise erfüllen (etwa durch Ausfallversicherungen).

Auch im hier gegebenen Zusammenhang der isolierten Beendigungsklauseln ist zudem auf die begrenzte Gestaltungsmacht nationaler Gesetzgeber hinzuweisen. Wenn die Begründung zum Gesetzentwurf der Bundesregierung im Zusammenhang des § 19 des Finanzmarktstabilisierungsergänzungsgesetzes ausführt, dass es sich aus Sicht des deutschen Rechts um eine international zwingende Vorschrift handele,[206] so bringt dies zunächst nicht mehr zum Ausdruck, als dass *Rechtsanwender im Inland* – insbesondere deutsche Gerichte – die Vorschrift nicht nur zur Anwendung bringen, wenn das eigene Recht Schuldstatut ist; sie wenden die Vorschrift vielmehr auch an, wenn das Schuldverhältnis – etwa ein Vertragsverhältnis – als solches einem anderen Recht unterliegt. Für Rechtsanwender im *Ausland* hat die Einordnung als international zwingende Vorschrift des inländischen Rechts grundsätzlich keine Bedeutung. Allerdings ist Art. 9 Abs. 3 der Rom-I-Verordnung[207] zu beachten: Nach dieser Vorschrift, die mit Wirkung vom 17. 12. 2009 an die Stelle des Art. 34 EGBGB a.F. und entsprechender Bestimmungen in den Kollisionsrechten anderer EU-Staaten getreten ist, „kann" den „Eingriffsnormen des Staates, in dem die durch den Vertrag begründeten

---

[206] Siehe Gesetzentwurf der Bundesregierung, BR-Drucksache 160/09, S. 23; insofern wortgleich der Entwurf des BMJ (Fußnote 151), auf S. 45.

[207] Verordnung (EG) Nr. 593/2008 des Europäischen Parlaments und des Rates vom 17. Juni 2008 über das auf vertragliche Schuldverhältnisse anzuwendende Recht (Rom I), ABl. EU 2008 Nr. L 177/6ff. Hierzu *W.-H. Roth* in Sandrock/Baur/Scholtka/Shapira (Hrsg.), Festschrift für Gunther Kühne zum 70. Geburtstag, 2009, S. 859ff.

Verpflichtungen erfüllt werden sollen oder erfüllt worden sind, ... Wirkung verliehen werden, soweit diese Eingriffsnormen die Erfüllung des Vertrags unrechtmäßig werden lassen." Hiernach *können* Behörden und Gerichte anderer Mitgliedstaaten einer Vorschrift des deutschen Rechts, die hier als international zwingende Eingriffsnorm verstanden wird, Beachtung schenken, wenn Vertragspflichten in Deutschland zu erfüllen sind. Bei der Entscheidung über eine solche Beachtung der Eingriffsnormen eines anderen Staates werden nach Satz 2 der Bestimmung „Art und Zweck dieser Normen sowie die Folgen berücksichtigt, die sich aus ihrer Anwendung oder Nichtanwendung ergeben würden." Ob Eingriffsnormen des inländischen Rechts vor Gerichten anderer Mitgliedstaaten Wirkung zuerkannt wird, hängt also zum einen von der (erfolgten oder geschuldeten) Erfüllung in Deutschland und zum anderen von „Art und Zweck" der Normen ab.[208] Hier spricht auch weiterhin viel für die Annahme, dass nationale Gerichte vornehmlich solchen Eingriffsnormen fremder Staaten Wirkung beilegen, die eine Entsprechung im jeweiligen inländischen Recht haben, also etwa Ausdruck übereinstimmender Wertvorstellungen des in- und des ausländischen Rechts sind.[209]

Die zuletzt angestellte Überlegung gibt einen Hinweis darauf, dass auch im Zusammenhang der rechtlichen Behandlung isolierter Beendigungsklauseln nur ein international abgestimmtes legislatives Vorgehen zielführend ist. Wenn aus Gründen des Systemschutzes die Anordnung für notwendig erachtet wird, dass die Anzeige der Sanierungsbedürftigkeit, der Antrag auf Einleitung eines Reorganisationsverfahrens und die Durchführung eines derartigen Verfahrens keinen wichtigen Grund zur Kündigung eines Schuldverhältnisses darstellen, nicht zu einer automatischen Beendigung von Schuldverhältnissen führen und dass entgegenstehende vertragliche Bestimmungen unwirksam seien (Art. 12 des Entwurfs eines Kreditinstitute-Reorganisationsgesetzes),[210] so wird die intendierte Wirkung bei systemrelevanten Instituten – die eine Vielzahl von internationalen Vertragsbeziehungen unterhalten – nur dann erheblich sein, wenn andere Rechtsordnungen entsprechende Anordnungen treffen. Anderenfalls wird sich die Wirkung solcher Anordnungen im wesentlichen auf Vertragsbeziehungen beschränken, für die entweder deutsches Recht Vertragsstatut ist oder über die vor deutschen Gerichten verhandelt

[208] Vgl. allerdings *Fetsch*, Eingriffsnormen und EG-Vertrag, 2002, S. 321ff., der meint, dass aus dem EG-Vertrag (jetzt: AEUV) eine Pflicht der Mitgliedstaaten zur Beachtung der Eingriffsnormen anderer Mitgliedstaaten folge. In der Tendenz ebenso bereits *W.-H. Roth*, RabelsZ 55 (1991), 623, 662ff.

[209] Zur Bedeutung solcher „shared values" für die Beachtung fremden Eingriffsrechts schon unter der Geltung des Art. 34 EGBGB a.F. *Zimmer* IPRax 1993, 65ff.

[210] Hierzu soeben sub III.2.a.

wird. Wie schon im Zusammenhang der „Bankentestamente“ und des Close-out-Netting deutlich geworden ist, bedarf es zur wirksamen Eingrenzung systemischer Risiken auch insoweit, als Mittel des Privatrechts für diesen Zweck dienlich gemacht werden, der engen internationalen Koordination der Gesetzgeber.

E. Empfehlen sich (weitere) Neuerungen im Recht der Rating-Agenturen?

I. Einleitung[211]

In Teil A dieses Gutachtens wurde deutlich gemacht, dass krisenhafte Entwicklungen der jüngeren Vergangenheit zu einem Teil mit einem Versagen von Ratingagenturen erklärt werden können: Zu den Entstehungsgründen der Finanzkrise ist eine nicht hinreichend risikobewusste Kreditvergabepraxis einer großen Zahl von Banken in den USA zu rechnen. Die „Großzügigkeit" der Kreditinstitute bei der Darlehensgewährung ist im wesentlichen damit zu erklären, dass die daran beteiligten Banken vielfach in der Lage waren, die eingegangenen Kreditrisiken in verbriefter Form an Investoren weiterzureichen. Bei einem funktionierenden Kapitalmarkt wäre ein solches Ergebnis nicht möglich: Investoren wären nicht bereit, Kreditforderungen zu erwerben, die ohne tragfähige Bonitätsprüfung begründet wurden. Der Markt versagt hier aufgrund einer zwischen den ursprünglichen Veräußerern der Forderung (den Kredit gebenden Banken) einerseits und den erwerbenden Investoren andererseits bestehenden starken Informationsasymmetrie. *Rating-Agenturen* haben ihre Funktion, diese Asymmetrie aufzuheben, nach verbreiteter Auffassung nicht erfüllt. Hiernach haben sie für Subprime-Kreditverbriefungen zu günstige Bonitätsbewertungen erteilt und diese zu spät herabgesetzt.[212] In Teil A des Gutachtens wurde die Frage aufgeworfen, ob Rating-Agenturen ihrer Aufgabe zur Abgabe von Bonitätsurteilen sachgerecht nachkommen können, wenn sie von den Emittenten der betroffenen Anlagetitel bestellt und bezahlt werden.

---

211 Vgl. für eine vertiefende Darstellung der in diesem Gutachten knapp behandelten Thematik *Zimmer*, Rating-Agenturen: Reformbedarf nach der Reform?, in Festschrift für Klaus J. Hopt, im Erscheinen (2010).

212 Vgl. etwa „Scharfe Kritik an Rating-Agenturen", Neue Zürcher Zeitung vom 12. 7. 2007.

II. Die EU-Verordnung von 2009 und der deutsche Gesetzentwurf von 2010

In Reaktion auf Fehlbewertungen durch Rating-Agenturen, die zum Entstehen der Finanzkrise beigetragen haben, haben Rat und Europäisches Parlament im Jahr 2009 eine Verordnung über Rating-Agenturen erlassen.[213] Mit der auf Art. 95 des EG-Vertrages gestützten Verordnung werden gemeinsame Qualitätsanforderungen für Ratings festgelegt, die von in der Gemeinschaft registrierten Rating-Agenturen erstellt und der Öffentlichkeit bekannt gegeben oder an Abonnenten weitergegeben werden.[214] Mit der Verordnung wird eine Registrierungspflicht für Agenturen eingeführt, deren Ratings von Kreditinstituten, Wertpapierfirmen, Versicherungs- und Rückversicherungsunternehmen, Investmentgesellschaften („Organismen für gemeinsame Anlagen in Wertpapieren") sowie von Einrichtungen der betrieblichen Alterversorgung für aufsichtsrechtliche Zwecke verwendet werden.[215] Solcherart registrierte Rating-Agenturen unterliegen fortan einer Aufsicht durch die zuständige Behörde ihres Herkunftsmitgliedstaates, d.h. des Mitgliedstaates, in dem sich ihr satzungsmäßiger Sitz befindet.

Von der Verordnung erfasste Rating-Agenturen müssen über ein Verwaltungs- oder Aufsichtsorgan verfügen, dem zu mindestens einem Drittel unabhängige Mitglieder angehören, die nicht in die Rating-Tätigkeit eingebunden sind.[216] Zudem muss eine Rating-Agentur auch organisatorische Vorkehrungen zur Sicherstellung einer hohen Qualität ihrer Ratings treffen, unter anderem durch Einrichtung einer Kontrollstelle, die für die regelmäßige Überprüfung von Methoden und Modellen zuständig ist.[217] Wichtig erscheint zudem die Bestimmung, dass Rating-Agenturen grundsätzlich alle Ratings – auch solche, die an Abonnenten weitergegeben werden – unterschiedslos und rechtzeitig bekannt zu geben haben.[218] Sie haben

---

[213] Verordnung (EG) des Europäische Parlaments und des Rates vom 16. 9. 2009 über Ratingagenturen, ABl. EU 2009 Nr. L302/1ff. Zur Bezugnahme auf das Versagen von Rating-Agenturen im Vorfeld der Entstehung der Finanzkrise Tz. 10 der Erwägungsgründe.

[214] Art. 2 Abs. 1 der Verordnung über Rating-Agenturen.

[215] Art. 4 Abs. 1 der Verordnung; zum Registrierungsverfahren Art. 12–16 der Verordnung über Rating-Agenturen.

[216] Anhang 1, Abschnitt A, Ziffern 1 und 2 der Verordnung über Rating-Agenturen. In jedem Fall müssen hiernach mindestens zwei Mitglieder des Verwaltungs- oder Aufsichtsorgans unabhängig sein.

[217] Anhang 1, Abschnitt A, Ziffer 7–9 der Verordnung über Rating-Agenturen.

[218] Art. 10 Abs. 1 der Verordnung über Rating-Agenturen.

zudem jede Entscheidung zum Abbruch eines Ratings – unter Angabe der Gründe dieser Entscheidung – bekannt zu geben.[219]

Zu den Kernbestimmungen der Verordnung zählen Vorschriften, mit denen der Entstehung spezieller Interessenkonflikte bei Rating-Agenturen vorgebeugt werden soll. Hierzu zählen Inkompatibilitätsregelungen: Eine Agentur darf kein Rating abgeben oder teilt für den Fall eines bereits abgegebenen Ratings sofort mit, dass das Rating möglicherweise betroffen ist, wenn sie selbst direkt oder indirekt Finanzinstrumente des bewerteten Unternehmens oder Eigentumsanteile an ihm besitzt.[220] Gleiches gilt, wenn ein Rating-Analyst, ein Mitarbeiter oder eine natürliche Person, deren Dienstleistungen von der Agentur in Anspruch genommen werden oder von ihr kontrolliert werden, Finanzinstrumente des bewerteten Unternehmens bzw. Eigentumsanteile an ihm besitzt.[221] Besonders bedeutsam erscheint die Neuerung, dass eine Rating-Agentur keine „Beratungsleistungen" für das bewertete Unternehmen oder einen verbundenen Dritten erbringen.[222] Rating-Agenturen müssen insbesondere sicherstellen, dass ihre Analysten oder Personen, die Ratings genehmigen, weder formell noch informell Vorschläge unterbreiten oder Empfehlungen abgeben, welche die Konzeption von strukturierten Finanzinstrumenten betreffen, zu denen von der Rating-Agentur ein Rating erwartet wird.[223] Allerdings werden dienstleistende Tätigkeiten einer Rating-Agentur für zu bewertende Unternehmen keineswegs kategorisch ausgeschlossen. Der zuletzt behandelte Ausschlussgrund der vorangegangenen Mitwirkung eines Analysten bezieht sich allein auf *strukturierte Finanzinstrumente* und damit auf Verbriefungen;[224] in anderen Fällen hindert eine Vorbefassung des tätigen Analysten mit dem zu bewertenden Unternehmen oder Finanzprodukt nicht a priori an der Erstellung eines Ratings. Vielmehr wird hier eine in der Anlage I zur Verordnung angelegte Unterscheidung zwischen – unzulässigen – „Beratungsleistungen" und – zulässigen – „Nebendienstleistungen" relevant: unzulässige Beratungsleistungen beziehen sich auf die „Unternehmens- oder Rechtsstruktur, Vermögenswerte, Verbindlichkeiten oder Tätigkeiten des bewerteten Unternehmens oder eines verbundenen Dritten". Andere Dienstleis-

---

[219] Art. 10 Abs. 1 der Verordnung über Rating-Agenturen.

[220] Anhang I Abschnitt B Ziffer 3 lit. a der Verordnung über Rating-Agenturen.

[221] Anhang I Abschnitt B Ziffer 3 lit. a der Verordnung über Rating-Agenturen; vgl. darüber hinaus die in Abschnitt C enthaltenen Inkompatibilitätsregeln für Mitarbeiter von Rating-Agenturen.

[222] Anhang I Abschnitt B Ziffer 4 der Verordnung über Rating-Agenturen.

[223] Anhang I Abschnitt B Ziffer 5 der Verordnung über Rating-Agenturen.

[224] Vgl. zur Legaldefinition für strukturierte Finanzinstrumente Art. 3 Abs. 1 lit. l der Verordnung über Rating-Agenturen.

tungen stehen – als sog. Nebendienstleistungen für das Unternehmen bzw. einen verbundenen Dritten – einem Rating nicht entgegen.[225]

Am 13. Januar 2010 hat das Bundeskabinett den Entwurf eines deutschen Ausführungsgesetzes zur Verordnung über Ratingagenturen beschlossen. Der Entwurf, der bis zum Sommer 2010 das Gesetzgebungsverfahren passieren soll,[226] sieht vor, dass die BaFin als Aufsichtsbehörde Überwachungsbefugnisse erhält.[227] Ratingagenturen sollen verpflichtet werden, die Einhaltung der in der Verordnung geregelten Pflichten einmal jährlich durch einen von der BaFin beauftragten Prüfer untersuchen zu lassen.[228] Im übrigen sollen die Pflichten der Verordnung durch eine Erweiterung der Ordnungswidrigkeitentatbestände des § 39 WpHG sanktionenbewehrt werden.[229]

III. Bewertung der Neuregelungen

Grundsätzlich erscheint die Verordnung geeignet, einem qualitätsmindernden *rating shopping* entgegenzuwirken. Mit mehreren Agenturen zu verhandeln und zum Schluss nur diejenige zu beauftragen und zu bezahlen, die das günstigste Rating verspricht, verliert für Schuldner bzw. Emittenten an Attraktivität, wenn sämtliche erstatteten Ratings sowie Entscheidungen über den Abbruch eines Ratings – unter Angabe der Gründe – von den Agenturen bekannt gegeben werden. Allerdings wird die diesbezügliche Wirksamkeit der neuen Regelung wesentlich von ihrer Handhabung in der Praxis abhängen: Wichtig ist, dass die Vertragsverhandlungen und -beziehungen zwischen Agenturen und Schuldnern resp. Emittenten nicht in

---

[225] Nebendienstleistungen sind nach einer wenig trennscharfen Definition der Anlage I „keine Ratingtätigkeiten", sondern „umfassen Marktprognosen, Einschätzungen der wirtschaftlichen Entwicklung, Preisanalysen und andere Analysen allgemeiner Daten sowie damit zusammenhängende Verteilungsdienste".

[226] Entwurf für ein Ausführungsgesetz zur Verordnung (EG) Nr. 1060/2009 des Europäischen Parlaments und des Rates vom 16. September 2009 über Ratingagenturen (Ausführungsgesetz zur EU-Ratingverordnung); vgl. auch Pressemitteilung des Bundesministeriums der Finanzen vom 13. 1. 2010, abrufbar unter http://www.bundesfinanzministerium.de/nn_54/DE/Wirtschaft__und__Verwaltung/Geld__und__Kredit/100113__Ratingagenturen.html?__nnn=true.

[227] Art. 1 Nr. 2 des in Fußnote 226 genannten Gesetzentwurfs (§ 17 Abs. 1–4 WpHG-E).

228 Art. 1 Nr. 2 des in Fußnote 226 genannten Gesetzentwurfs (§ 17 Abs. 5 WpHG-E).

[229] Art. 1 Nr. 4 des in Fußnote 226 genannten Gesetzentwurfs (§ 39 Abs. 2 b, 3 a und 4 WpHG-E).

der Weise strukturiert werden, dass die Neuregelung umgangen wird.[230] Auch die in der Verordnung getroffenen Regelungen zur Vermeidung *spezifischer Interessenkonflikte* erscheinen im Grundsatz zielführend. Dies gilt namentlich für die in der Verordnung angeordnete Unvereinbarkeit von Beratung und Rating-Tätigkeit. Wie im ähnlich gelagerten Fall der gesetzlichen Abschlussprüfung vermag auch beim Rating eine Beratungstätigkeit die Unabhängigkeit des Urteilenden zu beeinflussen. In besonderer Weise ist die Fähigkeit zur Abgabe einer unabhängigen Bewertung in Frage gestellt, wenn der Urteilende bei der Erstellung eines zu beurteilenden Gegenstandes mitgewirkt hat. Allerdings erscheint die Unterscheidung von unzulässigen ‚Beratungsleistungen' und zulässigen ‚Nebendienstleistungen' unscharf und wenig hilfreich.

Das an früherer Stelle skizzierte Grundproblem bleibt auch unter der Verordnung bestehen: Rating-Agenturen werden seit den 1970er Jahren ganz überwiegend von Schuldnern bzw. Emittenten ausgewählt und bezahlt – und damit nicht von der Seite der Investoren, deren Information ihre Tätigkeit dienen soll und deren Interessen Rating-Agenturen dementsprechend zuvörderst zu wahren hätten. Die Auswahl einer Rating-Agentur obliegt im praktischen Regelfall den für die Geschäftsführung zuständigen Leitungsorganmitgliedern. Der Vorstand eines Emittenten wird – seiner gesetzlichen Pflicht zur Förderung von Unternehmens- und namentlich Aktionärsinteressen entsprechend[231] – ein möglichst günstiges Rating anstreben, da dieses die Finanzierungsmöglichkeiten der Gesellschaft verbessert bzw. ihre Finanzierungskosten senkt. Da eine Rating-Agentur ihrerseits regelmäßig nicht an einer einmaligen Tätigkeit für ein Unternehmen interessiert sein, sondern die wiederholte Erteilung von Aufträgen erstreben wird, liegt es nahe, dass die Interessen von Agentur und Gesellschaft sich bei der Erteilung eines wohlwollenden Rating treffen. Das Modell des „issuer-paid rating" begünstigt dementsprechend großzügige Bonitätsbewertungen.

Dass die Beendigung einer Rating-Vertragsbeziehung nach Herabstufung nicht nur in der Theorie eine Handlungsoption für unzufriedene Schuldner darstellt, erweist das Beispiel der BayernLB aus

---

[230] Es muss namentlich ausgeschlossen werden, dass durch Aufschub der *offiziellen* Beautragung auf die Zeit nach Beginn ihrer Bewertungstätigkeit der Tatbestand eines publizitätspflichtigen ‚Abbruchs' des Ratings vermieden wird, wenn die Agentur ihre Tätigkeit für den Schuldner bzw. Emittenten aus dem einen oder anderen Grund einstellt.

[231] Die Diskussion um eine Verpflichtung des Vorstandes auf ein eher weit verstandenes „Unternehmensinteresse" oder auf ein eng an Aktionärsinteressen ausgerichtetes Ziel einer Förderung des „Shareholder Value" wird an dieser Stelle nicht eröffnet. Vgl. hierzu *Fleischer* in Fleischer (Hrsg.), Handbuch des Vorstandsrechts, 2006, § 1 Rn. 29ff; *Seibt* in K. Schmidt/Lutter (Hrsg.), AktG, 2008, § 76 Rn. 12ff.

dem Sommer 2009: Nachdem die Agentur Standard & Poor's das Rating der Bank um zwei Stufen auf BBB+ gesenkt hatte, kündigte die Bank den Rating-Vertrag. Der Vorstandsvorsitzende der Bank wies in einem Pressegespräch darauf hin, von anderen Rating-Agenturen günstigere Bewertungen zu erhalten.[232]

Aus dem in diesem Gutachten eingenommenen Blickwinkel der Prinzipal-Agent-Theorie[233] erscheint das Modell des von Investoren beauftragten und vergüteten Rating anderen Modellen funktional überlegen: Die Gefahr einer Verzerrung des Ergebnisses des Rating durch Interessen des Auftraggebers besteht hier nicht in gleicher Weise wie beim derzeit dominierenden Modell des issuer-paid rating. Beim investor-paid rating wählen diejenigen eine Agentur aus und bezahlen sie, deren Informationsinteresse die Bewertung in erster Linie dient. Für Rating-Agenturen, die ihrerseits in der Regel an einer fortgesetzten Beauftragung interessiert sein werden, besteht bei dieser Ausgangslage ein Anreiz zur Erstellung von möglichst aussagekräftigen und zutreffenden Ratings: Ihre Auftraggeber sind grundsätzlich an möglichst zutreffenden (und nicht an beschönigenden) Bonitätsbewertungen interessiert.

Freilich ist gegenüber dem zuletzt Ausgeführten eine Einschränkung zu machen: Wer bereits Forderungen gegen einen bestimmten Schuldner oder gewisse Verbriefungen im Bestand hat, dem ist mit einem beschönigenden Rating möglicherweise mehr gedient als mit einem weniger günstigen, aber zutreffenden: denn das letztere mindert den Wert des eigenen Vermögens. Diese Überlegung weist darauf hin, dass auch ein investor-paid rating nicht unbedingt frei von sachfremden, die Rating-Qualität mindernden Einflüssen ist. Freilich ist die Gefahr solcher Verzerrungen hier geringer zu veranschlagen als beim herrschenden Modell des issuer-paid rating: Dort – beim vom Schuldner bzw. Emittenten in Auftrag gegebenen und bezahlten Rating – ist die Interessenlage des Auftragsgebers an einem möglichst hohen Rating *eindeutig.* Demgegenüber besteht bei einem von Investoren nachgefragten Rating nicht vornherein eine solch eindeutige Interessenlage: Geht eine Rating-Agentur im Hinblick auf einen bestimmten Schuldner bzw. Anlagetitel davon aus, dass sowohl bereits ‚investierte' als auch lediglich ‚investitionsinteressierte' Anleger zu ihrem Kundenkreis zählen, so besteht für sie kein spezifischer Anlass oder Anreiz zu einer verzerrten Bonitätsbewertung. Zumindest die noch nicht einschlägig investierten Anleger werden grundsätzlich ein Interesse an einer unbeeinflussten, zutreffenden Bonitätsbewertung haben; im Hinblick auf solche Kunden vermag beim

---

232 „Die BayernLB spart sich das Rating von S & P", FAZ vom 8. 10. 2009, S. 21.
233 Hierzu Teil A sub II.2.

investor-paid rating daher auch ein „Reputationsmechanismus“ eine qualitätssteigernde Wirkung zu entfalten:[234] Eine Rating-Agentur wird ihre Chancen, solche Kunden zu halten und neue hinzuzugewinnen, mit der Abgabe zutreffender und aussagekräftiger Ratings steigern.

IV. Wege zur Stärkung des investor-paid rating

Investorenfinanzierte Ratings wurden in der Vergangenheit vorwiegend gegenüber zahlenden Abonnenten erbracht. Ein Grundproblem bei diesem Geschäftsmodell besteht in der Kontrolle des Informationsflusses: Eine Agentur kann mit erheblichem personellen Aufwand erstellte Bonitätsbewertungen insbesondere dann gewinnbringend an Investoren veräußern, wenn sichergestellt ist, dass die Information nicht sofort den Weg in eine mehr oder weniger breite (Branchen-) Öffentlichkeit findet. Lässt sich eine solche Verbreitung der Information nicht wirksam begrenzen, so besteht für Investoren kein erheblicher Anreiz, für die Information zu bezahlen: Sie müssten davon ausgehen, dass ihre Konkurrenten bald über dieselbe Information verfügen, freilich ohne dafür zu bezahlen. Dementsprechend wird die Entstehung moderner Fotokopiermöglichkeiten als einer der Gründe dafür genannt, dass die großen Rating-Agenturen Standard & Poor's, Moody's und Fitch seit den 1970er Jahren von dem bis dahin dominierenden investorenfinanzierten Rating[235] im wesentlichen auf das Modell des issuer-paid rating übergegangen sind.[236] In jüngerer Zeit ist in den USA ein erneutes Aufkommen des investorenfinanzierten Rating zu beobachten. Eine Ratingagentur, die Bonitätsbewertungen ausschließlich für Investoren anbietet, ist die im Jahr 1995 gegründete Agentur Egan-Jones, die seit 2008 den Status einer Nationally Recognized Statistical Rating Organization

---

[234] Dagegen ist nach hiesigem Dafürhalten beim emittentenbeauftragten Rating (issuer-paid rating) nicht davon auszugehen, dass das Streben von Ratingagenturen nach einer guten Reputation für sich genommen zur Gewährleistung einer hohen Rating-Qualität ausreicht. Anders bspw. *Richter*, Die Verwendung von Ratings zur Regulierung des Kapitalmarkts, 2008, S. 72–75.

[235] John Moody und – ihm zeitlich folgend – die Agenturen Poor's, Standards Statistics Company (die mit Poor's 1941 fusionierte) und Fitch brachten ihre Bonitätsurteile zunächst in Gestalt von Handbüchern (manuals) heraus, die von Investoren erworben wurden. Vgl. z.B. *L.J. White*, Financial Regulation and the Current Crisis: A Guide for the Antitrust Community, Paper presented at the American Bar Association Antitrust Section's "Antitrust Symposium: Competition as Public Policy", 2009, bei und in Fn 42.

[236] Vgl. oben II.

(NRSRO) hat. Institutionelle Investoren können für Jahresgebühren zwischen 20000 und 100000 US-Dollar die von der Agentur erstellten, *nicht* öffentlich gemachten Bonitätsbewertungen und damit zusammenhängende Forschungsergebnisse über passwortgeschützte Internetzugänge nutzen.[237]

Wenn das investor-paid rating erneut Erfolg haben soll, müssen gewisse Rahmenbedingungen erfüllt sein. Hierzu hat beim Abonnentenmodell herkömmlicher Prägung gehört, dass Ratings nicht sogleich nach ihrer Übermittlung an zahlende Abonnenten auch öffentlich bekannt gemacht werden. Hiervon abweichend verpflichtet die EU-Verordnung von 2009 Rating-Agenturen zur „unterschiedslos(en) und rechtzeitig(en)" Bekanntgabe aller Ratings.[238] Dies gilt *ausdrücklich* auch „für Ratings, die an Abonnenten weitergegeben werden."[239] Es fällt auf, dass die zuletzt in Bezug genommene Vorschrift der europäischen Verordnung erst in einem späten Stadium des Normsetzungsprozesses geändert worden ist. Der ursprüngliche Entwurf hatte noch vorgesehen, dass das Erfordernis der „unterschiedslosen und rechtzeitigen Bekanntgabe" *nicht* für „Ratings, die an Abonnenten weitergegeben werden" gelten sollte (Art. 8 Abs. 1 Unterabs. 2 des Entwurfs). Erst bei der Behandlung durch das Europäische Parlament ist dieses „nicht" in ein „ebenfalls" bzw. – in der endgültigen Textfassung – ein „auch" geändert worden. Die Folgen der im Parlament vorgenommenen Veränderung sind dramatisch: Sie nimmt Investoren praktisch jeden Anreiz, an einem Abonnementsystem teilzunehmen und damit ein investor-paid rating zu finanzieren: Ein Investor, der als Abonnent für den Zugang zu einem Rating bezahlt, müsste damit rechnen, dass dieselbe Information umgehend auch seinen Konkurrenten zugute kommt, die freilich nicht dafür bezahlen. Umgekehrt könnte ein Investor hoffen, über die nach Art. 10 Abs. 1 Unterabs. 2 der Verordnung bestehende Offenlegungspflicht der Rating-Agentur an die von anderen finanzierten Bonitätsbewertungen zu gelangen, ohne dafür zu bezahlen. Folge der derzeitigen Rechtslage ist, dass die auf Investorenseite – wie das amerikanische Beispiel belegt – grundsätzlich bestehenden Anreize, durch ein Abonnement zur Finanzierung eines investor-paid rating beizutragen, praktisch zunichte gemacht werden.

Mit der Pflicht zur öffentlichen Bekanntgabe auch von abonnementgestützten Ratings ist dem Abonnentensystem in Europa faktisch die Grundlage entzogen worden. Ein Wettbewerb dieses

---

[237] Vgl. *A. Lucchetti*, Tiny Firm Gives Ratings Giants Another Worry, The Wall Street Journal online 9. 2. 2008.

[238] Art. 10 Abs. 1 Unterabs. 1 der Verordnung über Rating-Agenturen.

[239] Art. 10 Abs. 1 Unterabs. 2 der Verordnung über Rating-Agenturen.

Ratingkonzeptes – das unter Prinzipal-Agent-Gesichtspunkten vorzugswürdig erscheint – mit dem überkommenen investor-paid rating kann daher nicht entstehen. Es nimmt nicht wunder, dass in der gegebenen Situation der Ruf nach einer staatlichen Ratingagentur oder einer solchen der Gemeinschaft erschallt.[240] Tatsächlich fordert die europäische Verordnung über Ratingagenturen in einem ihrer Erwägungsgründe von der Kommission, als eine *„mögliche Alternative zum Modell des ‚zahlenden Emittenten'"* diejenige der *„Errichtung einer öffentlichen Rating-Agentur der Gemeinschaft"* zu *„bewerten"*.[241] Von der Errichtung einer derartigen Ratingagentur ist vom hier eingenommenen Blickwinkel aus abzuraten. Die Erstellung von Bonitätsbewertungen ist eine wirtschaftliche Dienstleistung, die von Unternehmen der Privatwirtschaft erbracht werden kann. Ein staatliches Tätigwerden ist nur erforderlich, wenn ein Marktversagen festzustellen ist. Als ein mögliches Marktversagen kommt hier dasjenige in Betracht, das aus dem Zusammenhang der Bereitstellung öffentlicher Güter bekannt ist: Es gibt Güter, für die es zwar Interessenten gibt, die aber wegen eines drohenden „Trittbrettfahrereffektes" nicht bereitgestellt werden.[242]

Ein solcher Effekt kann, wie bereits festgestellt, auch bei einem investor-paid rating eintreten: Wenn Abonnenten gewärtigen müssten, dass Informationen, für die sie bezahlen, von anderen kostenlos genutzt werden, werden sie nicht zum kostenpflichtigen Erwerb des Abonnements bereit sein; das Gut (investor-paid rating) kommt mangels genügender Beteiligung von zahlenden Abonnenten nicht zustande. Ein Grund für die Einrichtung einer staatlichen Agentur oder einer solchen der Gemeinschaft ist dies aber nicht: Das Nichtzustandekommen des Gutes ‚investor-paid rating' beruht in diesem Fall *nicht* auf einem Marktversagen; vielmehr ist es eine rechtliche Regelung, die dem Zustandekommen des Abonnentensystems entgegensteht: Erst die Rechtspflicht zur öffentlichen Bekanntgabe von für Abonnenten erstellte Bonitätsbewertungen verhindert die Bereitstellung dieses Gutes. Würde die Rechtsordnung auf diese Sondervorschrift verzichten, so könnte – wie das Beispiel der Agentur Egan-Jones zeigt – die Dienstleistung eines investor-paid rating zustandekommen.

---

240 Demgegenüber ablehnend der Geschäftsführer der Agentur Standard & Poor's Deutschland Torsten *Hinrichs* in FAZ vom 5. 9. 2009, S. 23: „Heute zahlen die Emittenten für unsere Bewertung ihrer Bonität. Sie sind an einer guten Benotung interessiert. Wenn der Steuerzahler über den Staat zahlen würde, hätte dieser den Anreiz, Einfluss zu nehmen."

241 Erwägungsgrund 73 der Verordnung über Ratingagenturen.

242 Vgl. zum Problem des „Trittbrettfahrens" bei öffentlichen Gütern *Richter/Furubotn* (Fußnote 21), III.3.2.

Wenn daher hier für eine Rückkehr zur ursprünglich von der Kommission vorgeschlagenen Regel – keine Bekanntmachungspflicht für an Abonnenten mitgeteilte Ratings – plädiert wird, so bleibt ein möglicher Einwand gegen diesen Vorschlag zu diskutieren. Kritiker könnten ihm entgegenhalten, dass er zu einer Ungleichbehandlung verschiedener Anleger führe: Abonnenten von Ratingdienstleistungen hätten eine andere Informationsbasis als andere Anleger, denen lediglich die im Auftrag der Schuldner/Emittenten erstellten, in *jedem Fall* nach Art. 10 Abs. 1 der Verordnung bekanntzumachenden Ratings zur Verfügung stehen. Bei der Auseinandersetzung mit diesem Einwand ist zwischen mehreren Aspekten zu unterscheiden: Einerseits beruht die Information der Abonnenten auf einer *Analyseleistung* der Agentur, deren Bonitätsbewertungen sie beziehen. Zum anderen hat die Agentur, die diese Bonitätsbewertungen für Abonnenten erstellt, möglicherweise *Informationen* verarbeitet, zu denen andere Anleger keinen Zugang haben.

Der erste der beiden Aspekte – Nutzung einer besonderen Analyseleistung durch Abonnenten – begründet keinen validen Einwand gegen die hier vorgeschlagene Regelung: Wenn die im Wege eines Abonnementsystems finanzierte Ratingagentur etwa einen größeren Aufwand bei der Analyse ihr vorliegender Daten treibt als andere Agenturen, so erscheint es einerseits marktgerecht, wenn die Nutznießer dieses Aufwandes mit den hierbei anfallenden Kosten belastet werden; andererseits erscheint es ebenso marktkonform, wenn die Investoren, die in solcher Weise die Kosten einer besonderen Analyseleistung tragen, auch den exklusiven Zugang zu den Ergebnissen dieser Untersuchungen haben. Demgegenüber wäre es mit Marktprinzipien nicht zu vereinbaren, wenn die von ihnen finanzierte Analyseleistung nunmehr – aufgrund von Art. 10 Abs. 1 Unterabs. 2 der europäischen Verordnung – der Gesamtheit der Anleger zugutekommt. Wer durch Eigenleistung seine Informationsbasis verbessert, dem stehen auch die hieraus resultierenden Vorteile zu. Eine Kontrollüberlegung bestätigt die Richtigkeit dieser These: Ein Anleger, der einen unabhängigen Anlageberater zu Rate zieht und bezahlt, muss seine Erkenntnisse nicht mit der Gesamtheit der Anleger teilen.

Der zweite Aspekt – Zugang zu Informationen des Schuldners bzw. Emittenten – ist dagegen gewichtiger. Könnten Abonnenten von nicht öffentlich bekannten Informationen des Schuldners bzw. Emittenten profitieren, zu denen andere Anleger keinen Zugang haben, so wäre – jedenfalls soweit „Insiderpapiere" i.S.d. § 12 WpHG betroffen sind[243] – das Insiderhandelsverbot berührt. Freilich er-

[243] § 12 WpHG lautet: Insiderpapiere sind Finanzinstrumente,

scheint es in tatsächlicher Hinsicht unwahrscheinlich, dass eine *nicht* vom Schuldner bzw. Emittenten beauftragte Ratingagentur eine bessere Informationsbasis hat als eine vom Schuldner beauftragte Agentur. Allenfalls wird es sich umgekehrt verhalten: Schuldner bzw. Emittenten werden einer von ihnen mit der Erstellung eines Rating betrauten Agentur mehr Informationen oder zumindest die gleichen Informationen geben wie einer Agentur, mit der sie nicht in Vertragsbeziehungen stehen. Aus diesem Grund fordert Art. 12 der europäischen Verordnung über Ratingagenturen von einer nicht vom Schuldner beauftragten Agentur bei Abgabe eines Rating Angaben darüber, ob das bewertete Unternehmen oder der mit diesem verbundene Dritte in den Ratingprozess eingebunden war und ob die Ratingagentur Zugang zu den Büchern oder zu anderen relevanten internen Dokumenten des bewerteten Unternehmens oder des mit diesem verbundenen Dritten hatte. Außerdem sind unaufgeforderte Ratings als solche zu kennzeichnen. Da bis auf weiteres davon auszugehen ist, dass Emittenten von Insiderpapieren ihrerseits „issuer-paid ratings“ erstellen lassen, ist die Entstehung eines Insiderproblems – in dem Sinne, dass Insiderinformationen einseitig den Abonnenten von „investor-paid ratings“ zugute kämen – nicht zu besorgen.

V. Ergebnis zum Recht der Rating-Agenturen

Die europäische Verordnung über Ratingagenturen von 2009 enthält taugliche Ansätze zur Verbesserung der Qualität von Ratings. Sie vermag, wenn sie konsequent beachtet wird, namentlich einem in der Tendenz qualitätsmindernden „rating shopping“ entgegenzuwirken: Mit mehreren Agenturen zu verhandeln und zum Schluss nur diejenige zu beauftragen, die das günstigste Rating verspricht, verliert für Schuldner bzw. Emittenten an Attraktivität, da sämtliche erstattete Ratings sowie Entscheidungen über den Abbruch eines

---

1. die an einer inländischen Börse zum Handel zugelassen oder in den regulierten Markt oder in den Freiverkehr einbezogen sind,
2. die in einem anderen Mitgliedstaat der Europäischen Union oder einem anderen Vertragsstaat des Abkommens über den Europäischen Wirtschaftsraum zum Handel an einem organisierten Markt zugelassen sind oder
3. deren Preis unmittelbar oder mittelbar von Finanzinstrumenten nach Nummer 1 oder Nummer 2 abhängt. Der Zulassung zum Handel an einem organisierten Markt oder der Einbeziehung in den regulierten Markt oder in den Freiverkehr steht gleich, wenn der Antrag auf Zulassung oder Einbeziehung gestellt oder öffentlich angekündigt ist.

Ratings – unter Angabe der Gründe – von den Agenturen bekannt gegeben werden müssen. Auch die Vorschriften der Verordnung zur Ausräumung *spezifischer* Interessenkonflikte erscheinen im Grundsatz zielführend; allerdings wirft die wenig trennscharfe Unterscheidung zwischen unerlaubter Beratung und erlaubten Nebendienstleistungen Probleme auf.

Das grundlegende Problem, dass Rating-Agenturen im praktischen Regelfall von denjenigen ausgesucht und bezahlt werden, deren Bonität sie beurteilen sollen, wird in der europäischen Verordnung über Ratingagenturen und im deutschen Ausführungsgesetz nicht adressiert. Dieses Problem wird durch ihre Regelungen vielmehr noch vertieft: Indem die Verordnung – aufgrund einer erst während ihrer parlamentarischen Beratung radikal geänderten Bestimmung – eine Pflicht zur öffentlichen Bekanntgabe auch solcher Ratings anordnet, die für Abonnenten erstellt werden, nimmt sie dem in den USA aufblühenden Geschäftsmodell des investor-paid rating für Europa die Lebensgrundlage: Für Investoren erscheint es nicht sinnvoll, für eine Dienstleistung zu bezahlen, die aufgrund einer Veröffentlichungspflicht umgehend der Allgemeinheit bekannt gemacht wird und damit auch all jenen zugute kommt, die nicht zu ihrer Finanzierung beitragen. Diese Regelung erscheint geeignet, die auf dem Markt für Ratingdienstleistungen bestehende oligopolistische Marktstruktur zu zementieren. In rechtspolitischer Perspektive ist die Herstellung der ursprünglich von der Kommission angestrebten Rechtslage zu fordern: Die Pflicht zur öffentlichen Bekanntgabe würde hiernach „nicht für Ratings, die an Abonnenten weitergegeben werden“, gelten.

F. Empfiehlt sich eine Neuregelung des Rechts der Leerverkäufe?

I. Einleitung[244]

Das Potential positiver und negativer volkswirtschaftlicher Wirkungen sog. Leerverkäufe wurde in Teil A dieses Gutachtens benannt: Verkaufstransaktionen in Finanzinstrumenten, die im Zeitpunkt des Vertragsschlusses nicht im Eigentum des sich zur Lieferung Verpflichtenden stehen, können zu einer effizienten Preisbildung beitragen. Ein Verkäufer kann mit dem Leerverkauf seine Einschätzung zum Ausdruck bringen, dass der Kaufgegenstand überbewertet sei.[245] Dies ist – bei Annahme grundsätzlich bestehender Informationseffizienz der Kapitalmärkte[246] – eine Information, die dem Markt nicht vorenthalten bleiben sollte.[247] Diese im Grundsatz positive Bewertung gilt nicht nur, wenn der Verkäufer sich im Zeitpunkt des Vertragsschlusses das Finanzinstrument im Wege eines Wertpapierdarlehens beschafft oder einen anderweitigen durchsetzbaren Übereignungsanspruch hierauf hat, d.h. nicht nur bei sog. gedeckten Leerverkäufen.[248]

---

[244] Vgl. für eine ausführliche Diskussion des Themas – die hier aus Platzgründen nicht geleistet werden kann – einen Aufsatz, der in Vorbereitung des Gutachtens erstellt wurde: *Zimmer/Beisken*, Die Zulässigkeit von Leerverkäufen und ihr Verbot durch Allgemeinverfügung der Bundesanstalt für Finanzdienstleistungsaufsicht, WM 2010, 485ff.

[245] Gedeckte wie ungedeckte Leerverkäufe (vgl. zur Unterscheidung Fußnote 26) können die Einschätzung des Verkäufers zum Ausdruck bringen, dass das Finanzinstrument im Zeitpunkt des Vertragsschlusses überbewertet sei: Ein Verkäufer kann mit einem Leerverkauf darauf „wetten", dass der Preis des Finanzinstruments bis zu dem Zeitpunkt, zu dem er aus dem einen oder anderen Grund einen Deckungskauf tätigen muss (hierzu Fußnote 28), sinken wird. Eine solche Preisdifferenz kommt dem Leerverkäufer zugute.

[246] Vgl. zum Begriff der Informationseffizienz Fußnote 27.

[247] *Macey/Mitchell/Netter*, 74 Cornell Law Review, 799, 812; *SEC*, Implications of the Growth of Hedge Funds S. 40 (abrufbar unter www.sec.gov); zum Ganzen auch *Zimmer/Beisken* (Fußnote 244).

[248] Im Fall einer Beschaffung durch Wertpapierdarlehen muss der Verkäufer später einen Deckungskauf tätigen, um seine Verpflichtung gegenüber dem Leihgeber auf Rückgewähr erfüllen zu können. Als weitere positive Wirkung neben der Informationsfunktion wird gedeckten Leerverkäufen eine Erhöhung der Marktliquidität zugeschrieben, da dem Markt mittels Wertpapierdarlehen oder anderweitige Beschaffung Wertpapiere zugeführt werden. Vgl. *Macey/Mitchell/Netter* (Fußnote 247).

Leerverkäufe können aber auch ungünstige Wirkungen für die Funktionsfähigkeit der Kapitalmärkte entfalten: Ihr Einsatz kann zur Beschleunigung einer Abwärtsbewegung von Kursen führen; Leerverkäufe können sogar gezielt eingesetzt werden, um die Preise bestimmter Papiere unter Druck zu setzen.[249] Ein durch Leerverkäufe ausgelöster Kursverfall kann im Einzelfall dazu führen, dass ein Emittent nicht mehr zur eigenen Refinanzierung imstande ist. Handelt es sich hierbei um ein Unternehmen des Finanzsektors, so können Leerverkäufe letztlich zur Destabilisierung des Finanzsystems beitragen.[250] Sowohl die Weltwirtschaftskrise der Jahre 1929ff als auch die Krise der Jahre 2007ff ist – neben anderen Ursachen[251] – auch auf das Handeln von Leerverkäufern zurückgeführt worden.[252]

Schließlich ist zu beachten, dass die kurssenkende Wirkung von Leerverkäufen grundsätzlich nur anhält, so lange die Verkäufer keine Deckungskäufe tätigen. Wegen der Notwendigkeit des Abschlusses solcher Deckungsgeschäfte können Leerverkäufe schließlich sogar zu Preisüberhöhungen führen: Werden zunächst im Wege ungedeckter Leerverkäufe mehr Finanzinstrumente einer Gattung verkauft als am Markt überhaupt verfügbar sind, so müssen die Leerverkäufer anschließend bei der Tätigung von Deckungskäufen um die (zu) wenigen verfügbaren Stücke konkurrieren. Wie weit sich in einem solchen Fall der Kurs einer Aktie von zugrunde liegenden Fundamen-

---

[249] Zur Wirkungsweise sog. *bear raids* – bei denen der Kursverfall mitunter durch das (manipulative) Streuen ungünstiger Nachrichten beschleunigt wird – *Vogel* in: Assmann/Schneider Wertpapierhandelsgesetz, 5. Aufl. 2009, § 20a Rn. 36; *Eichelberger*, Das Verbot der Marktmanipulation (§ 20a WpHG), 2006, S. 31f.; *ders.*, WM 2007, 2046, 2047; *Lenzen*, Unerlaubte Eingriffe in die Börsenkursbildung, 2000, S. 19, *Mock/Stoll/Eufinger* in: Kölner Kommentar zum WpHG, 2007, § 20a Rn. 10; *Schröder*, Aktienhandel und Strafrecht, 1994, S. 76.

[250] Vgl. zum Zusammenbruch der US-amerikanischen Investmentbank Bear Stearns, der unter anderem auf die massenhafte Tätigung ungedeckter Leerverkäufe zurückgeführt wird, „Bear Stearns war wohl das Opfer von Spekulanten", FAZ vom 12. 8. 2008, S. 21.

[251] Siehe dazu *Möschel*, ZRP 2009, 129ff.

[252] Der Börsencrash 1929 wird auf massenhafte Leerverkäufe institutioneller Anleger zurückgeführt, die zu regelrechten Verkaufspaniken anderer Marktteilnehmer geführt haben. Als Reaktion hierauf führte die SEC 1938 in Rule 10a-1 (CFR 17 § 240.10a-1, abrufbar unter http://www.gpoaccess.gov/cfr/index.html) den sog. tick test ein, der bis 2007 geltendes Recht war. Siehe auch *SEC* (Fußnote 247), S. 42; „Finanzaufsicht nimmt Hedge-Fonds ins Visier", FAZ vom 29. 4. 2008, S. 25; „Heuschrecken unter Kontrolle", Börsenzeitung, 28. 5. 2009, S. 8; „Finanzaufsicht untersucht VW-Übernahme", Financial Times Deutschland, 12. 5. 2009. Nach *Eling*, Hedgefonds-Strategien und ihre Performance im Asset Management von Finanzdienstleistungsunternehmen, 2006, S. 24 nutzten 82% der Hedgefonds im Jahr 2005 Leerverkäufe, während 18% dagegen prinzipiell kein *short selling* durchführten.

talwerten entfernen kann, zeigt das Beispiel der Kurskapriolen der Aktie der Volkswagen AG im Jahr 2008.[253]

II. Staatliche Reaktionen in der Finanzkrise

Zahlreiche Staaten haben auf dem Höhepunkt der jüngsten Finanzkrise, d.h. nach der Insolvenz der US-amerikanischen Investmentbank Lehman Brothers Inc. im September 2008, zeitlich befristete Verbote und andere Beschränkungen für den Abschluss von Leerverkäufen erlassen.[254] Die Bundesanstalt für Finanzdienstleistungsaufsicht (BaFin) erließ am 19. September 2008 ein Verbot ungedeckter Leerverkäufe von elf im DAX und M-DAX notierten Unternehmen, das zunächst bis zum 31. Dezember 2008 befristet war, sodann jedoch mehrfach bis zum 31. Januar 2010 verlängert wurde.[255] Nach Auslaufen des Verbots hat die BaFin am 4. März 2010

[253] Im Oktober 2008 vervierfachte sich der Kurs der Stammaktien der Volkswagen AG innerhalb weniger Tage. Nachdem die Porsche Automobil Holding SE ihren Anteil an VW sukzessive auf 35,14% aufgestockt hatte (vgl. Pressemitteilung vom 16. 9. 2008; abrufbar unter http://www.porsche-se.com/pho/de/news/), hatten zahlreiche Investoren VW-Aktien leer verkauft, da sie auf fallende Kurse spekulierten. Als die Porsche Holding SE am 26. Oktober 2008 verkündete, dass sie über 42,6% der VW Stammaktien verfüge und weitere Kaufoptionen über 31,5% halte, was in der Summe 74,1% der Anteile an VW entsprach (vgl. Pressemitteilung vom 26. 10. 2008), hätten sich wegen des 20,05prozentigen Anteils des Landes Niedersachsens (vgl. http://www.mf.niedersachsen.de/master/C25106_N315627_L20_D0_I617.html) nur noch rund 5% der VW Stammaktien in Streubesitz befunden. Nach Marktinformationen hatten die spekulativ handelnden Leerverkäufer aber mehr als 5% der VW Anteile leer verkauft.

[254] Eine Übersicht zu den Regelungen der Mitgliedstaaten der Europäischen Union hat der Ausschuss der Europäischen Wertpapierregulierungsbehörden (Committee of European Securities Regulators) herausgegeben: Measures adopted by CESR Members on short selling vom 22. 9. 2008, Update 22. 2. 2010, Ref. CESR/08–742 a, abrufbar unter http://www.cesr-eu.org. Für die Rechtslage in den USA vgl. SEC Press Release: SEC Takes Steps to Curtail Abusive Short Sales and Increase Market Transparency, 27. 7. 2009, abrufbar unter http://www.sec.gov/news/press.shtml (unbefristetes Verbot *ungedeckter* Leerverkäufe) sowie SEC Press Release: SEC approves short selling restrictions, 26. 2. 2010, abrufbar unter http://www.sec.gov/news/press/2010/2010-26.htm (sog. *alternative uptick rule*, d.h. Verbot von Leerverkäufen in Aktien, deren Kurswert im Vergleich mit dem Schlusskurs des Vortags um 10% oder mehr gesunken ist).

[255] Allgemeinverfügungen der BaFin vom 19. und 21. September 2008; vom 17. Dezember 2008; vom 30. März 2009 sowie vom 29. Mai 2009 zur Verlängerung der Regelungen der Allgemeinverfügungen der BaFin vom 19. und 21. September 2008; alle abrufbar unter www.bafin.de.

durch Allgemeinverfügung zeitlich befristete Transparenzpflichten betreffend Netto-Leerverkaufspositionen angeordnet, welche 0,2 (Mitteilung an die BaFin) bzw. 0,5% (anonymisierte Veröffentlichung unter gleichzeitiger Mitteilung an die BaFin) der ausgegebenen Aktien bestimmter Unternehmen der Finanzwirtschaft erreichen, über- oder unterschreiten; das Bundesministerium der Finanzen hat den Entwurf eines Gesetzes zur Stärkung des Anlegerschutzes und Verbesserung der Funktionsfähigkeit des Kapitalmarktes angekündigt, mit dem u.a. ein gesetzliches Verbot ungedeckter Leerverkäufe sowie Transparenzpflichten für gedeckte Leerverkäufe geschaffen werden sollen.[256]

Die BaFin stützte ihre Verfügungen auf § 4 Abs. 1 S. 2, 3WpHG. Satz 2 der Vorschrift verpflichtet die Behörde im Rahmen der ihr zugewiesenen Aufgaben Missständen entgegenzuwirken, welche die ordnungsgemäße Durchführung des Handels mit Finanzinstrumenten oder von Wertpapier(neben)dienstleistungen beeinträchtigen oder erhebliche Nachteile für den Finanzmarkt bewirken können. § 4 Abs. 1 S. 3 WpHG ermächtigt die BaFin zu Anordnungen, die geeignet und erforderlich sind, die in Rede stehenden Missstände zu beseitigen oder zu verhindern.

Der unbestimmte Rechtsbegriff des Missstandes ist durch die im WpHG normierten Ziele und Pflichten zu konkretisieren und allgemein als Verhaltensweise oder Umstand zu verstehen, der „die ordnungsgemäße Durchführung des Handels mit Finanzinstrumenten oder von Wertpapierdienstleistungen oder Nebendienstleistungen beeinträchtigt oder erhebliche Nachteile für den Finanzmarkt bewirken kann".[257] Ein nachhaltiger Verstoß gegen zwingende gesetzliche Vorgaben des Wertpapierhandelsgesetzes ist nach höchst-

---

[256] Allgemeinverfügung zur Einführung einer Transparenzpflicht für Netto-Leerverkaufspositionen der Bundesanstalt für Finanzdienstleistungsaufsicht (Bundesanstalt) vom 4. 3. 2010, abrufbar unter www.bafin.de. Die Transparenzpflichten treten am 25. 3. 2010 in Kraft und gelten zunächst befristet bis zum 31. 1. 2011. Die Maßnahme geht auf einen Vorschlag des Committee of European Securities Regulators (CESR) zurück, das im Juli 2009 einen entsprechenden Konsultationsprozess mit öffentlicher Anhörung eingeleitet hatte. Zu dem weitergehenden Vorhaben einer gesetzlichen Regelung Pressemitteilung des Bundesministeriums für Finanzen: Bundesminister der Finanzen, Dr. Wolfgang Schäuble, plant Gesetzentwurf zur Stärkung des Anlegerschutzes und Verbesserung der Funktionsfähigkeit des Kapitalmarktes vom 3. 3. 2010, abrufbar unter http://www.bundesfinanzministerium.de/nn_53532/DE/Presse/Pressemitteilungen/Finanzpolitik/2010/03/20100303__PM08.html.

[257] *Dreyling/Döhmel* in: Assmann/Schneider Wertpapierhandelsgesetz, 5. Aufl. 2009, § 4 Rn. 16; *Geibel* in: Schäfer, Wertpapierhandelsgesetz, Köln 1999, § 4 Rn. 14; *Giesberts* in: Kölner Kommentar zum WpHG, 2007, § 4 Rn. 25; *Schlette/Bouchon* in: Fuchs, Wertpapierhandelsgesetz, 2009, § 4 Rn. 18. Eine nähere Bestimmung des Missstandsbegriffs wie in § 81 Abs. 2 S. 2 VAG hat der Gesetzgeber im Rahmen des WpHG versäumt.

richterlicher Rechtsprechung dabei stets als Missstand zu qualifizieren.[258] Sowohl gedeckte wie auch ungedeckte Leerverkäufe sind aber grundsätzlich als kapitalmarktkonform einzustufen und verstoßen daher nicht *per se* gegen wertpapierhandelsrechtliche Vorschriften, insbesondere nicht gegen § 20a WpHG.[259] Ausschließlich besondere Fallkonstellationen, in denen der Leerverkäufer in manipulativer Absicht handelt, können als Marktmissbrauch im Sinne des § 20a WpHG qualifiziert werden.[260]

Im Schrifttum herrscht Streit darüber, ob § 4 WpHG mit Missständen nur Verstöße gegen konkret formulierte Regelungssachverhalte des WpHG erfasst[261] oder ob vielmehr in einem allgemeineren Sinn auf „alle Sachverhalte" abzustellen ist, die „im Wertpapierhandel oder bei der Erbringung von Dienstleistungen entstehen können."[262] Ein allgemeines Verbot ungedeckter Leerverkäufe ließe sich vor dem Hintergrund der allgemeinen Zulässigkeit von Leerverkäufen jedenfalls mit der zuerst genannten Auffassung schwerlich vereinbaren.

Die Ansicht, die für eine extensive Auslegung des Missstandsbegriffs eintritt, argumentiert mit dem Anwendungsbereich des WpHG, der sich gem. § 1 Abs. 1 S. 1 WpHG auf den börslichen und außerbörslichen Handel mit Finanzinstrumenten insgesamt erstreckt. Der Missstandsbegriff wird so auch auf Sachverhalte des Wertpapierhandels oder der Erbringung von Dienstleistungen ausgedehnt, die über kodifizierte Regelungssachverhalte des WpHG hinausgehen.[263] Nach dem Wortlaut des § 4 Abs. 1 S. 2 WpHG ist die BaFin jedoch nur *im Rahmen der ihr zugewiesenen Aufgaben* zur Missstandsaufsicht befugt, so dass ein Einschreiten zutreffenderweise nur dann in Betracht kommt, wenn ein Verhalten oder Umstand den in den Abschnitten 2 bis 13 des WpHG normierten Zielen zuwiderläuft. Einer weiten Auslegung des Missstandsbegriffs unter Rückgriff auf § 1 Abs. 1 WpHG ist ferner entgegenzuhalten, dass § 1 WpHG keinen eigenen Regelungsgehalt hat und neben der Klarstellung, dass sich das Gesetz gleichermaßen auf den börslichen sowie außerbörslichen Handel erstreckt, lediglich eine Zusammenfassung der in den Folgevorschriften enthaltenen Regelungsfelder darstellt

---

[258] BVerwG, Urt. v. 24. April 2004 – 6 C 2/02 = WM 2002, 1919, 1921; BVerwG, Urt. v. 13. April 2005 – 6 C 4/04 = NJW-RR 2005, 1207.

[259] Siehe oben Abschnitt III.

[260] Hierzu eingehend *Zimmer/Beisken* (Fußnote 244), S. 487f.

[261] So im Grundsatz *Beck* in: Schwark Kapitalmarktrechts-Kommentar, 3. Aufl. 2004, § 4 Rn. 11; *Geibel* (Fußnote 257), § 4 Rn. 16; *Schlette/Bouchon* (Fußnote 257), § 4 Rn. 24; *Wehowsky* in: Erbs/Kohlhaas, Strafrechtliche Nebengesetze, 173. Aufl. 2009, § 4 WpHG Rn. 2.

[262] *Dreyling/Döhmel* (Fußnote 257), § 4 Rn. 17.

[263] *Dreyling/Döhmel* (Fußnote 257), § 4 Rn. 17.

und keinerlei Anwendungsvoraussetzungen statuiert.[264] Die Zulässigkeit einer unbeschränkten Missstandsaufsicht im Rahmen des § 4 WpHG, die die BaFin zum Einschreiten gegen grundsätzlich zulässige, aber unter dem Blickwinkel der Stabilität der Finanzmärkte möglicherweise schädliche Wertpapiergeschäfte berechtigen würde, begegnet daher erheblichen Zweifeln.[265]

Bei der Beurteilung der Tauglichkeit des § 4 Abs. 1 S. 2, 3 WpHG als Grundlage eines Verbots ungedeckter Leerverkäufe kann aufschlussreich erscheinen, dass im Gesetzgebungsverfahren zum Vierten Finanzmarktförderungsgesetz [266] ausführlich die Einführung einer speziellen Ermächtigungsgrundlage für ein Verbot von Leerverkäufen diskutiert wurde. Der Regierungsentwurf zum Vierten Finanzmarktförderungsgesetz sah in § 4a WpHG eine Ermächtigung der BaFin vor, *im Einvernehmen mit dem Bundesministerium der Finanzen und nach Anhörung der Deutschen Bundesbank* Leerverkäufe in Aktien von Unternehmen, die ihren Sitz im Inland haben und an einer inländischen Börse zur Teilnahme am Handel zugelassen sind, *für höchstens zehn Tage zu untersagen,* wenn eine erhebliche Marktstörung droht, die schwerwiegende Gefahren für die Gesamtwirtschaft oder das Finanzsystem erwarten lässt.[267] Auf starke Intervention des Bundesrates und des Wirtschaftsausschusses wurde dieser Entwurf eines § 4a WpHG im Vermittlungsverfahren aus dem Regierungsentwurf gestrichen. Zur Begründung wurde angeführt, dass Leerverkäufe ein durchaus handelsübliches Instrument darstellten.[268] Die beabsichtigte Regelung zur Untersagung von Aktienleer-

---

[264] *Assmann* in: Assmann/Schneider Wertpapierhandelsgesetz, 5. Aufl. 2009, § 1 Rn. 2; *Beck* (Fußnote 261), § 1 Rn. 5; *Fuchs* in: Fuchs, Wertpapierhandelsgesetz, 2009, § 1 Rn. 4; *Schäfer* in: Schäfer/Hamann, Kapitalmarktgesetze, 2. Aufl. 2006, § 20a Rn. 47, § 1 Rn. 2.

[265] In den zitierten Entscheidungen des BVerwG (Fußnote 258) musste der 6. Senat nicht Stellung zu der Frage beziehen, ob und inwieweit auch Sachverhalte außerhalb der konkreten Regelungssachverhalte des WpHG einen Missstand darstellen können. Zugleich konnte es dahingestellt bleiben, ob ein Missstand auch bei Verstößen gegen andere Rechtsvorschriften gegeben ist. Gleichwohl begründet die Wortwahl des BVerwG („Rechtsvorschriften") die Annahme, dass der Senat insofern das Vorliegen eines Missstandes fest an kodifizierte Gebote oder Verbote knüpfen wollte.

[266] Gesetz zur weiteren Fortentwicklung des Finanzplatzes Deutschland (Viertes Finanzmarktförderungsgesetz) vom 21. Juni 2002, BGBl. I S. 2010.

[267] Entwurf eines Gesetzes zur weiteren Fortentwicklung des Finanzplatzes Deutschland (Viertes Finanzmarktförderungsgesetz) der Bundesregierung vom 18. Januar 2002, BT-Drucks. 14/8017, S. 25, 85f.

[268] Einem von der CDU/CSU Fraktion eingebrachten Antrag auf Streichung des § 4a WpHG wurde vom Finanzausschuss im ersten Durchgang zunächst nicht entsprochen (siehe Beschlussempfehlung des Finanzausschusses vom 20. März 2002, BT-Drucks. 14/8600, S. 10; Bericht des Finanzausschusses vom 21. März 2002, BT-Drucks. 14/8601, S. 9f.; Plenarprotokoll 14/228 des Deutschen Bundestages vom 22. März 2002, S. 22657). Der Wirtschaftsausschuss empfahl jedoch die Einberufung

verkäufen nur von Unternehmen, die ihren Sitz in Deutschland haben und an einer inländischen Börse zur Teilnahme am Handel zugelassen sind, sei als „Insellösung" nicht zielführend, weil ein Ausweichen auf ausländische Märkte die zwangsläufige Folge sei. Da es die Regelung ermögliche, Marktsegmente außer Kraft zu setzen, würden die deutschen Börsenplätze im internationalen Vergleich mit einer unnötig starken Unsicherheit belastet, so dass sich die Teilnahme am inländischen Handel aus Sicht der Marktteilnehmer nicht mehr lohne. Dies führe in verstärktem Maße zur Verminderung der Attraktivität und Wettbewerbstauglichkeit des Finanzplatzes Deutschland und leiste keinen Beitrag, die Stabilität des Finanzsystems zu erhöhen.[269]

Die Tauglichkeit des § 4 Abs. 1 S. 2, 3 WpHG als Grundlage für die von der BaFin erlassenen Allgemeinverfügungen muss demnach bezweifelt werden. Da die Verfolgung von Leerverkäufen außerhalb des Tatbestandes des Marktmissbrauchs nach § 20a WpHG nicht zu den der Bundesanstalt zugewiesenen Aufgaben zählt, sprechen gute Gründe gegen die Annahme, dass die Allgemeinverfügungen der BaFin auf einer validen gesetzlichen Grundlage beruhten. Die am Gesetzgebungsverfahren zum Vierten Finanzmarktförderungsgesetz Beteiligten haben sich eingehend mit der Problematik von Leerverkaufsverboten befasst. Sie haben im Ergebnis von der Einführung einer Rechtsgrundlage für ein solches Verbot abgesehen.

III. Reformbedarf

Leerverkäufe können, wie gezeigt, die Kurse von Wertpapieren derart unter Druck bringen, dass deren Emittenten in Finanzierungsschwierigkeiten geraten. Handelt es sich um systemrelevante Unternehmen der Finanzwirtschaft, so kann das Finanzsystem als solches in Gefahr geraten (oben I.). Vor diesem Hintergrund ist ein

des Vermittlungsausschusses, der sich sodann für eine Streichung des § 4a WpHG aussprach (siehe Empfehlungen Wirtschaftsausschuss vom 15. April 2004, BR-Drucks. 257/1/02, S. 1f.; Anrufung des Vermittlungsausschusses vom 02. Mai 2002, BR-Drucks. 257/02, S. 1f.; Beschlussempfehlung des Vermittlungsausschusses vom 15. Mai 2002, BT-Drucks. 14/9096, S. 2). Dieser Beschlussempfehlung haben der Bundestag gegen die Stimmen der FDP und bei Enthaltung der PDS am 17. Mai 2002 und der Bundesrat am 31. Mai 2002 zugestimmt und die Einführung des § 4a WpHG aus dem Vierten Finanzmarktförderungsgesetz gestrichen (Plenarprotokoll 14/237 des Deutschen Bundestages vom 17. Mai 2002, S. 23656; Plenarprotokoll 776 des Bundesrates vom 31. Mai 2002, S. 265; Beschluss des Deutschen Bundestages vom 17. Mai 2002, BR-Drucks. 434/02, S. 2).

[269] Unterrichtung durch den Bundesrat vom 2. Mai 2002, BT-Drucks. 14/8958, S. 1.

Allgemeininteresse an einer Möglichkeit zur zeitweisen Beschränkung von Leerverkäufen nicht von der Hand zu weisen. Die Tauglichkeit des § 4 Abs. 1 S. 2, 3 WpHG als Grundlage für die von der BaFin erlassenen Allgemeinverfügungen muss aber, wie dargelegt, bezweifelt werden.

Auffällig ist, dass die Bundesanstalt bei Erlass ihrer Verbotsverfügungen sogar solche Grenzen weit überschritten hat, die ihr der genannte Regierungsentwurf eines § 4a WpHG im Hinblick auf den Erlass eines Verbotes von Leerverkäufen gezogen hätte. Nach dem Gesetzentwurf der Bundesregierung hätte ein Leerverkaufsverbot für höchstens zehn Handelstage – bei Möglichkeit der Erneuerung – erlassen werden dürfen. Diese Grenze hat schon die erste – nicht auf eine spezielle Rechtsgrundlage gestützte – Allgemeinverfügung um ein Vielfaches überschritten: Die BaFin ordnete am 19. September 2008 ein Verbot des Leerverkaufs hinsichtlich der von ihr bestimmten Aktien bis zum 31. Dezember 2008, also für mehr als drei Monate an. Durch wiederholte Erneuerungen ist dieses Verbot, wie bereits dargelegt, ohne Unterbrechung bis zum 31. Januar 2010 erstreckt worden.

Auch in anderen Hinsichten sah § 4a WpHG in der Fassung des Gesetzentwurfs der Bundesregierung zum Vierten Finanzmarktförderungsgesetz Grenzen für die Befugnisse der BaFin zum Erlass von Leerverkaufsverboten vor: Tatbestandliche Voraussetzung eines Leerverkaufsverbots war nach dem Entwurf das Drohen einer „erheblichen Marktstörung". Im Hinblick auf das Verfahren forderte der Entwurf die Herstellung eines Einvernehmens mit dem Bundesministerium der Finanzen und die Anhörung der Deutschen Bundesbank.

In rechtspolitischer Perspektive ist die Herstellung einer eindeutigen Gesetzeslage zur Befugnis der BaFin zum Erlass eines Verbots von Leerverkäufen zu befürworten. Hierfür könnte der im Jahr 2002 vorgelegte Gesetzentwurf der Bundesregierung zum Vierten Finanzmarktförderungsgesetz als taugliche Grundlage einer Neuregelung erscheinen: Mit einer Vorschrift nach Art des seinerzeit vorgeschlagenen § 4a WpHG würde eine gesetzliche Grundlage für den behördlichen Erlass eines Leerverkaufsverbots geschaffen. Die Zulässigkeit eines Leerverkaufsverbots der BaFin würde bei Bestehen einer solchen Grundlage nicht den Zweifeln begegnen, die gegenüber den von der Bundesanstalt seit September 2008 erlassenen Allgemeinverfügungen geäußert werden müssen. Zugleich wären aber dem Handeln der BaFin eindeutige Grenzen gesetzt: Sie hätte zum Ersten das Drohen einer erheblichen Marktstörung darzulegen. Sie müsste zum Zweiten ihre Beurteilung durch Einholung des Einvernehmens des Bundesministeriums der Finanzen und Anhörung der

Deutschen Bundesbank auf eine breite Grundlage stellen. Schließlich wären ihr – zum Dritten – enge zeitliche Grenzen für die Geltungsdauer eines Verbots gezogen.

Ob zur Sicherung der Funktionsfähigkeit des Kapitalmarktes die Zulässigkeit von Leerverkäufen noch weitergehend eingeschränkt werden muss, ist nicht leicht zu ermessen. Für den vom Bundesministerium der Finanzen in Aussicht genommenen gesetzlichen Ausschluss ungedeckter Leerverkäufe kann angeführt werden, dass damit Marktverwerfungen in wirksamer Weise vorgebeugt werden könnte. Allerdings wird zu diskutieren sein, ob dieses Ziel auch mit dem milderen Mittel des sachlich auf bestimmte Finanzinstrumente zu beziehenden und zudem jeweils befristeten behördlichen Leerverkaufsverbots erreicht werden kann. Durch entsprechend ausgestaltete gesetzliche Transparenz- bzw. Meldepflichten könnte der Bundesanstalt ermöglicht werden, mit Anordnungen im Einzelfall angemessen auf erhöhte Kursvolatilitäten und schädliche Kapitalmarktentwicklungen zu reagieren, die durch Leerverkäufe bedingt sind. In jedem Fall ist die Herstellung einer eindeutigen Gesetzeslage zu fordern, um Unsicherheiten bezüglich der Zulässigkeit von Maßnahmen der Aufsichtsbehörde, wie sie in der Vergangenheit aufgetreten sind, zu vermeiden.

G. Thesen

Das Gutachten befasst sich mit rechtlichen Funktionsvoraussetzungen einer marktwirtschaftlich-wettbewerblichen Ordnung im Finanzwesen. Es setzt Untersuchungsschwerpunkte bei zwei Problemkreisen:

I. Strategien zu einer künftigen Vermeidung staatlicher Intervention auf dem Bankenmarkt

1. Staatliche Rettungsmaßnahmen für „systemrelevante" Banken können zwar in einer gegebenen Krisensituation unausweichlich erscheinen; eine solche Praxis kann aber weitreichende negative Folgen für Staatshaushalte und – wegen eines von ihr ausgehenden Anreizes zu risikoträchtigem Verhalten – mittelbar wiederum für die Stabilität der Finanzmärkte haben. Der Wettbewerb kann unter solchen Voraussetzungen seine Auslese- und Allokationsfunktionen nicht erfüllen. Besonders bedenklich muss anmuten, dass die staatliche Verfolgung einer derartigen „Too-big-to-fail"-Politik sogar Anreize für Banken setzt, in die Kategorie der Systemrelevanz mit den einhergehenden Wettbewerbsvorteilen hineinzuwachsen (A. II, B.I).

Sonder-Fusionskontrolle oder -Entflechtung bei Banken

2. Die bestehende wettbewerbsrechtliche Zusammenschlusskontrolle und das Vorhaben der Bundesregierung, eine gesetzliche Grundlage zur Entflechtung marktbeherrschender Unternehmen zu schaffen, vermögen das hier behandelte Problem nicht zu adressieren: Auf dem fragmentierten deutschen Bankenmarkt haben auch Institute, die aufgrund ihrer wirtschaftlichen Bedeutung und bestehender Verflechtungen als systemrelevant gelten, nach wettbewerbsrechtlichen Kriterien keine marktbeherrschende Stellung. Die Entstehung systemrelevanter Strukturen im Wege des Zusammenschlusses könnte aber durch eine branchenspezifische Banken-Zusammenschlusskontrolle wirksam verhindert werden. Bereits bestehende systemrelevante Strukturen könnten durch eine branchenspezifische Entflechtungsregelung aufgelöst werden (B. II, III).

3. In materieller Hinsicht könnten eine branchenspezifische Zusammenschlusskontrolle und eine Entflechtungsregelung an die Feststellung der Systemrelevanz eines Instituts anknüpfen, die bereits nach bestehendem Aufsichtsrecht zu prüfen ist. Ein solches Abstellen auf die Systemrelevanz auf individueller Grundlage (anstelle eines pauschalierenden Abstellens auf Kennziffern wie die Bilanzsumme) hätte den Vorteil, dass es für die Institute Anreize zur Offenlegung etwa von potentiellen Sanierungsmöglichkeiten (vgl. zu „Bankentestamenten“ auch nachfolgend 9) böte (B. III.2).
4. Eine umgestaltende Entflechtung, bei der die Anteilseigner der entflochtenen Gesellschaft pro rata an den aus der Entflechtung hervorgehenden Gesellschaften beteiligt werden, begegnet – falls keine milderen, gleich effektiven Mittel zur Verfügung stehen – keinen verfassungsrechtlichen Bedenken. Eine entziehende Entflechtung, bei der die Anteilseigner aufgrund einer Veräußerungsanordnung ihr Anteilsrecht oder die hierdurch vermittelte materielle Berechtigung bezüglicher bestimmter Vermögensgegenstände einbüßen, erscheint demgegenüber als entschädigungspflichtige Inhalts- und Schrankenbestimmung. Auch hier gebührt milderen Lösungen mit gleicher Wirksamkeit der Vorzug (B. IV.2).

Anreizorientierte Sonderregulierung für systemrelevante Banken

5. Ein im Verhältnis zu einer Sonder-Zusammenschlusskontrolle und einer Entflechtung milderes Mittel könnte in der Schaffung einer anreizorientierten Sonderregulierung für Banken bestehen: Die Regulierung könnte eine Vermeidung systemrelevanter Strukturen prämieren. Sie könnte so angelegt sein, dass sie die von „Too-big-to-fail“-Strukturen ausgehenden negativen externen Effekte (etwa: Belastung der Steuerzahler mit aus der Geschäftstätigkeit von Banken resultierenden Risiken) internalisiert, d.h. ihren Verursachern zuweist. Diese Internalisierung kann über die Festlegung eines Preises auf die mit externen Effekten einhergehenden Aktivitäten erfolgen. Am Finanzmarkt könnte der Staat danach Aktivitäten, die systemische Risiken auslösen, mit einem den Kosten dieser Risiken entsprechenden Preis belegen, sodass der Anreiz entstünde, die Aktivitäten auf das volkswirtschaftlich optimale Ausmaß zu reduzieren (C. I, II).
6. Die Gesamtkosten systemischer Risiken lassen sich durch eine Erhöhung der Eigenkapitalanforderungen und der Beiträge zu Einlagensicherungssystemen für systemrelevante Institute abbilden. Mit gesteigerten Eigenkapitalanforderungen geht zudem ein

erhöhter Anreiz für Institute mit Systemrelevanz zu sorgfältigem Wirtschaften einher. Zur Umsetzung des Konzeptes könnte wiederum der schon nach bestehendem Aufsichtsrecht erforderliche Systemrelevanz-Test fruchtbar gemacht werden. Der Risikopreis bestünde bei den an Ausfallrisiken bemessenen Eigenkapitalanforderungen in einer Erhöhung des Multiplikators jeweils für die Stufen mittlerer und hoher Systemrelevanz. Bei der Einlagensicherung würde sich die an den „Verbindlichkeiten gegenüber Kunden" bemessene Prämie für die mittlere und hohe Stufe erhöhen (C. III).

7. Die hier vorgeschlagene anreizorientierte Sonderregulierung wirkt weniger invasiv als eine Sonder-Zusammenschlusskontrolle oder -Entflechtung für Banken und ist, solange sie sich nicht als weniger wirksam erweist, diesen Instrumenten vorzuziehen. Die anreizorientierte Sonderregulierung erscheint wettbewerbskonform, weil sie eine Kompensation der für systemrelevante Institute anderenfalls bestehenden Vorteile bewirkt. Allerdings können im internationalen Wettbewerb Nachteile für die der Sonderregulierung unterliegenden systemrelevanten Institute entstehen, wenn andere Rechtsordnungen keine entsprechenden Vorschriften schaffen. Deshalb ist in dieser Hinsicht eine möglichst weitgehende internationale Abstimmung anzustreben, die u.a. auf den Ebenen des Basler Ausschusses für Bankenaufsicht und der Europäischen Union (Revision der sog. Bankenrichtlinie) ansetzen sollte (C. IV, V).

Sonderregeln für Sanierung und Insolvenz von Banken

8. Auch Sonderregeln für Sanierung und Insolvenz von Banken sollten am Ziel der Vermeidung einer staatlichen „Too-big-to-fail"-Politik, d.h. einer Vermeidung der Erforderlichkeit staatlicher Rettungsmaßnahmen für als systemrelevant geltende Banken orientiert sein (hierzu oben 1). Dieses Ziel kann auf zweierlei Weise gefördert werden: zum einen dadurch, dass Bankinsolvenzen, die Systemrisiken begründen, von vornherein – etwa durch Förderung von Sanierungsmaßnahmen – vermieden werden. Zum zweiten könnten rechtliche Regelungen darauf zielen, Bankinsolvenzen ihre „systemische" Wirkung zu nehmen, d.h. negative Auswirkungen auf die Stabilität des Finanzsystems zu unterbinden (D. I).

9. Ein Vorzug sog. *Bankentestamente* besteht in einer von einer verbesserten Transparenz der Rechts- und Vermögensverhältnisse von Banken ausgehenden Optimierung der Aufsicht. Während mit Blick auf das eigene Staatsgebiet Insolvenzrisiken besser

verwaltet werden können, lassen sich durch transparentere Einsicht in die Unternehmensstruktur zugleich die zwischenstaatliche Zuständigkeit leichter klären und (nationale) Aufsichtsstandards besser durchsetzen. Volle Wirksamkeit wird dem Konzept der Bankentestamente (wie auch dem eines reformierten Bankeninsolvenzrechts) erst zukommen, wenn es sich in seiner Wirkung nicht auf das Gebiet der Europäischen Union beschränkt, sondern auch darüber hinaus Realisierung erfährt. Die Vorschläge des Basler Ausschusses für Bankenaufsicht zur Schaffung entsprechender Pflichten und Aufsichtsstrukturen verdienen daher Unterstützung (D. II.1 a, 2).

10. Vorschriften über besondere *Reorganisations-* und nötigenfalls *Restrukturierungsmaßnahmen* können dazu beitragen, die konkret drohende Insolvenz systemrelevanter Institute abzuwenden, ohne dass es hierfür in gleichem Maße wie bisher staatlicher Zuschüsse bedürfte. Der Entwurf eines Kreditinstitute-Reorganisationsgesetzes des BMJ sieht die Schaffung von Instrumenten vor, die den gezielten Erhalt systemrelevanter Strukturen bei gleichzeitiger Durchführung eines Insolvenzverfahrens über nicht systemrelevante Teile einer Bank erlauben. Die Regelungen des Entwurfs scheinen geeignet, diese Ziele zu erreichen. Mit den drei Stufen des Sanierungsplans, des Reorganisationsplans und der behördlich angeordneten Ausgliederung systemrelevanter Teile bietet der Entwurf die Möglichkeit, je nach Situation angemessen auf Krisensituationen bei Banken zu reagieren (D. II.1.b, 2).

11. *Close-out-Netting* ist ein zweistufiges Verfahren, welches sich auf die Beendigung („close-out“) unerfüllter Verträge richtet und im Anschluss hieran zu einer Verrechnung (netting) führt. Diese im Derivatehandel verbreitete Gestaltung kann systemgefährdende Wirkung entfalten, wenn schwebende Verträge im vorinsolvenzlichen Stadium aus Gründen wie Vermögensverschlechterung, Verzug oder Vertragsverletzung vorzeitig fällig gestellt werden. Unter diesem Aspekt erscheint es sachgerecht, nur dem Close-out-Netting *für* den Insolvenzfall rechtliche Anerkennung zukommen zu lassen, nicht aber einem solchen *vor* dem Insolvenzfall. Als Stichzeitpunkt für die Abgrenzung beider Fälle – und damit für die Wirksamkeit des *Close-out-Netting* – ist auf die aufsichtsbehördliche Anordnung eines Moratoriums abzustellen. Eine Neuregelung dieses Inhalts erfordert die Änderung des bestehenden Richtlinienrechts. Zudem ist auf globaler Ebene ein internationales Konkordat anzustreben, das ein Close-out-Netting im Insolvenzfall (weiterhin) zulässt oder anordnet, wäh-

rend einem solchen vor der Eröffnung eines Insolvenzverfahrens (bzw. vor dem Erlass eines aufsichtsbehördlichen Moratoriums) die Wirkung versagt wird (D. III.1).

12. Auch außerhalb des besonderen Zusammenhangs des Close-out-Netting kann von *vertraglichen Beendigungsklauseln* eine systembedrohende Wirkung ausgehen. Deshalb erscheint es im Grundsatz zielführend, wenn etwa im Diskussionsentwurf eines Kreditinstitute-Reorganisationsgesetzes vorgesehen ist, dass die Anzeige der Sanierungsbedürftigkeit, der Antrag auf Einleitung eines Reorganisationsverfahrens und die Durchführung eines derartigen Verfahrens keinen wichtigen Grund zur Kündigung eines Schuldverhältnisses darstellen, nicht zu einer automatischen Beendigung von Schuldverhältnissen führen und dass entgegenstehende vertragliche Bestimmungen unwirksam seien. Allerdings wird die systemschützende Wirkung einer solchen auf die Zurückdrängung von Beendigungsklauseln gerichteten Politik nur dann erheblich sein, wenn sie in internationaler Abstimmung erfolgt (D. III.2).

II. Schutz des Finanzsystems durch Ausräumung von Informations- und Anreizproblemen auf Kapitalmärkten

13. Die jüngste Finanzkrise lässt die auf Kapitalmärkten bestehenden Informationsprobleme in einem veränderten Licht erscheinen. An der Finanzkrise der Jahre 2007ff vermag zu verblüffen, dass es in erster Linie *professionelle Anleger* waren, die in großer Zahl Papiere erwarben, welche sich später als drastisch überbewertet erwiesen. Eine Betrachtung entlang der „Wertschöpfungskette“ derjenigen Finanzinstrumente, die die Krise maßgeblich ausgelöst haben, d.h. der Verbriefung von in den USA begründeten „Subprime“-Kreditforderungen, belegt das Ineinandergreifen von auf verschiedenen Ebenen bestehenden Informationsproblemen. Kreditinstitute vergaben Darlehen, ohne eine tragfähige Prüfung der Bonität der Kreditnehmer vorzunehmen. Sie hatten keinen hinreichenden Anreiz zur Einholung entsprechender Informationen, weil sie die *Kreditrisiken* in verbriefter Form an Investoren *weiterreichen* konnten. Investoren erwarben die Kreditverbriefungen auf der Grundlage von *Ratings,* die die am amerikanischen Immobilienmarkt bestehenden Risiken nicht realitätsnah in Rechnung stellten. Hinzu kam, dass im Verhältnis zahlreicher Banken zu ihren für die Anlagepolitik verantwortlichen Mitarbeitern *Anreize* mitunter so gesetzt waren, dass eine übermäßige *Risikoneigung* bestand (A. II).

Selbstbehalt bei Kreditvergabe

14. Die Einführung eines zwingenden „Selbstbehalts“ des an der ursprünglichen Vereinbarung mit dem Schuldner beteiligten Kreditinstituts könnte das Problem des fehlenden Anreizes zu einer tragfähigen Bonitätsprüfung beheben. Eine in der Richtlinie 2009/111/EG enthaltene Neuregelung erscheint zur Erreichung dieses Ziels grundsätzlich geeignet. Allerdings weckt die Ausgestaltung der Regelung im Einzelnen Zweifel an ihrer Wirkung. Auch kann fraglich erscheinen, ob die Höhe des zwingenden Selbstbehalts von (nur) 5 Prozent für eine nachhaltige Anreizsetzung ausreicht. Hier sind ein höherer Selbstbehalt und eine strengere Ausgestaltung in Betracht zu ziehen (A. III).

Recht der Ratingagenturen

15. Das zweite der genannten Probleme – die mangelnde Qualität externer Bonitätsbewertungen (Ratings) – wird durch die europäische Rating-Verordnung von 2009 und den Entwurf eines deutschen Ausführungsgesetzes von 2010 adressiert. Die neuen Regelungen wirken einem qualitätsmindernden *rating shopping* durch Schuldner und Emittenten entgegen. Das Problem spezifischer Interessenkonflikte bei Ratingagenturen und ihren Mitarbeiten wird in grundsätzlich geeigneter Weise adressiert. Allerdings bereitet die Abgrenzung unzulässiger „Beratungsleistungen“ von zulässigen „Nebendienstleistungen“ für den Emittenten Schwierigkeiten. Ein Grundproblem wird aber von den Vorschriften der Verordnung nicht adressiert: Rating-Agenturen werden seit den 1970er Jahren ganz überwiegend von Schuldnern bzw. Emittenten ausgewählt und bezahlt – und damit nicht von der Seite der Investoren, deren Information ihre Tätigkeit dienen soll und deren Interessen Rating-Agenturen dementsprechend zuvörderst zu wahren hätten (E. I, II, III).
16. Von der Errichtung einer öffentlichen Ratingagentur ist abzuraten. Die Erstellung von Bonitätsbewertungen ist eine wirtschaftliche Dienstleistung, die von Unternehmen der Privatwirtschaft erbracht werden kann (E. IV).
17. Aus dem in diesem Gutachten eingenommenen Blickwinkel der Prinzipal-Agent-Theorie erscheint das Modell des von Investoren beauftragten und vergüteten Rating anderen Modellen funktional überlegen. Diesem – in den USA in jüngerer Zeit erneut aufkommenden – investorenfinanzierten Rating wird aber durch die europäische Verordnung von 2009 faktisch die Grundlage entzogen, wenn aufgrund einer erst spät in das Normgebungs-

verfahren eingebrachten Bestimmung nun gefordert wird, dass auch Ratings, die „an Abonnenten weitergegeben werden", öffentlich bekanntgemacht werden müssen. Damit Wettbewerb zwischen den Modellen des issuer-paid rating und des investor-paid rating entstehen kann, ist die Streichung der Bekanntgabepflicht für gegenüber Abonnenten erbrachte Ratings zu fordern (E. III, IV).

Sonderregelungen betreffend Leerverkäufe

18. Transaktionen in Finanzinstrumenten, die der sich zur Lieferung Verpflichtende nicht in Eigentum hat, verdienen eine differenzierte Bewertung. Einerseits können sog. Leerverkäufe die Einschätzung des Verkäufers zum Ausdruck bringen, dass das Finanzinstrument überbewertet sei, und damit zu einer effizienten Preisbildung am Kapitalmarkt beitragen. Andererseits können Leergeschäfte manipulativ eingesetzt werden und Märkte unter gewissen Voraussetzungen destabilisieren. Leerverkäufe in Wertpapieren von Finanzinstituten können, wenn ein durch sie ausgelöster Preisverfall die (Re-) Finanzierung des Emittenten gefährdet, sogar die Stabilität des Finanzsystems gefährden. Vor diesem Hintergrund ist ein Allgemeininteresse an einer Möglichkeit zur zeitweisen Beschränkung von Leerverkäufen nicht von der Hand zu weisen (F. I, III).
19. Die Tauglichkeit der Generalbefugnisnorm des § 4 Abs. 1 S. 2, 3 WpHG als Grundlage für die von der BaFin in den Jahren 2008 bis 2010 erlassenen Allgemeinverfügungen muss bezweifelt werden. Da Leerverkäufe als solche in den Abschnitten 2 bis 13 des WpHG nicht adressiert werden, erscheint ihr Verbot durch die der BaFin obliegende allgemeine Missstandsaufsicht nicht gedeckt (F. II).
20. Für den vom Bundesministerium der Finanzen *de lege ferenda* in Aussicht genommenen *gesetzlichen Ausschluss ungedeckter Leerverkäufe* kann angeführt werden, dass damit Marktverwerfungen in wirksamer Weise vorgebeugt werden könnte. Allerdings wird zu diskutieren sein, ob dieses Ziel auch mit dem milderen Mittel des sachlich auf bestimmte Finanzinstrumente zu beziehenden und zudem jeweils befristeten *behördlichen* Leerverkaufsverbots erreicht werden kann. Durch entsprechend ausgestaltete *gesetzliche* Transparenz- bzw. Meldepflichten könnte der Bundesanstalt ermöglicht werden, mit Anordnungen im Einzelfall angemessen auf erhöhte Kursvolatilitäten und schädliche Kapitalmarktentwicklungen zu reagieren, die durch Leerverkäufe bedingt sind. In jedem Fall ist die Herstellung einer eindeuti-

gen Gesetzeslage zu fordern, um Unsicherheiten bezüglich der Zulässigkeit von Maßnahmen der Aufsichtsbehörde, wie sie in der Vergangenheit aufgetreten sind, zu vermeiden (F. III).